Heibonsha Library

ヴァンギャルド

ブックデザインにみる
文芸運動小史

西野嘉章

平凡社

本著作は二〇〇六年五月、平凡社より刊行されたものです。

はじめに

アヴァンギャルドとは、そもそもが戦場の最前線にたつ兵士のことをいう。この軍隊用語は、いつしか先鋭的な芸術運動について用いられるようになった。それがアウラのごときものに包まれ、いまやノスタルジーさえ感じさせる時代になろうとしている。とはいえ、運動に参加した者が、アヴァンギャルドを自称していたわけではない。前線に駆り立てられた兵士は、好むと好まざるとにかかわらず、後続の本隊に飲み込まれる運命にあった。大きな潮流に翻弄されつつも、なお波頭が輝いて見えるとしたら、それがまさにエフェメラルな現象だからであろう。そうした一瞬の煌めきを放つアヴァンギャルドが、一九二〇年代の中欧ボヘミアに、若き運動体として存在したのである。

ヨーロッパのアヴァンギャルドというとき、われわれ日本人は、いったいなにを思い浮かべるであろうか。もしそう問われたなら、未来派や、ダダや、バウハウスや、シュルレアリスムなど、いずれにしてもイタリア、スイス、ドイツ、フランスを中心に繰り広げられた前衛芸術運動のことを想起する人が多いのではないだろうか。しかし、それは西ヨーロッパ偏重主義的なアヴァンギャルド史観にすぎない。日本人の多くは、たしかに、そうした考え方に久しく飼い慣らされてきた。しかし、この史観に安住していたのでは、アヴァンギャルドの魅力のなんたるかを、充分に味わい尽くせないのではないか。すなわち、国家や民族や言語に縛られることなく、共時的、越境的、連鎖的に前線を形成するという、アヴァンギャルドの存在様態の妙味を。

事実、ポーランド、チェコスロヴァキア、ハンガリー、ルーマニア、ユーゴスラヴィアなど、これまでわれわれが前衛芸術運動史の視野に入れることを躊躇してきた旧社会主義諸国にも、地域主義と国際主義のはざまに揺れ動いた、特異なアヴァンギャルドが、まぎれもなく存在していたのである。これらの国々では、第二次大戦後の共産党独裁政権下で、「反体制的」と目された作品や資料が、秘匿され、潰滅されてきた。そのため、旧社会主義諸国のアヴァンギャルドについては、いまだ知られざる部分がすくなくない。それらの諸国家で展開した芸術運動は、新しい時代にかなう美学の探究という側面だけでなく、革命の実現、国家の建設、生活の刷新など、生存にかかわる基底的な課題と、真正面から対峙する必要に迫られた。それだけに、西ヨーロッパの場合より、緊張感、悲壮感、逼迫感に満ちていたといえるかもしれない。破壊と建設のディレンマ、個人的自由と国家的綱領の相克は、東欧圏アヴァンギャルドに特異な陰影を投げかけており、われわれの興味をいささかなりと惹起せずにはおかないのである。

東欧圏アヴァンギャルドのなかで、もっとも眺めのよいのはチェコ・アヴァンギャルドである。ユーラシア大陸の東端に位置するヨーロッパ半島、チェコはその真ん中に位置する。汎ヨーロッパの「臍」として栄えたのが、古都のプラハであった。そこを中心とするボヘミア地方は、古くから地下資源の豊かな土地柄で知られており、近代工業社会が隆盛を迎えた十九世紀後半から二十世紀初頭にかけては、西ヨーロッパの大国フランスをもしのぐ経済力を有していた。世紀末の画家ミュシャの石版画も、ドヴォルザークやスメタナの国民音楽も、あるいはボヘミアン・グラスやアール・ヌーヴォー家具といった贅沢品も、そうした豊かな経済力を背景にもつ、ボヘミア社会の文化的精華であった。

一九一八年一〇月、オーストリア＝ハンガリー二重帝国が崩壊し、トマーシュ・ガリグ・マサリクを大統領とするチェコスロヴァキア共和国が誕生した。新生した首都プラハには、第一次大戦のさなか、西ヨーロッパの各地で胎動を始めた前衛的な芸術潮流が、矢継ぎ早に流入してきた。最初に姿をあらわしたのは、ダダであった。それに続いたのがイタリア未来派である。さらにハンガリーの行動主義、バウハウスの機能主義、ロシアの生産主義があいついで流れ込んできた。もちろん、これら前衛諸潮流（イズム）の流入には前史があった。ドイツ語を共通語とした、戦前からの、ベルリンとプラハの緊密な交流がそれである。ベルリンの作曲家ヘアヴァルト・ヴァルデンは、一九一〇年三月に文芸雑誌『デア・シュトゥルム（嵐）』を創刊し、画廊の経営や展覧会の企画を通じて、ヨーロッパ各地に新興する前衛芸術をゲルマン文化圏に定着させるべく、孤軍奮闘していた。もちろん、その恩恵に浴したのは、ボヘミアの芸術家たちばかりではなかった。しかし、ヴァルデンの努力が功を奏し、彼らの前に、国際的な舞台にたつための門戸が開け放たれたことは間違いない。

とくに、プラハの美術学校や工芸学校で学んでいた若者たちの場合がそうであった。ヴィンツェンツ・ベネシュ、ヨゼフ・ゴチャール、ヨゼフ・チャペック、ボフミル・クビシュタ、エミル・フィラ、ヴァーツラフ・シュパーラら、新進気鋭の美校生、工芸校生たちは、当初、エドヴァルト・ムンクに代表される世紀末象徴派、ゴッホやゴーギャンのポスト印象派、さらにはパリで台頭著しいフォーヴィスムとキュビスムに惹かれていたが、卒業後ヨーロッパ各地を遍歴するなかで、それまで眼にしたことのない、新しい美術の動向を見出すことになった。場所はベルリンである。彼らはヴァルデンの許で、ドイツ各地に誕生しつつあった表現主義と、イタリアからもたらされた未来派を知る。諸派混淆の折衷スタイルから始められた仕事は、やがて独自の造形表現にたどり着く。一九一〇年代のボヘミアの美術、建築、工芸には、「チェコ・キュビスム」の名前が与えられているが、実際のところは、主題においても様式においても、キュビスムと表現主義、それぞれの特徴を採り入れた立体表現主義にほかならなかった。

もっとも、彼らが滋養としたもののなかにも、微妙なニュアンスの違いや、温度差があった。

たとえば、象徴派詩人フィリッポ＝トマーゾ・マリネッティが一九〇九年二月、パリの日刊紙『ル・フィガロ』の紙面で旗揚げしたイタリア未来派は、批評家ルッジェーロ・ヴァザーリが代表を務める未来派ベルリン支部を中継して、プラハにもたらされた。そのため、イタリア国内で繰り広げられていた未来派運動から見ると、ゲルマン的な色合いに染まった部分がないわけではなかった。また、大戦中に亡命者の避難場となったチューリッヒで、ルーマニア人のトリスタン・ツァラが、同郷のヤンコ兄弟、ドイツ人のリヒャルト・ヒュルゼンベック、徴兵忌避者のフーゴー・バル、アルザス人のハンス・アルプらとともに興した、ダダの場合もそうである。ヒュルゼンベックはスイスを離れ、ラウル・ハウスマン、ゲオルゲ（ジョージ）・グロッス、ジョン・ハートフィールドとともに、敗戦直後のベルリンに集い、「クラブ・ダダ」を興す。彼らが始めたベルリン・ダダは、ワイマール共和国体制下で急激に左傾化、とはすなわち政治運動化し、ハノーファーのダダ詩人クルト・シュヴィッタースを巻き込むかたちで、ボヘミアに飛び火した。ミラノ、フィレンツェ、ボローニャ、トリノ、ローマで大衆を動員した「未来派の夕べ」、あるいはチューリッヒ、パリ、ベルリンで警察ざたにまでなった「ダダの宣言集会」、それらがわずかな時差と、多少の偏差をもってボヘミアにもち込まれ、反伝統、反芸術、反理性を前面に掲げたマニフェスト、喧噪と騒乱と虚無に終始するパフォーマンスで、一九二〇年台初頭の古都プラハを混乱に陥れたのである。

世紀初頭に美術教育を修了したチャペック世代の仕事を幕開けとするなら、前衛運動のハイライトを演じたのは、彼らに続く世代すなわち、一九〇〇年前後に生を受けた一群の若者たちであった。二十歳になるかならないか、という年齢で終戦を迎えた彼らは、西ヨーロッパからもたらされた新興芸術運動をまのあたりにし、それらに対する憧憬のさめやらぬうちに、自分たち独自の運動体「デヴィエトスィル協会」を旗揚げした。一九二〇年一〇月、プラハのカフェ・ウニオンでのことであった。グループを率いたのは、新進気鋭の論客で、のちに美術、デザイン、建築、批評の各分野で、多彩な才能を発揮するカレル・タイゲである。詩人のヴィーチェスラフ・ネズヴァルとヤロスラフ・サイフェルト、批評家のアドルフ・ホフマイステル、建築家のベドジフ・フォイエルシュタインがタイゲに続いた。そのほか、左傾化した画家、作家、詩人、出版人、音楽家、批評家、役者、舞踏家、写真家が彼らの隊列に加わり、一九三一年の組織解体までに、延べ百人近くを数える運動体に成長した。日本人にもなじみの深い喜劇役者チャールズ・チャップリン、ハロルド・ロイド、ダグラス・フェアバンクス、ロシアから移住してきた言語学者ロマン・ヤコブソン、マリネッティの統合演劇論を実践した舞台美術家エンリコ・プランポリーニ、彼らもまた名誉会員として協会のリストに名を連ね、一九二〇年代のチェコのモダニズム文芸運動の一翼を担うことになった。

デヴィエトスィル協会に集う若者たちは、旧世代のボヘミア文化人と違って、国外の前衛芸術運動との交流に積極的であった。初めは単なるまねびもなくはなかったが、やがて国外からの刺激を糧に、独自の美学を確立することになる。最初に接触したのは、第一次大戦前夜の帝都ブダペシュトで産声を上げ、ハンガリー革命を生き抜いたアクティヴィスム（行動主義）のグループであった。彼らは、その主導者カシャーク・ラヨシュが亡命地ウィーンで発行を続けた機関誌『マ（今日）』の名前にちなんで、マ・グループと呼ばれていた。これら亡命ハンガリー人たちの構成主義的な造形理論と国際主義的な行動様式、ユダヤ人美術家エル・リシツキーが批評家イリヤ・エレンブルクとともに興した国際芸術雑誌『ヴェーシチ・ゲーゲンシュタント・オブジェ（事物）』の生産主義的なオブジェ観と社会主義的な世界像、画家アメデ・オザンファンと建築家ル・コルビュジエが提唱したピュリスム（純粋主義）の近代的な精神と美学的な洗練、そうしたものがひとつとなり、ボヘミアにおけるモダニズム運動の方向性を画定することになった。

もちろん、デヴィエトスィル協会のメンバーは、一九一七年十月革命後のロシアの文化動向についても、つねに目配りを怠らずにいた。あるいは媒介者を通じて間接的に、あるいは自分たちの仲間を派遣して直接的に、新生社会主義国家の現実を注視し続けていたからである。他方で、テオ・ファン・ドースブルク率いるオランダ構成主義「デ・ステイル」、ヴァルター・グロピウスが創設したワイマール・バウハウスなど、北ヨーロッパの前衛芸術運動との交流にも意欲的であった。デヴィエトスィル協会の対外交流の汎図には、ベルリン留学生村山知義が帰朝後すぐに興したマヴォ・グループまで含まれる。このように一九二〇年代のチェコ・アヴァンギャルドには、さまざまな芸術潮流が流入しており、その滋養の多様性が、生活とアートの詩的な統合を目指す、チェコ独自の美学「ポエティスム」の誕生を促したのである。

デヴィエトスィル協会が目指したのはハイ・アートの日常化、言葉を換えると、日常生活を全的にアート化することであった。アートを高尚なものと考える伝統的な芸術観に見切りをつけ、建築、インテリア、グラフィック、モード、芝居、ダンス、工業製品など、日常のあらゆる側面に、美的な洗練と、詩的な情趣をもたらそうとする。従来の職能主義的枠組みに囚われず、各種の分野をさまざまに越境し合おうとする、汎文化的創造への意思は、イタリア未来派、バウハウス、レスプリ・ヌーヴォーに由来する。また日常的な事物や言葉を非日常的なコンテキストに招き入れ、そうすることによって新しいモノの見方を誘い、あらたな価値の掘り起こしにつなげようとする姿勢は、ロシア未来派の詩学とも、ダダのオブジェ観とも通い合うものであった。

彼らのそうした探究の成果をもっともよく示しているのは、本やポスターなど、印刷物のデザインである。タイゲが創案し、のちにデッサウ・バウハウスの教程に採用されることになった機能主義的なタイポグラフィと構成主義的なレイアウト。写真に活字が付随するという、従来の常識を百八十度逆転させた構成詩（タイポ・フォト）。あるいは、フォト・イメージや印刷文字を断片化し、それらを貼り混ぜて構成する絵画詩（ピクチャー・ポエム）。これらにあっては、ことばとイメージが、視覚造形的にも意味範疇的にも、まったく等価なものとして扱われている。一九二〇年代のチェコを代表する出版社ボロヴィー、アヴェンティヌム、オデオン、さらにはそれらに続くヤン・フロメク書店の詩集や文学書、あるいはタイゲやサイフェルトが編集に携わった定期刊行物、年鑑などの出版物には、ポエティスム美学を謳った、チェコ・モダニズム・デザインの最良の成果を見ることができる。

目次

キャプション番号に＊の付されているものは、図版は掲載せず、キャプションのみ掲載した。

図版頁中の2、26（六点）、62、64、83、84、85、86、88、89、91、92、93、94、95、97、98、109、118は大阪中之島美術館所蔵。

序

チェコスロヴァキアのモダニズム芸術運動が、二十世紀芸術研究のなかで正面きって取り上げられるようになったのは、そう昔のことではない。どう古く見積もっても、一九九〇年代初頭を遡ることはないからである。いまにして思えば、かくも魅力的な、しかも汎ヨーロッパ的な前衛芸術運動が、好奇心溢れる人々の視界からぽっかり抜け落ちていたというのは、まことに不思議なことであった。

これには理由がないわけではない。他の旧社会主義諸国と同様、チェコスロヴァキアでも、第二次大戦後の政治体制が災いして、文芸のモダニズムの存在が、正史の記述から抹殺されてきた。そのため、両大戦間に生み出された芸術作品は、周辺資料ともども、長いあいだ西ヨーロッパの公衆の眼に晒されることがなかった。ばかりか、それらを生み出した美術家や文芸家、あるいは創作現場の生き証人が没すると、彼らの作品は、遺族の許を離れ、むなしく散逸するか、世界各地の個人コレクションに埋没するかして、本国の美術館や資料館でさえ、組織立って収集する機会を逸してしまったのである。

もっとも、一九六八年の、いわゆる「プラハの春」と、その悲劇的顚末は、チェコスロヴァキアの文芸運動について、内外の関心を覚醒させる契機となった。早くから二十世紀初頭のモダニズム文芸運動の遺産に着目してきた美術古書籍商ジョン・A・フレーマンスの証言するところによると、チェコスロヴァキア関係の史料が欧米の市場に流出し始めたのは、一九六九年頃のことであったという。[*1] ロシア、ポーランド、ハンガリー、ルーマニア、ユーゴスラヴィアなど、東欧圏の前衛芸術運動があらためて見直されようとするなか、同時代のチェコスロヴァキアへの関心も、すこしずつ顕在化してきたというわけである。

関心が芽生えたとはいっても、はなから、運動の全体が見えていたわけではなかった。現に、当初は一九二〇年代の文芸活動と、印刷物についての関心がもっぱらであった。一九八〇年代末になり、ようやくにして、「チェコ・アヴァンギャルド」という便宜的な概念の下で、一九二〇年代から三〇年代にかけてのモダニズム芸術運動を、俯瞰的に眺めることができるようになった。[*2] 視界を拓いたのは、一九八八年にダルムシュタットのマティルデンヘーエ美術館が主催した『二〇年代と三〇年代のチェコ美術——前衛と伝統』展であった。のちにこの展覧会は、作品選択や展示方法に問題あり、との批判を浴びることになりはしたが、再評価のきっかけを作ったという意味で、意義なしとはいえない。翌年、米国ヒューストン美術館で『チェコ・モダニズム——一九〇〇—一九四五年』展が開かれ、いまいちど再評価が試みられることになったからである。

一九九〇年にも、オックスフォード近代美術館とロンドン・デザイン・ミュージアムの『一九二〇年代と一九三〇年代のチェコ・アヴァンギャルド』展、デン・ハーグのメールマーノ美術館とハンブルクの美術連盟の共催になる『チェコ・アヴァンギャルド――一九二二―一九四〇年』展の、二つの重要な巡回展が開催されている。前者の展覧会は主催館のデイヴィット・エリオットとヘレン・リーズの企画構成になるもので、チェコの前衛集団デヴィエトスィルに、はじめて焦点が当てられた。この展覧会は、デヴィエトスィルの誕生から第二次世界大戦勃発までの展開を、映画や写真や音楽を含む、幅広い分野にわたって検証しようとするものであった。後者の展覧会はズデニェク・プリムスの構成になるもので、モダニズム文芸運動の展開を各種印刷物から回顧しようとする、これまた斬新な企画であった。展覧会を機に編まれた図録は版を重ね、チェコ・アヴァンギャルドのブック・デザインに関する、信頼の置ける文献としてすでに定評がある。

第二次大戦以前のチェコスロヴァキア美術は、その後も、世界各地の展覧会を賑わせている。一九九二年春にパリのポンピドゥ・センターで開催された『チェコ・キュビスム』展は、一九六六年にパリ国立美術館で開かれた『ピカソ、ブラックとチェコの同時代人たち』展でのチェコ・キュビスム再評価を承けて、一九一〇年から一九二五年にかけての建築、デザイン、応用美術を紹介し、いわゆるチェコ・アヴァンギャルドと呼ばれるものの胎土として、フランス・キュビスムとドイツ表現主義の折衷形態、すなわち「立体表現主義」の存在したことを、あらためて西ヨーロッパの公衆の前で、あきらかにしようとするものであった。また、翌年二月から四月にかけ、バレンシアのフリオ・ゴンサレス美術センターで開かれたヤロスラフ・アンジェル企画『チェコスロヴァキアの前衛美術——一九一八—一九三八年』展は、両大戦間の多様な芸術運動すなわち、絵画、彫刻、建築から、グラフィック、写真、産業デザイン、文芸、舞台美術、音楽まで、「構成主義とポエティスム」、「抽象」、「機能主義とシュルレアリスム」の三つのテーマを軸に紹介し、チェコ・アヴァンギャルドの全体像に迫ろうとする、はじめての包括的な試みとされている。

運動に参加した個々のメンバーについての個別研究も、遅れをとってはいない。とくに、チェコ・アヴァンギャルドの中核にいたカレル・タイゲについては、各方面からの研究が進んでいる。上記の展覧会と同じ一九九三年に、イタリアの季刊建築デザイン誌『ラセーニヤ（論評）』が「建築家・詩人カレル・タイゲ」の特集号を出しているし、その翌年にはプラハでも、タイゲの大掛かりな回顧展が開催され、立派な図録が出版されている。さらに、一九九九年にエリク・ドルホシュとロスチスラフ・シュヴァーハの共同編集で「チェコ・モダニズム——恐懼すべき前衛児」の副題のあるタイゲの本格的な研究書が刊行され、二〇〇一年にもニューヨーク大学附属グレイ・アート・ギャラリーで、ドルホシュによって、タイゲ没後五十年を記念するウォルフソニアン＝フロリダ国際大学所蔵コレクション紹介展『夢と幻滅――カレル・タイゲとチェコ・アヴァンギャルド』が組織されている。

その後も陸続と研究成果の公表が続いている。一九九七年二月から五月にかけパリ市立近代美術館で開催された企画展『ヨーロッパの三〇年代――迫りくる時代一九二九―三九年』では、国際シュルレアリスム運動とのかかわりに光が当てられ、ヤナ・クラヴェリが「ポエティスムからシュルレアリスム――チェコスロヴァキア美術」の論考を図録に寄せている。同じ年、ディジョンの美術館でも『プラハ――一九〇〇―一九三八年』と題する展覧会が開かれ、マーネス造形芸術家連盟に参画した旧世代の画家たちの活動と、デヴィエトスィルの急進的な芸術運動との連続性が、あらためて俎上に載せられた。シュルレアリスム運動とプラハの前衛たちとのかかわりについては、一九九一年にポンピドゥ・センターで開催された『痙攣する美――アンドレ・ブルトン』回顧展、同じく二〇〇二年にヴェルナー・シュピースが企画した『シュルレアリスム革命』展でも言及されており、シュルレアリスムの研究史においても、いまや、同時代のボヘミアの動向についての回顧が、欠かせぬものとなっている。ブルトンの遺品が、売り立てなどを通して、すこしずつ市場に出回るようになるにつれ、国際シュルレアリスム運動への、チェコスロヴァキア・グループからの寄与の大きさが、再認識されるようになったのである。

同様のことは音楽の領域についてもいえる。ズデニェク・ペシャーネクやミロスラフ・ポンツといった一九二〇年代チェコの作曲家の仕事が、同時代の造形芸術とのかかわりのなかで取り上げられたのは、上述の英国での巡回展が最初であった。二〇〇四年から翌年初頭にかけ、ポンピドゥ・センターで開催された企画展『音と光――二十世紀芸術における音の歴史』でもまた、その実験性、造形性が、現代音楽史のなかであらためて問い直されている。そのこともあって、この分野での研究は、今後ますます加速されていくに違いない。

このように、実際のところ二十年にも満たぬ間のことであるが、両大戦間のチェコスロヴァキアのモダニズム芸術運動についての研究は、目覚ましい進捗ぶりを見せており、同時に、資料の蓄積もいまや相当なものになっている。未来派、ダダ、デ・ステイル、構成主義、バウハウスなど、同時代の西ヨーロッパの前衛芸術運動と、ロシア・アヴァンギャルドについては、編年作業や資料渉猟が一段落した感がある。大規模な国際巡回展で、それらに関する研究成果の開陳が済んだいま、学芸員や研究者の関心は、旧社会主義諸国におけるアヴァンギャルドの実態解明に向けられようとしている。*3

たとえば、ルーマニアであれば、ダダの首謀者であるトリスタン・ツァラはもちろんのこと、「チューリッヒ・ダダ」に参加したマルセル・ヤンコ、ブカレストで独自の構成主義運動を展開したマックス＝ヘルマン・マクシ、シュルレアリスム運動に参画したヴィクトル・ブラウネルの名前を挙げることができるし、またハンガリーで、バウハウスで教鞭を執ったモホイ゠ナジ・ラースローとマルセル・ブロイヤー、あるいはそこに学び、のちにバルカン構成主義運動を組織することになったモルナール・フォルカシュ、オランダのデ・ステイル運動に参加したヴィルモス・フサール、亡命先のウィーンで独自のアクティヴィスム運動を展開したカシャーク・ラヨシュ、ワイマール・バウハウス滞在の経験を基に美術学校「ムーヘイ」を創設し、新しいデザイン教育を実践したボルトニク・シャーンドルら、錚々たる人材を輩出している。

ポーランドでは、ヴィテブスクの「ウノヴィス（美術労働者組合）」でカジミール・マレーヴィチに学び、ワルシャワ構成主義を興したヴワディスワフ・スツシェミンスキ、あるいは彼の仲間のヘンリク・スタジェフスキらが活躍している。ユーゴスラヴィアでも、プラハとザーグレブのあいだで「ユーゴ・ダダ」を興し、「ヘビー級ダダイスト」を自称して憚らなかったドラガン・アレクシチ、さらには「ゼニティズム（天頂主義）」なる霊的神秘主義を興し、バルカンを中心とする新世界構築の哲学を体現したリュボミール・ミシチなど、瞠目すべきセルビア的前衛精神の存在も看過するわけにいかない。未来派、ダダ、構成主義など、西ヨーロッパから流入する諸潮流と、国家の主導になる生産主義のはざまに揺れ動いたロシア、ウクライナ、グルジアなど、旧ソヴィエト連邦の諸地域についても同様である。

たしかに、東欧圏におけるアヴァンギャルド運動の実態解明は容易でない。スラヴ系諸語に通じている必要があるし、一次資料の収集も簡単ではないからである。その意味で、スティーヴン・C・フォスターを総監修に戴いて一九九六年に出版された『ダダの歴史』の第四巻「東方のダダ圏」は評価に値する。[*4]国際共同研究という枠組みのなかで、日本の五十殿利治氏を含む各国の専門研究者が、それぞれの国や地域における、ダダの受容展開史を記述するなかから、各種前衛芸術運動の交流の実態が、多少なりと見えてきたからである。

ティモシー・O・ベンソンが中欧の研究者を総動員し、二〇〇二年春にロスアンゼルス郡立美術館で組織し、ミュンヘン、ベルリンに巡回した企画展『中欧アヴァンギャルド――交換と変形』もまたそうである。前者と同じ論点にたって、しかし、こんどはその射程を独りダダだけでなく、一九一〇年代から一九三〇年にかけて中欧で展開した前衛芸術運動の全体に拡げてみせているからである。展覧会図録とあわせて出版された大部な資料集とともに、この企画もまた敬服に値する。中欧諸国を国境で分断するのでなく、一衣帯水の圏としてとらえる視点にたって、プラハ、ブダペシュト、ウィーン、ベルリン、ワイマール、デッサウ、ブカレスト、ザーグレブ、ベオグラード、リュブリアナ、ノヴィ・サッド、ポズナン、クラコフ、ワルシャワ、ローデスなど、各都市間の前衛交流ネットワークの実態を浮き彫りにしようとする試みが、これからさき、どれほど実りある研究成果をもたらすことになるのか、そうした期待感を抱かせてくれるからである。[*5]

立体表現主義の誕生——パリ・ベルリン・プラハ

ベルリン生まれの作曲家ヘアヴァルト・ヴァルデンが、アヴァンギャルド芸術運動の推進者として、大きな役割を果たしたことはよく知られている。ヴァルデンは一九一〇年二月三日、ドイツ表現主義文学擁護のために文芸雑誌『デア・シュトゥルム』（図版129・130）を創刊した。その発行事業は、第一次大戦中の壊滅的な状況を乗り越え、通算二十三年に及んでいる。たしかに、これほど長いあいだ個人雑誌の維持されたこと自体、すでに稀ではある。しかし、それよりなにより、この雑誌は、二十世紀初頭のヨーロッパ各地に新興しつつあった文学や美術の思潮を多く受け容れ、それらが文字通り自由に行き交うフォーラムの役割を果たしたという点で、比類のない意義を有している。

『デア・シュトゥルム』は、もちろん、独りドイツの新興芸術の普及、展開に寄与しただけではなかった。その影響力は汎ヨーロッパ的な広がりをもっていた。現に、フランスのキュビスムも、イタリアの未来派も、ハンガリーの構成主義も、さらにはドレスデンの「ブリュッケ（橋）」、ベルリンの「ノイエ・ゼツェスィオーン（新分離派）」、ミュンヘンの「ブラウエ・ライター（青騎手）」（図版125）など、二十世紀初頭のドイツ絵画の展開でもっとも重要な役割を果した表現主義の運動も、どれもがこの個人雑誌を通じて、西ヨーロッパの諸国に、さらには東ヨーロッパの諸国に広く紹介されることになった。雑誌『デア・シュトゥルム』が、世紀初頭のヨーロッパにおける新しい美術の生成や展開を跡づけるうえで、かけがえのないものとされるのは当然である。[*1]

ヴァルデンは一八七八年にユダヤ系医師の息子として生まれ、ベルリン音楽院でピアノと作曲を学んでいる。十九歳でフィレンツェに留学し、美術に開眼したといわれる。一九〇一年、二十三歳になったヴァルデンは、九歳年長の詩人エルゼ・ラスカー＝シューラーと結婚。二年後、エルゼの助言もあり、「芸術結社」なる文芸クラブを創設している。この私的な集まりは、やがてユーゲントシュティールの詩人、作家、音楽家の集う場所となった。常連のなかには、ヘルマン・バール、アルフレート・デーブリン、カール・クラウス、リヒャルト・デーメルらがいた。一九〇八年、ヴァルデンは、文芸雑誌の創刊を思い立ち、出版社に話をもちかける。しかし、折り合いがつかず、それに失敗。以後、二度にわたって同じことを繰り返したのち、結局、自力で創刊するしかほかに手のないことを悟った。批評家ルドルフ・ブリュムナーの協力を得て、ベルリンのハーレンゼーに出版所を設けたのは一九一〇年のことであった。ヴァルデンが新雑誌の手本として頭に思い描いていたのは、フィレンツェの作家ジョヴァンニ・パピーニが画家アルデンゴ・ソッフィチとともに発行していた社会文芸誌『ラ・ヴォーチェ（声）』（図版128）であった。[*2]

一九一〇年三月三日、ヴァルデンはようやくにして新雑誌の創刊にこぎ着けた。『デア・シュトゥルム』という雑誌名は、死と再生の意味をこめたもので、詩人エルゼの命名になる。創刊号に先立って発行された、購読予約者を募る一枚刷りの予告号がある（図版129）。それには、各号十ペニヒ、一年間の定期購読料が五マルクとある。この文芸週刊誌をもって「ジャーナリズムと文芸欄主義」に取って代わらせる、というのが、発刊のそもそもの趣意であった。しかし、ウィーン出身の画家オスカー・ココシュカとの出会いが創刊者ヴァルデンに趣意替えを促すことになった。

二十四歳の画家ココシュカをヴァルデンに紹介したのは、「ウィーン工房」の建築家アドルフ・ロースであった。ロースの属する「ウィーン工房」は、さまざまな芸術の統合を目指すべく、グスタフ・クリムト、ヨゼフ・ホフマンらが一九〇三年に興した運動体で、一九〇八年に『クンストシャウ（芸術総合）』展の開催にこぎ着ける。ココシュカは、いまだウィーンの美術工芸学校の学生という身分であったが、この記念すべき第一回展で、重要な役割を果たしている。すなわち、展覧会に版画作品、ゴブラン織りの下絵、自作の詩『夢見る少年たち』の挿絵などを出品していただけでなく、『ウィーン・クンストシャウ』国際展の一部をなす舞台の台本を書き、そのポスターまで任されていたからである。庭園劇場を舞台にエルンスト・ラインホルトの演出で上演された戯曲『暗殺者、女たちの願望』は、もちろんココシュカの処女作であったが、男女の性的葛藤の赤裸な描写を通して現代文明を批判しようとする過激な内容が、公序良俗を尊ぶ保守的な観衆に衝撃を与え、大きなスキャンダルを惹き起こした。ココシュカはその出来事がもとで、美術工芸学校から除籍処分を受けることになり、ウィーンを離れベルリンに来ていたのである。

ロースの紹介でヴァルデンの知遇を得たココシュカは、文芸週刊誌に挿画を入れることを提案した。ヴァルデンは躊躇することもなく、それを了とした。一九一〇年五月一九日発行の第一二号に掲載されたオリジナル版画『カール・クラウスの肖像』が、ココシュカの『デア・シュトゥルム』（図版130）におけるデビュー作となった。[*3] 以後、ココシュカは「現代の貌」シリーズとして、アドルフ・ロース、ヴァルデン、パウル・シェーアバルト、アルフレート・ケール、リヒャルト・デーメルらの人頭像を間歇的に週刊誌の第一面に寄せている。ココシュカの寄与により、誌面に視覚的な要素が加わり、創刊からわずか二ヶ月しか経ぬうちに、『デア・シュトゥルム』は文芸週刊誌から美術週刊誌へ衣替えすることになったのである。この方向転換を読者に強く印象づけたのは、同年七月一四日発行の第二〇号から始まった戯曲『暗殺者、女たちの願望』の挿画シリーズであった。ココシュカの名前を一躍有名にした戯曲の台本とそれを飾る、鋭利な線描による挿画が四回に分けて続き、表現主義に傾きつつあった美術家や文学者のあいだで、にわかに注目を集めるようになった。

創刊の年にほとんど間断なく週刊誌の第一面を飾り続けたココシュカの挿画に対しては、退廃的な落書きにすぎないとの批判もなくはなかった。しかし、創刊から三年もすると、世間の受けとめ方が変わり始めた。ココシュカの仕事に対する評価、さらには雑誌に対する評価が高まってきたからである。以後は、ウィーンの画家のあとを追うようにして、各地の表現主義の画家たちが、ヴァルデンの周辺に集うようになった。一九〇六年にドレスデンで「ブリュッケ」を旗揚げしたエルンスト＝ルートヴィヒ・キルヒナー、エーリッヒ・ヘッケル、カール・シュミット＝ロットルフ、エミール・ノルデ、マックス・ペヒシュタインのグループは、一九一一年からその拠点をベルリンに移していたし、また、一九一一年にミュンヘンのハンス・ゴルツ画廊で「ブラウエ・ライター」（図版125）を興したワシリー・カンディンスキー、フランツ・マルク、アルフレート・クビーン、ガブリエル・ミュンターも、ときを経ずしてヴァルデンの雑誌の常連となった。

ヴァルデンが孤軍奮闘するベルリンに、最初の大きな波頭がやって来た。アルプスの南からイタリア未来派が突如として闖入してきたのである。それを助けた、否、迎え入れたのはヴァルデンであった。とはすなわち、雑誌『デア・シュトゥルム』であり、その名を冠した画廊であり、書店であり、そこを拠点として組織された巡回展であり、しばしば繰り返される「文芸の夕べ」であった。[*4] 一九一一年春エルゼと離婚したヴァルデンは、スウェーデン生まれの画家にして詩人のネルと知り合い、二人してヨーロッパ各地を歩き、新しい美術家の発掘に努めていた。翌年初め、『デア・シュトゥルム』が創刊一〇〇号を迎えることになっていたからである。ヴァルデンとネルは、一九一二年二月に事務所をベルリン中心部のポツダム街七十五番地に移し、一〇〇号発行記念事業として、二つの展覧会を企画することにした。最初の企画展は、ミュンヘンの青騎手メンバーにココシュカを加えたドイツ表現主義の画家たちの展覧会。二番目は、二月にパリで、三月にロンドンで大きな話題を振りまいていたイタリア未来派の展覧会であった。

思えば、フィリッポ＝トマーゾ・マリネッティがパリの日刊紙『ル・フィガロ』の第一面に「未来派宣言」を発表したのは、一九〇九年二月二〇日のことであった。それから三年、イタリア未来派ははじめて国外に出て、作品を広く世に問うことになった。その幕開けとなったのは、一九一二年二月五日から二四日土曜日にかけ、パリのベルネーム＝ジューヌ画廊で開かれた『イタリア未来派画家』展（図版123）であった。この画廊はパリ十五区のリッシュパンス街十五番地にあった。会場に並べられたのはウンベルト・ボッチョーニ、カルロ・カッラ、ルイジ・ルッソロ、ジーノ・セヴェリーニの四人の作品三十五点であった。展覧会目録には「われわれは若くして、われわれの芸術はつとに革命的である」「われわれは向こう十年にわたってヌードを絵に描くことを止めるよう要求する」といった、扇動的な文章が連ねられていた。二十日間の会期中、物見高い公衆が画廊に詰めかけ、連日満員の盛況であったという。この展覧会は、翌月、ロンドンのサックヴィル画廊へ巡回し、英国国内にイタリア未来派の一大旋風を巻き起こした[*5]（図版122）。

四月には作品がベルリンに到着し、特設会場に陳列された。[*6]『未来派』展主催者ヴァルデンが自ら編んだ目録[*7]（図版124）では、四人の出品作二十四点について、英語、ドイツ語、ノルウェー語の三ヶ国語で解説が施され、ハンス・ヤーコプの訳で、俗に「未来派創立宣言」と呼ばれるもののドイツ語訳が、巻末に付されている。[*8] 三月発行の雑誌『デア・シュトゥルム』第一〇三号にも、同じものが再録されている。これらに加えてヴァルデンは、ベルリンでの展覧会と、ハンブルクでの巡回展のため、未来派運動指導部の流儀にならって、単葉二つ折りの宣言書を印刷し、それも配布したという。[*9] このように未来派宣言が、展覧会目録、定期刊行物、宣言書など、複数の回路を介して市民のあいだへ浸透していくにつれ、企画者ヴァルデンに対する誹謗中傷も、次第に激しさを増していった。「邪悪な扇動的、破壊的傾向をもって活動している」といったたぐいの非難が、投げかけられるようになったのである。

ヴァルデンは、未来派の画家、なかでも魂の表現者としてのボッチョーニを高く評価していた。そのこともあって、一九一六年八月一七日、画家が不慮の死を遂げると、九月発行号に早々と追悼文を掲げている。「イタリアにとって最大の芸術的損失」という追悼辞は、未来派絵画のその後の展開を顧みるなら、的を射たものであったということができる。ともあれ、未来派の展覧会は、パリ、ロンドンに続いて、ベルリンでも大きな話題となった。ことばを換えると、大成功の裡に終わったということである。そのかいあってヴァルデンは、ポツダム街七十五番地の自宅兼書店から、七、八軒離れた建物の二階に、画廊を興すことができた。以来、百五十以上の展覧会が、そこでおこなわれている。それらの展覧会は、どれも企画の独創性において、時代を先駆けるものであった。展覧会の企画、画廊の経営、雑誌の出版を通じて、ヴァルデンは国内外の前衛諸派とのネットワークという、かけがえのない資産を形成していく。国外の同時代美術を積極的に紹介しようとするデア・シュトゥルム画廊の国際主義は、後述する、一九一三年の第一回『ドイツ秋季サロン』展（図版126）でその頂点を極めることになる。

ヴァルデンによる未来派紹介の動きと呼応するかたちで、ドイツ語出版物のなかに、未来派関連のものがあらわれ始めた。先陣をきったのは、一九一三年すなわち『未来派』展の翌年に、ベルリンのアルフレート・リヒャルト・メイヤーの書店からエルゼ・ハドヴィンガーの訳で出版された小冊子『マリネッティ未来派詩選』であった。[*10] カール・フォッスラーがハイデルベルクのヴィンター書店から一九一四年に出版した『現代イタリア文学――ロマン主義から未来派まで』が、それに続いた。さらにはヴァルデンが自らの書店から一九一七年に出版した『芸術への洞察――表現派・立体派・未来派』、パウル・フェヒターが翌年ミュンヘンで出版した『表現派・立体派・未来派』と続いた。[*11]

もちろん、マリネッティ自身も、ヴァルデンと頻繁に手紙を取り交わしていた。[*12] イタリア未来派領袖として、展覧会、出版、講演のため、ベルリンを訪れることもあった。その強烈な個性に具現された、未来派の主張に首肯する者も、すこしずつではあったが、着実に増えつつあった。作家のアルフレート・デーブリンもその一人であった。マリネッティの二度目のベルリン来訪の折、デーブリンは未来派に対する敬意と共感と批判をまじえた文章を公にしている。一九一三年三月一日発行の『デア・シュトゥルム』に掲載された「未来派言語技術――マリネッティへの公開状」がそれである。デーブリンは前年一〇月発行の『デア・シュトゥルム』に掲載された「未来派文学技術宣言」と、そのなかで引照されているマリネッティの小説『未来派マファルカ』を俎上にあげ、未来派の言語実験の独創性と限界を論じ、自らの進む方向と異なっていると断りながらも、全体の基調として、未来派への共感を包み隠すことなく表明している。

未来派への同調の動きは、各界に拡がりつつあった。リオネル・ファイニンガー、フランツ・マルク、アウグスト・マッケといった画家たち、アウグスト・シュトラム、ロータル・シュライアーといった作家たちの作品にも、未来派の様式や主題があらわれ始めたからである。この傾向は文学の世界にも浸透し始めていた。オットー・ネーベルやクルト・シュヴィッタースの立体詩、絶対詩など、造形性、視覚性の強い抽象的な詩作にも及んでいる。表現主義とマリネッティ主義のあいだには、もとよりニーチェの超人思想という、共通の根があった。ばかりか、「激情的なもの」への傾斜という点でも、ドイツ表現主義とイタリア未来派のあいだには、共鳴し合う部分がすくなくなかったのである。そのことは、ボッチョーニやルッソロのこだわり続けた内面表出論とカンディンスキーが一九一二年の著作『芸術における精神的なるもの』のなかで論じた「内的必然性」の類似に思いを馳せれば、すぐにも合点がいくであろう。これについて、ヴァルデンは一九一三年に「芸術は天分であった、再現ではない。……画家は、自己の内奥の感覚で見るものを描く。これすなわち、自己の本質の表出である」といい、アドルフ・ベーネは翌年の「ドイツ表現派——『新シュトゥルム展』開会の辞」のなかで、カンディンスキーの用語「内的必然性」を引きながら、つぎのようにいっている。「未来派は、生命の真に強烈な表出を、すなわち、生命の動き、その運動性、その激しさ、そしてその関連の豊かさを伝えようとしたのです。未来派は、その結果すでに内的必然性によってフォルムの多義性に達したわけです」[*13]。ボッチョーニの代表作とされる油彩画三部作『魂のありよう』は、そのなかの一点が一九一四年発行の『デア・シュトゥルム』に銅版画として複製掲載され、国内外に大きな反響を呼んでいる。

ところで、当時のプラハの美術界はどのようであったのか。フランス美術の圧倒的な影響下にあったという点では、表現主義台頭前夜のドイツの状況と似ていなくもなかった[*14]。画壇を支配していたのは、芸術家の職能団体として一八九七年に結成されたマーネス造形芸術家連盟であった。この団体はプラハ美術アカデミーを母胎としていた。そこに集う学生たちが、画家ヨゼフ・マーネスを讃えるべく、結成したものだったからである。会員の多くは、世紀末象徴主義とアール・ヌーヴォーに染まりきっていた。それが当時の流行だったのである。

一八九六年、マーネス造形芸術家連盟は、公的な機関誌として『ヴォルネー・スムニェリ（自由潮流）』（図版10）を創刊することになった。一八九八年には第一回展の開催にもこぎ着けている。一九〇〇年、いまだ揺籃期にあった組織の内部に、変化を求める声があがった。建築家のヤン・コチェラ、画家のミロシュ・イラーネク、ヤン・プライスレル、アントニーン・スラヴィーチェク、彫刻家のスタニスラフ・スハルダらが、世紀末の沈滞ムードを一掃し、美術界に新風を巻き起こす必要がある、と叫び始めたのである。結局、この刷新の呼びかけが奏功し、以後十年近くのあいだ、マーネス造形芸術家連盟の作品展は、象徴主義のかたわらに写実派や印象派が並ぶという、それまでにも増して混沌とした様相を呈することになった。もっとも、彫刻部門だけは例外であった。一九〇二年に連盟が企画したロダン展の影響が、どの作品にも一様にあらわれていたからである。[*15]

実際のところ、マーネスの創立会員の多くは、世紀末のパリで美術を学んでいる。そのため、第一次大戦以前にボヘミアで活躍する画家の多くは、象徴主義、アール・ヌーヴォー、自然主義、印象派の混在する美術界で、芸術家としての第一歩を踏み出すことになった。ヴィンツェンツ・ベネシュとヨゼフ・ゴチャールは世紀初頭にプラハの工芸学校に入学する。そこにヨゼフ・チャペックが加わり、やがてボフミル・クビシュタも、彼らの許に出入りするようになった。一方、エミル・フィラ、オタカル・クビーン、ヴァーツラフ・シュパーラ、ウィリー・ノヴァク、エミル・ピッテルマンは、一九〇三年からプラハの美術学校に学んでいる。翌年ベネシュ、クビシュタ、フリードリヒ・フィーグル、アントニーン・プロハースカが入学し、そこにパヴェル・ヤナーク、ヴラスチスラフ・ホフマン、ヨゼフ・ホホルらが加わった。

一九〇四年には美術連盟の主催でエドヴァルト・ムンクの作品が公開された。翌年にも、今度はマーネス造形芸術家連盟が画家をプラハに招待し、大々的に展覧会が開催されている。若い世代の美術家にとっては、それが国外の新興美術を間近に観る、はじめての機会であった。ムンクの影響力がいかに大きかったか、それは彼らの初期作品を見れば一目瞭然である。美術学校の学生たちは、一九〇六年に卒業制作展を終えると、各自おもいおもいにヨーロッパ各地の遍歴に旅立っていった。ときに仲間どうし連れだって、ときに独りで、ドイツ、オランダ、イタリア、フランスの各地を旅し、滞在先で技術の研鑽、知識の習得をおこなおうというのである。もし、一九一〇年代のボヘミア美術の一般的な特性として、さまざまな様式の折衷傾向を指摘できるとするなら、芸術家として独り立ちするにあたって、一種の通過儀礼とされていた修業遍歴に、その理由の一端を索めることができるかもしれない。

一九〇七年初頭、クビシュタがフィレンツェからプラハに戻った。彼の帰国を待ちわびていたのは、クビーン、プロハースカ、フィラ、フィーグル、マックス・ホルブ、ノヴァクの六人であった。彼らは、美術学校在学中のピッテルマンを誘い、四月に作品展を開くことになった。このグループは「オスマ（八人組）」の異名をとった。グループの第二回作品展が開かれたのは、翌年の夏のことであった。早逝したドイツ系チェコ人ホルブと、パリに出奔したクビーンの二人が抜け、ピッテルマンは出品を取り止めた。かわりに、二人の仲間があらたに加わった。ヴィンツェンツ・ベネシュとリンカ・プロハースコヴァー＝シャイトハウエロヴァーの二人である。これら若手の画家たちもまた、一九〇九年から翌年にかけ、あいついでマーネス造形芸術家連盟に入会している。とはすなわち、既存画壇に吸収されたということ。マーネス造形芸術家連盟が、フランスからマネ、モネ、ルノワール、ピサロの印象派の絵画、ロダン、ブールデルの具象派の彫刻、ドラン、マティス、マルケ、ブラックのフォーヴィスムの絵画、ゴーギャン、ゴッホのポスト印象派の絵画を将来すると、そのつどそれらからの影響に晒されざるをえない。美術家としてそうした環境に身を置くことになったのである。

その典型的な事例は、オットー・グートフロイントの場合である。二十歳になったばかりのグートフロイントは、一九〇九年二月から三月にかけプラハで開かれたブールデル作品展に深く感動し、フランスへ戻る彫刻家とともに一〇月一九日プラハを発ち、一一月八日からパリのアカデミー・ド・ラ・グランド＝ショーミエールの彫刻家の教室に通い始めた。[*16] グートフロイントより二つ歳上のヨゼフ・チャペックもそうであった。一九一〇年春プラハに将来された『サロン・デ・ザンデパンダン』展で、ブラック、ドラン、オトン・フリース、ヴァン・ドンゲン、マルケ、ブラマンク、マティスなど、フランスの同時代絵画から強い衝撃を受けたチャペックは、彼らの擁護者である詩人ギヨーム・アポリネールの著作から、美術の未来について、ある種の啓示を得ていた。そうしたこともあって、一九一〇年の秋フランスに発ち、翌年の春まで、半年間にわたるパリ滞在を経験している。爾来、チャペックはパリとプラハのあいだを、シャトル便のように行き来することになった。

一九一一年一月、それまでボヘミア画壇を牛耳ってきたマーネス造形芸術家連盟で、大きな事件が起こった。ベネシュ、フィラ、クビーン、クビシュタ、プロハースカ、シュパーラ、ゴチャール、ホホル、ホフマン、グートフロイントら、「オスマ」を中心とする若手グループが、長老たちとの意見の食い違いを理由に、脱会を申し出たのである。これらの若手グループは、多少の紆余曲折を経験させられはしたものの、同年一一月二〇日、ゴチャールを会長に担ぎ、「造形作家グループ」を正式に結成することになった。グループ機関誌として『美術』が創刊され、そこにはチャペック兄弟、フランチシェク・ランゲル、ヤン・ホロヴィツカ、ヤン・トンなど、批評家、理論家、作家も参加し、新しい世代の活動拠点が形成されることになった。

機関誌月刊『美術』に掲げられたグループの作品や主張は、その背後にある造形芸術理論を含め、ピカソとブラックのキュビスムに多くの点で依拠していた。第二回展の目録にヴァーツラフ・ヴィレーム・シュテフが寄せた序文にはこうある。「前時代の美術は、自然との直接的なかかわりなしに成立しえなかった。それに対し、今日の視覚芸術には、自然から採り出されたのでなく、自由に創り出された、作品それ自体の内的構造からおのずと導き出される論理、法則に従った形態が担う自由なフォルム、自由なムーヴマンでいこうとする心意気がある」。[*17]

造形作家グループの結成を促したのは、ヴァーツラフ・クラマーシュの蒐集品であった。美術史家でもあったクラマーシュは、グループ旗揚げの前年に、パリで相当数にのぼるピカソ、ブラック、ドランの作品を購入していた。世界で最初にキュビスムの展覧会が開かれたのはプラハの街であった。それを実現したのが、ほかでもないクラマーシュだったのである。クラマーシュの展覧会すなわち、一九一四年以前における「もっとも意味深いキュビスム絵画コレクション」をまのあたりにしたボヘミアの若手美術家たちが、世紀末の遺産から脱却できずにいる、マーネスの長老たちを見限ったのは、むしろ当然というべきかもしれない。

キュビスムの実作品の将来は、プラハの美術家たちの多くに、大きな衝撃をもたらした。その影響は応用美術と建築にも及んでいる。一九〇八年、美術学校を卒業したゴチャール、ホフマン、ヤナークの三人は、ヤロスラフ・ベンダ、ブルネル、ヘレナー・ヨフノヴァー、ヤン・

コヌーペク、マリ・タイニツェロヴァー、オタカル・ヴォンドラーチェクらを誘い、一九〇三年創設の「ウィーン工房」にならって、さまざまな職能の統合を目指す「アルチェル協同組合」を結成していた。組合の事務局長を務めていたのはアロイス・ディクであった。この組合は、ボヘミアの伝統的な職人技術を土台にして、新しい産業デザインを生み出そうとしていた。[*18] そこにキュビスムの実作品がもたらされたのである。反応の早さは画家たちに負けていなかった。造形作家グループ結成の翌年、建築家ヤナークは、グループの会長を務めていたゴチャールと図り、家具製作、インテリア・デザイン、建築設計を請け負う「プラハ美術工房」を立ち上げた。のちに「チェコ・キュビスム」と呼ばれる総合芸術運動は、この団体を拠点として展開されることになった。[*19]

若手が旧画壇に反旗を翻し、新しい美術家団体を結成するという動きには、世紀末のドイツに興った、官展からの分離独立運動のまねび、という側面がなくもなかった。事実、若手グループの独立の背後には、分離派運動の仕掛け人の姿が見え隠れしている。印象派以降のフランス近代絵画の擁護者を自認したユリウス・マイヤー=グレーフェの存在がそれである。このドイツ人美術批評家は一九〇四年に『現代美術進化論』を公にしていた。シュツットガルトで出版された同書はボヘミアの若い美術家にも大きな影響を与えたといわれている。[*20]

マイヤー=グレーフェは一九〇九年にプラハを訪れ、「オスマ」のひとりでドイツ系チェコ人ノヴァクに、ベルリン新分離派への参加を促した。一九一〇年には、ノヴァクと同じドイツ系チェコ人フィーグルの求めに応えて、ドレスデンからエーリッヒ・ヘッケル、オットー・ミューラー、エルンスト・ルートヴィヒ＝キルヒナーの「ブリュッケ」三人組がプラハを訪れ、ノヴァク、クビシュタ、フィラと親交を結んでいる。

クビシュタは、これを機に、ブリュッケ・グループへ参加することになった。ベネシュ、フィラ、プロハースカとともに、後期キュビスムと表現主義の影響に等しく晒されることになったのである。ノヴァクはノヴァクで、一九一一年にベルリンのカッシーラー画廊で最初の個展を開いている。彼はフィーグルとクビシュタの二人とともに、マイヤー＝グレーフェの勧め通り、一九一二年の第四回『ベルリン新分離派』展に参加している。第一回『造形作家グループ』展のあった年すなわち、一九一二年の夏にケルンで開かれた『ゾンダーブント（分離派）』国際展、同年一〇月にミュンヘンのハンス・ゴルツ画廊で開かれた『ノイエ・クンスト（新美術）』展（図版127）、同年末にベルリンのデア・シュトゥルム画廊で開かれた『ノイエ・ゼツェスィオーン（新分離派）』展[*21]というように、ベネシュ、フィラ、クビシュタ、ノヴァクは、機会あるたびに、作品をドイツ各地の展覧会に搬出していたのである。

一九一三年九月ベルリンのヴァルデンは、実業家ヴェルンハルト・ケーラーの援助を得て、第一回『ドイツ秋季サロン』展（図版126）の開催にこぎ着けた。ケーラーは、アウグスト・マッケの親戚筋にあたることもあったのだろうが、ブラウエ・ライターの年鑑の出版費用を援助したり、その作品を収集したり、表現主義美術の支援者としてよく知られる人物であった。展覧会は、ポツダム街の事務所近くに用意された特設会場で開かれた。ヴァルデンが自ら編んだ展覧会目録によると、参加した美術家は十五ヶ国九十人に上り、展示作品は三百六十六点に及んでいる。[*22]前年にネルとともにヨーロッパ各地で美術遍歴を繰り返した経験が、作品選択に生かされたことはいうまでもない。この展覧会は第一次大戦前夜のドイツで開かれた最後の国際展として知られている。それは東西ヨーロッパの新興芸術がはじめて一堂に会する機会でもあった。目録の序言は、つぎのように始まっている。「このサロン展によって、各国の造形芸術における新しい動向について展望が与えられる。この展望は、現代に生きる人々の視野もまた同時に拡げることになるであろう」。ドイツ各地ですでに一定の評価を勝ち得ていたボヘミアの若手美術家たちも、参加者リストに欠けてはいなかった。

ヴァルデンが出品を呼びかけたのは、フィラ、ベネシュ、プロハースカ、グートフロイント、ヤナーク、ゴチャールの六人であった。最初の五人については、目録に堂々と作品図版が掲げられている。この展覧会は、造形作家グループのメンバーが画廊主ヴァルデンと親交を深める機会にもなった。事実、展覧会の会期中に、フィラ、チャペック、ホフマン、グートフロインとの四人が画廊を訪れている。『秋季サロン』の翌月の一〇月には、ヴァルデンの画廊で、第五回『造形作家グループ』展が開催され、ベネシュ、フィラ、グートフロイントの作品が、まとまって公開されている。そればかりではない。ベネシュ、クビーンを加えた画家たちの作品、チャペックとホフマンの論文が、一九一三年秋から一九一五年にかけて、『デア・シュトゥルム』の誌面を飾ることになった。こうして、ボヘミアの若手美術家たちのほとんどが、事実上、ヴァルデンの傘の下に入ることになったのである。

イタリア未来派の受容——ミラノ・パリ・プラハ

一九一〇年代初頭には、ベルリンとプラハのあいだで、ヴァルデンを機軸とする密度の高い交流が始まっていた。そのためばかりとはいえないが、一九一二年春、ベルリンで『未来派』展（図版124）が開催されると、その話題はすぐにボヘミアにもたらされた。ばかりか、同年三月第四週発行の『デア・シュトゥルム』第一〇三号にも「未来派創立宣言」のドイツ語訳が掲載されており、ボヘミアの美術家たちの眼が、おのずとイタリア未来派に向けられる雰囲気が、それとなく整いつつあったのである。[*1]

イタリア未来派の台頭が国外で大きな話題になっていることを、出版物を介して、最初に報告したのはヨゼフ・チャペックであった。[*2] キュビスム一辺倒の造形作家グループの姿勢に息苦しさを感じたのか、ヨゼフは一九一二年秋のプラハでの第二回展を最後に、「造形作家グループ」を離れることになった。[*3] 弟カレル、ヴラスチスラフ・ホフマン、ヨゼフ・シーマ、シュパーラ、ヴラチスラフ＝ヴィクトル・ブルネルも、彼に続いた。ヨゼフはすぐにマーネス造形芸術家連盟内の美術クラブに復帰した。その中核メンバーのひとりとなり、フィラとともに、その機関誌『ヴォルネー・スムニェリ』（図版10）の編集に携わることになった。

編集者ヨゼフには強力な助っ人がいた。パリでピカソ、ドラン、ブラックの作品を扱っていたユダヤ人画商ダニエル＝ヘンリー・カーンワイラーである。一九一〇年秋から翌年春にかけ、はじめてパリに滞在した折、ヨゼフが最初に出会った画商がカーンワイラーであった。キュビスム運動の旗振り役を自認していた画商と親交を結ぶ。その僥倖に恵まれたヨゼフは、画商から直接に、あるいは知人を介して、パリに集まる最新の情報、余所で見つけがたい資料や写真を入手していた[*4]。そうしたこともあって、ヨゼフは同時代のプラハの美術家たちのなかで、フランス美術の動向について、ほかの誰よりもあかるかった。ドイツの美術界についても同様である。マーネスの会員の出品機会が眼に見えて増えてきていたドイツを訪れる機会もすくなくなかった。国外の最新の動向には、とにかく目ざとかったのである。

そのヨゼフは、創刊当初から編集長を務めてきた造形作家グループ機関誌、月刊『美術』の第一巻六号で、未来派について報告している[*5]。「現代美術における未来派の位置」と題する記事がそれである。ヨゼフは記事のなかで、未来派宣言のチェコ語訳を試みている。もっとも、機関誌が発行された一九一二年五月の段階では、ベルリンの『未来派』展をまだ観ていなかった。パリとプラハのあいだを頻繁に行き来していたヨゼフは、一足さきにベルネーム＝ジューヌ画廊で『イタリア未来派画家』展（図版123）を観ており、そのときの自分の眼の観察と、刷られた展覧会目録を基に、未来派について肯定的な意見を纏めたのである[*6]。

それに対し、同じマーネスの編集部にいたフィラの見方は、まったく逆であった。デア・シュトゥルム画廊での巡回展を実見したフィラは、手厳しい意見を、八月発行の上掲機関誌第一巻九号に寄せている。曰く、未来派は無能さ、思い上がりを露呈しているにすぎず、混乱と無秩序を美術にもたらすだけである、と。[*7]

ほかの画家たちの反応はどうであったか。シュパーラの場合は、留学先のイタリアで未来派の台頭をまのあたりにしていただけに、それの影響に晒されやすい条件を備えていた。事実、一九一〇年代のシュパーラは、ヨゼフと同様、色彩に独自の感覚をあらわにしつつも、後期キュビスムとイタリア未来派の折衷様式から、いまだ脱却しきれずにいた。

セザンヌの影響から始まり、パリでキュビスムの洗礼をもろに受けたクビシュタも例外ではなかった。この画家の蔵書のなかには上述のベルリンでの展覧会目録が含まれている。そのことからして、フィラと同様、デア・シュトゥルム画廊を訪れていた公算が大きい。実際、それまでの分析的キュビスムの様式が、一九一二年春を境にして姿を消し、未来派特有の、鋭角的な造形要素が、画面のなかに登場し始める。クビシュタは一九一三年一月ブダペシュトの国立サロンで開催された『未来派・表現派』展に、ベルリン分離派の一員として作品を送っている。[*8]ココシュカ、アレクセイ・フォン・ヤウレンスキー、カンディンスキー、ルートヴィヒ・マイトナーの仲間と見られていたのである。四月から五月にかけブダペシュトの芸術家会館で開催された『ポスト印象派』国際展にも出品しているが、ハンガリーでは特段の注目を集めることもなかったようである。[*9]デア・シュトゥルム画廊とかかわりの深いグートフロイントや、ヤン・コヌーペクもまた、この時期に未来派風の作品を残している。

プラハの若手画家たちの多くが、このように未来派風の画風に傾き始めたのには理由があった。一九一三年九月にベルリンで第一回『ドイツ秋季サロン』（図版126）が開催されてから三ヶ月ほどしてからのことである。一二月、モーツアルテウムのハヴェル画廊で『イタリア美術』展が開かれている。この展覧会は、名称こそ『イタリア美術』展となっていたが、実際のところ、出品作の多くが未来派の作品によって占められていた。展覧会を企画したのは、フィレンツェで作家ジョヴァンニ・パピーニとともに、『ラ・ヴォーチェ』（図版128）の後継として隔週刊雑誌『ラチェルバ』（図版133）を創刊した画家アルデンゴ・ソッフィチである。陳列されたのはボッチョーニ、カッラ、ルッソロ、セヴェリーニ、エンリコ・プランポリーニらの作品で、事実上、チェコスロヴァキアにおける最初の未来派展であった。プラハの若手画家たちにとっては、ボッチョーニの彫刻はもちろんのこと、プランポリーニの動く彫刻など、およそ眼にしたことのない仕事であった。そうしたこともあり、『イタリア美術』展に見出された新傾向を、自分の手で試してみたいと、みなが一様に考え始めていたというわけである。建築と舞台美術の仕事をしていたイジー・クロハのように、それを機に、未来派の造形言語一色に染まってしまう美術家もいたほどであった。[*10]

未来派からの影響は、もちろん、造形美術だけにとどまらなかった。スタニスラフ・コストカ・ノイマンもまた、近代的な都市生活や、力動的な機械技術を賛美する未来派の主張に対し、強く共鳴して憚らなかった左翼系文化人のひとりである。事実、批評家であり詩人でもあったコストカ・ノイマンは、アポリネールが一九一三年六月二九日にミラノの未来派運動指導部から出した「未来派反伝統宣言」（図版161）に動かされ、すぐに上掲の月刊『美術』誌上に「開かれた窓」と題する記事を寄せている。[*11] これはチェコ版未来派宣言と目されることになった。

ヨゼフの弟カレル・チャペックも、未来派を好意的に受け止めている。とはいえ、ヨゼフよりはいくぶん見方も慎重であった。一九一四年初めに発行された『チェコ雑誌』第三号に、一九一三年末の未来派についてのカレルの評が掲載されており、そのなかで、近代の機械文明に対する絶対的なヴィジョンについて、未来派と同様の考えを示しながら、他方で「未来派は美術的にも精神的にも、われわれとかけ離れている」との留保を忘れずにいるからである。もっとも、カレルが一九二〇年秋の第二戯曲『ロッサムのユニヴァーサル・ロボット（R.U.R.）』で風刺してみせた、科学テクノロジー万能の未来的ヴィジョンは、未来派からの影響をぬきに考えがたい。空飛ぶ機械人間ガズルマーを登場させたマリネッティの小説『未来派マファルカ』は、一九〇九年に仏語版と伊語版で発表されていたし、ロヴェレート出身の未来派画家フォルトゥナート・デペロもまた、一九一六年頃に人造人間のヴィジョンを盛んに描いていた。思えば、あのアポリネールもまた、二十世紀初頭に空想科学小説の助産婦役を務めていたのである。

ところで、未来派の最初の紹介者となった、当のヨゼフであるが、一九一〇年代初頭の作風は、あい変わらずキュビスムの真中にあって、未来派の様式を取り込むまでにいたっていない。一九一三年一二月の『未来派』展についてのヨゼフの評が、翌年一月の『リュミール』第三号に掲載されている。イタリアのアカデミックな伝統を過去のものとして葬り去ろうとする姿勢はうなずけるが、絵画表現としては自然主義的であり、にもかかわらず形態が充分に把握しきれていない、というのがその論旨であった。同じ展覧会を評した、上述のカレルの意見に較べるとたしかに具体的である。ヨゼフはヨゼフで、実制作者としての視点から未来派を見ようとしていたのである。この展評からも解る通り、ヨゼフに対する未来派の影響は、絵画の基底的な部分をゆるがすものでなく、むしろ現代の都市生活への関心という主題的な側面、あるいは舞台衣裳のデザインなど、限定的なものであったと見るべきであろう。ヨゼフにとっては、未来派よりも魅力的なものが、ほかにあったのである。

先述の通り、ヨゼフは一九一〇年秋にはじめてフランスを訪れ、半年ばかりパリに滞在している。その折、トロカデロの民族学博物館でアフリカとオセアニアの民族美術に出合い、すぐにそれらの魅力の虜になった。ピカソのキュビスムの源流がそこにある。画商カーンワイラーの示唆もあったのだろうが、そうした確信を抱くにいたったヨゼフは、自らもまた、人類学コレクションからの影響をうかがわせる、未開社会の仮面をいくつか描いている。[*12] その後、ヨゼフは旧知の仲間であり、批評家フランツ・プフェムフェルトの週刊誌『ディ・アクツィオーン

（行動）』[13]（図版131・132）に一九一六年から一緒に参加していたホフマンとともに、シュパーラ、ルドルフ・クレムリツカ、オタカル・マルヴァーネク、ヤン・ズルザヴィーらを誘い、プラハで新しい美術グループを旗揚げする。[14] 一九一七年の年末のことであった。

　年があけた一九一八年の三月三〇日、新しいグループのメンバーは、プラハのワイナール画廊で、第一回のグループ展を開催している。このとき展覧会の目録に序文を寄せたのは、詩人・批評家コストカ・ノイマンであった。「この展覧会に並べられているのは、われわれの時代に生きる頑固な美術家たちの作品である。大方のところ、作品は新しいポスト印象派美術の範疇に収まる。そこにいたる道を拓いたのは、セザンヌの創造的な発見であり、ピカソは抽象的な方法でそこに接近した。だが、ここに展示されている絵の多くの意味するところは、もっとずっと深い。これらの作品は、暴力の横行する時代をその閉ざされた扉の外へと追い遣った外国のスローガンに踊らされることなく、静謐な実りを結ぼうとしている。彼らの美術は、そのような状況にあって、究極の解放を勝ち得ているのだ」[15]。この記事が元になり、彼らは「頑固派」と呼ばれるようになった。

　「頑固派」の考える美術とは、「自律した知的物質的な現実」としての作品そのものであった。ほかでもない、現実の一部をなす作品そのものにこそ、美術の「モデルニテ（現代性）」があると考えられていたのである。[16] このグループは、国内のみならず、ドレスデン、ベルリン、ハノーファー、ウィーン、ジュネーヴの各地へ展覧会を巡回させている。たしかに、「頑固派」と呼ばれていたが、実態はその呼び名と裏腹に、会則や画風で制作を縛ることのない、まったく自由な美術家の集まりであった。現に、一九二〇年の第二回展で、早くもマルヴァーネクが脱落している。それでも一九二四年まで、彼らはグループとしての活動を頑なに続けていくことになる。

一九一八年一〇月二八日チェコスロヴァキア国民委員会が独立を宣言。旧オーストリア＝ハンガリー二重帝国領内のボヘミア、モラヴィア、スロヴァキア、ルテニアがひとつにまとまり、チェコスロヴァキア共和国が誕生した。ヨーロッパ大陸のほぼ中央に位置するプラハは、新しい共和国の首都として、第一次大戦後のヨーロッパ各地で胎動を始めた新しい文化や芸術や思想が、めまぐるしく行き交う場所となった。

新生なったばかりのチェコスロヴァキアでは、いまだ二つの潮流がせめぎ合いを演じていた。ひとつは旧帝国時代の公的な様式の流れを汲むボヘミアの国民様式、もうひとつは東西ヨーロッパに開かれた、外来のモダニズム様式がそれである。当然のこととはいえ、共和制を勝ち取った国家、すなわち新しい社会システムは、政治や経済の分野だけでなく、美術や建築の分野においても、時代の流れに応える新しい様式を必要とした。時流にあと押しされるかたちで、この後者の流れが、文化の前線に躍り出す。その担い手を自認する若手美術家たちは、西ヨーロッパで耳目を集めつつあったモダニズム理論をいち早くわがものとし、十月革命で誕生したソヴィエト政権下の「革命の芸術」に、自分たちの理想を重ね合わせようとしていた。戦前の美術運動を全面的に葬り去り、アカデミックな束縛からの解放を勝ち取ろう、それを謳い文句に、世代を超えた闘いを勝ち抜こうとしたのである。

その最初の兆候は、まず出版媒体の立ち上げにあらわれた。共和国独立に先立つ一九一八年五月七日、コストカ・ノイマンはプラハの左翼系書店ボロヴィーから隔週刊雑誌『チェルヴェン（六月）』（図版11）を創刊する。手本となったのは、ベルリンの雑誌『ディ・アクツィオーン』（図版131・132）であった。この週刊誌は、たしかに、副題で政治、文学、美術の雑誌であることを謳い文句にしている。しかし、このころになると、内容的にかなり中途半端なものになりつつあった。一方に、左翼の急進的な社会運動の綱領があるかと思えば、他方には版画を中心とした表現主義の美術の紹介があるというように。とはいえ、ボヘミアの急進的な美術家や文化人にとって、かかわりの深いものであったことは間違いない。なぜなら、創刊六年目にあたる一九一六年から、ホフマンが寄稿者リストに名を連ねるようになっていたし、翌年にヨゼフ・チャペックのリノカット、のちにはグートフロイントの挿画や、弱冠十七歳のカレル・タイゲのそれまで、誌上で紹介されていたからである。そうした経緯もあって、ベルリンの週刊誌は、ボヘミアの若者たちにとって、すくなからず身近なものとしてあったのである。

コストカ・ノイマンの興した雑誌『チェルヴェン』は、すぐに頑固派の砦となった。結果として、一九二〇年代のモダニズム運動の踏み石になった。はじめは八つ折り判、のちに四つ折り判へと変わった雑誌は、一九一八年から一九二一年まで、足かけ四年にわたって発行されている。副題には「プロレタリア文化、共産主義、文学、新美術」とある。そのことからも解る通り、文化・芸術雑誌とはいえ、『ディ・アクツィオーン』と同様、政治的な出来事についての関心を排除するものではなかった。だからこそ、十月革命以降のソヴィエト社会の動向、さらには一九一九年のハンガリー革命の進捗と、その悲劇的な結末を、チェコスロヴァキアの読者に伝える役割を果たしえたのである。発行三年目に入ると、共産党員ミハル・カーシャが編集長を務めるようになった。たちまち、判型が四つ折り判に変わり、党の機関誌と化した。以後は、ソヴィエトの公式的な文芸路線の広報媒体となった。

頑固派は、そうした情勢を冷静に見極め、『チェルヴェン』を離れることにした。ヨゼフの弟カレルがアヴェンティヌム書店の経営者オタカル・シュトルフ＝マリエンから編集を委ねられていた雑誌、『ムザイオン（ムーサイ神殿）』（図版14）に発表の場を移すことにしたのである。[*18] とはいえ、最初の二年間に発行された『チェルヴェン』の諸号は、フォーヴィスム、キュビスム、表現主義、未来派など、一九一〇年代の諸潮流に晒されたマーネス造形芸術家連盟派、造形作家グループ派、頑固派など旧世代に属する美術家たちと、一九二〇年代に入ってからにわかに台頭し始める新世代すなわち、後述するデヴィエトスィル・グループとのあいだを架橋する役割を果たした。ばかりか、八つ折り判時代の『チェルヴェン』は、用紙こそ粗末なものであったが、当時としては珍しい詩版画雑誌の性格もあわせもっていた。一九一九年六月六日発行号で、アポリネールの『ゾーン（圏）』がカレルの訳文、ヨゼフのリノカット挿画で紹介されるというように。以後も、ヨゼフが『ディ・アクツィオーン』の挿画として一九一六年に手掛け始めたリノカット版画をはじめ、シュパーラ、クビシュタ、タイゲらのオリジナル作品を多数含んでおり、チェコ・アヴァンギャルドのブック・ワークにおける、リノカット版画の隆盛に先鞭をつけることになったのである。

デヴィエトスィルの結成——プラハ

一九二〇年一〇月五日、新時代への夢に燃える若者たちが、プラハのカフェ・ウニオンで「デヴィエトスィル芸術家協会」なる組織を旗揚げした。チェコ語で「九」と「力」を組み合わせた協会名には、それをハスの一種の呼び名にすぎないとする説、パルナス山の九人の詩女神(ムーサイ)とかかわりがあるとする説、オカルト的な意味での「秘数三」の二乗を見ようとする説など、いくつかの説があって、どれが本当なのかわからない。しかし、いずれであるにせよ、そこに自由、決意、力の意味が込められているとする通説に従って、間違いはなさそうである。グループのなかで一番年長であった作家ヴラジスラフ・ヴァンチュラが会長に就任し、広報担当はまもなく二十歳になろうとしていたカレル・タイゲ、事務担当は十八歳になったばかりのアドルフ・ホフマイステルであった。

一二月六日発行の日刊紙『プラハ日報』に、グループの宣言が掲載されている。「われわれの時代は二股に裂かれている。われわれの背後に残されているのは、書庫の塵に成り下がったとして詰られる古き時代であり、われわれの前方で煌めいているのは、新しい日々である。みんなのために、はっきりとしたもの言いをしなくてはいけない。また、みんなで新生活の土台の建設に取りかからなければいけない。本日ここに、若い芸術家や作家、画家、建築家、役者が、家族として集い、ナッパ服を着た人たちとともに立ち上がり、新しい生活のための闘いに、自分たちで乗り出そうとしている。ブルジョワがそうしようとしないのだから。アルトゥシュ・チェルニーク、ヨゼフ・フリッチ、ヨゼフ・ハヴリーチェク、アドルフ・ホフマイステル、カレル・プロクス、ヤロスラフ・サイフェルト、イヴァン・スク、ラディスラフ・スース、ウラジミール・シュトゥルツ、カレル・タイゲ、ヴラジスラフ・ヴァンチュラ、カレル・ヴァネク、カレル・ヴェセリーク、アロイス・ワフスマンは、デヴィエトスィル芸術家協会を名乗ることになった。どうして、と問われたら、こう答えよう。人は自分独りでは、組織的にも芸術的にも、大したことなどできはしない、とよく分かっているからだ、と。なにかをやり遂げようと思ったら、新しい考えで結ばれた人たちが、ひとつにまとまる必要がある。若造といわれようが、文無しといわれようが、とにもかくにも、そうせずにはいられないのだ。なぜなら、古い文学は、それがなんと呼ばれようが、階級意識にどっぷり染まりきって、金持ちの趣味に迎合して憚らないのだから。しかし、ここに集う芸術家は若き革命児であり、そうであるがゆえに、やはり革命児である人たち――とはすなわち勤労者――と手を携えよう。そうしてはじめて一歩前に進むことができるのだ」[*1]。

デヴィエトスィル協会には、一九二〇年代の左傾化した画家、作家、詩人、編集者、建築家、写真家、舞台作家、役者、音楽家らが集った。プラハ国立美術館司書ポラナ・ブレガントヴァーの調査によると、一九二〇年の結成から一九三一年の解散までに、九十五名の参加者を数えたという[*2]。この人数は、シュルレアリスムの国際運動でさえ、参加者が三十人に届かなかったことを考えるなら、かなりの数ということができる。もっとも、デヴィエトスィル協会は規律と綱領で固められた結社的な団体ではなかった。同じ考えを共有し合う二十代の若者たちが自由に出入りするフォーラムのようなものだったからである。実際に、メンバー各自は、ときに協同し、ときに反目し、集合離散を繰り返した。たしかなことは、参加者の多くが一九〇〇年前後の生まれであり、西ヨーロッパの他の前衛芸術運動を担った世代よりも、平均して十歳ほど若かったということである。また、メンバーのなかに、正則美術教育を受けた者がいなかった点も看過してはならない。意見の対立や、職種の違いを乗り越え、これほど長く活動の持続したアヴァンギャルド・グループは、オーストリア＝ハンガリーの「マ」[*3]（図版167）、オランダの「デ・ステイル」[*4]（図版151・152）など、ごくわずかしか知られていないし、またプラハという街の地政学的な所与もあったのであろうが、このグループほど多様な諸潮流（イズム）を受け容れ、それらを糧に、消長を繰り返した運動体も珍しい。

運動の牽引役を果たしたのは、一九〇〇年生まれのカレル・タイゲであった。タイゲは弱冠十七歳にして、ヴラスチスラフ・ホフマンの紹介で、ベルリンの雑誌『ディ・アクツィオーン』（図版131・132）に挿画を寄せており、翌年から「頑固派」の機関誌『チェルヴェン』（図版11）にも参画していた。平面造形、建築理論、タイポグラフィ、文芸、芝居、思想、批評、編集など、さまざまな分野で多彩な活動を繰り広げたタイゲの仕事を、ひとことで括るのは容易でない。

しかし、人一倍生産的な人間であったとは、間違いなく、いうことができる。

事実、イタリア未来派の近代都市美学の洗礼を受けたタイゲは、フランスのアメデ・オザンファンやル・コルビュジエが国際美学雑誌『レスプリ・ヌーヴォー』[*5]（図版179）の発行を通じて浸透を図ったピュリスム、ワイマール・バウハウス（図版182）が新時代の機械技術と産業デザインの接点に求めた機能主義、ウラジーミル・マヤコフスキーが主宰しアレクサンドル・ロドチェンコが視覚形式を整えた雑誌『レフ（芸術左翼戦線）』[*6]の生産主義、さらには遅れてフランスからもたらされることになったシュルレアリスムの精神分析理論など、さまざまな潮流（イズム）や理論の交替に身を委ねながら、ほかのなにものにも代えがたい個性を発揮し、デヴィエトスィルの独自性の形成に寄与している。タイゲの類稀な行動力と関心の広さが、デヴィエトスィル・グループの方向性を規定することになったといっても過言ではない。

宣言文中に盛られたデヴィエトスィルの芸術綱領は、以下の三点に要約される。ひとつは、芸術の前衛に立たなくてはいけない、というボリシェヴィキ的思想の堅信である。芸術家はあらゆる生産手段を活用する立場にあり、つねに社会の領導者としての自覚をもって、人民に奉仕しなくてはいけない。この主張は一九二〇年に入り顕在化し始め、一九二一年六月のネップ（新経済政策）施行とともに急速に力を得るようになった、ソヴィエト・ロシアの生産主義者の考えに近い。第二は、古臭い過去の芸術と訣別しなくてはいけない、というモダニズム的必然の肯定である。高尚な芸術（ハイ・アート）と卑俗な芸術（ロー・アート）の境界をなし崩し、過去の伝統的な様式と根本において異なる、新しい視覚形式をもってそれに取って代える。この点については、ラウル・ハウスマンとハンナ・ヘッヒ、リヒャルト・ヒュルゼンベックとヨハネス・バーダー、ゲオルゲ・グロッスとジョン・ハートフィールドら、ベルリン・ダダ・グループが、雑誌『デア・ダダ』[*7]（図版136）や週刊紙『ノイエ・ユーゲント（新青年）』（図版135）第二期[*8]で繰り広げた、急進的な左翼文芸運動とパラレルな関係にある。第三は、純正美術（ファイン・アート）と応用美術（アプライド・アート）の境界を廃し、日常生活の次元で、それらの統合を目指していかなくてはいけない、換言すると、包括的な美学的システムを探究する必要があるということである。これにはイタリア未来派が各種宣言で謳い上げた諸芸術統合の概念が一方にあり、他方にはバウハウス運動のなかでシステム化される、機械技術と産業デザインの協働への希求があった。こうしてみると、デヴィエトスィルの主張が、ダダ、未来派、ピュリスム、生産主義、バウハウス、シュルレアリスムなど、時代の諸潮流の出合うところに生まれるものにあって避けがたい、折衷主義的な傾向を帯びざるをえなかったことは否めない。

しかし、デヴィエトスィルの活動の柱は、上述のものだけにとどまらなかった。諸派混淆からしか誕生しえぬ、独自の要素としての抒情的な近代詩学すなわち「ポエティスム」という、新しい美学の実現を目指そうとしていたからである。一九二四年七月発行の雑誌『ホスト

（客）』（図版15）第三巻九・一〇合併号に掲げられた「ポエティスム宣言」にはつぎのようにある。「われわれがポエティスムと呼ぶところの新しい芸術が、生活のアート、生きること、楽しむことのアートであるとするなら、それは、ことの成り行きとして、毎日の生活の、しかるべき部分でなくてはならない。スポーツ、恋愛、ワイン等々、すべてのレジャーと同様、楽しいもの、近づきやすいものでなくてはならない。それは職業などではありえない。むしろ、普遍的なニーズとなるに違いない」[*9]。ポエティスムは「哲学的な方向性をもっているわけではない。……文学ではない……絵画ではない。……狭義の意味でのイズムではない。……普通に使われているロマンティックな意味での美術でもない。……とどのつまりが、ポエティスムとは生活の仕方なのだ。生活の機能であり、かつまたその目的の充足なのだ」[*10]。タイゲ、ネズヴァル、サイフェルトと、「ヴォスコヴェツ」こと役者のイジー・ワフスマンの四人が宣言に纏めたポエティスムは、われわれを取り巻く日常生活や、それをかたちづくる平凡な事象のなかに、時代の感受性へ応える美すなわち「詩（ポエム）」を見出し、それをもって伝統的な美術（ファイン・アート）に代わるものにしようとする姿勢であり、理論であり、実践であり、結果なのである。ヨーロッパ東西南北の交差路に生み落とされたポエティスムは、時代の感受性と変革の必要性をひとつにした精神のあり方であった。

とはいえ、ポエティスムの理論が、すんなりそのまま、具体的な作品制作に結びつくというものでもなかった。タイゲ、ホフマイステル、シーマ、ムズィカ、フォイエルシュタインらの若手は、戦前世代の造形的な実践すなわち、国外的にはベルリンのデア・シュトゥルム画廊で取り上げられ、国内的にはコストカ・ノイマンの雑誌『チェルヴェン』を拠点としていた立体表現主義すなわち、キュビスムの造形言語を用いた表現主義絵画を、いまだ目標に掲げていたからである。現に、デヴィエトスィル協会旗揚げのあとも、しばらくのあいだは、そうした折衷傾向が尾を曳いている。西ヨーロッパで主潮となった機械文明礼賛の風潮よりは、虐げられた人々の日常に眼を向けて、そこに見出される現実を、アンティームで、内向的な造形表現として纏め上げる。そうした、即物的な社会主義的リアリズムのまなざしは、ズルザヴィーやコゼフ・チャペックなど、前世代の作品に先例があり、またこの後者が「もっとも謙虚な画家」と呼んだアンリ・ルソーとも、さらには未開社会の始源美術とも、あい通じる。これはプリミティヴィスムの一形態にほかならず、のちに、同時期のドイツの新傾向絵画とともに、「魔術的リアリズム」とも呼ばれることになった。[*11]

事実、一九二二年五月プラハの芸術家会館で開催されたデヴィエトスィル協会の第一回『春季』展では、「魔術的リアリズム」と形容されるゆえんとなった、詩情や哀愁に訴求しようとする、ナイーヴで写実的な描画姿勢の方が優勢を占めていた。もちろん、伝統的な正則美術教育とは縁のない画家たちの集まりであったことからすれば、この反アカデミックな姿勢も目立って当然である。参加者はタイゲ、ホフマイステル、シーマ、フォイエルシュタインらの若手グループと、ワフスマン、イジーコフスキー、ヴァネクであった。この展覧会は、初期デヴィエトスィルの活動のピークにあたっている。総決算である、とされるのはそのためである。

この時期、デヴィエトスィルの活動は、いまだ小規模なグループ展や、個展が中心であった。後述の通り、ときに外国から美術家を招いての、集会や講演会も開かれている。たしかに、同時代の定期刊行物のなかには、たとえば、『ヴェライコン』（一九二一年第五・六合併号）、『チェルヴェン』（一九二二年第一二号）、『プロレトクルト（プロレタリア文化）』（同上第一七号）、あるいは国外の雑誌として例外的に『ゼニット（天頂）』（図版150）（一九二一年九月号）[*12]のように、デヴィエトスィルの特集を組んだものが、あるにはあった。[*13]しかし、グループの活動の多くは、『アルマナフ』『ホスト』（図版15）『ムザイオン』『オルフェウス』[*14]（図版13）など、同時代の美術雑誌や文芸雑誌のなかで、簡単な紹介がなされる程度にすぎなかったのである。

一九二二年一〇月、プラハの「美術協会」から出版された革命論集『デヴィエトスィル』（図版1）は、そうした平素の、どちらかといえば地味な活動に変化をもたらした。編者は二十二歳のタイゲと、彼よりひとつ年下の詩人ヤロスラフ・サイフェルトの二人である。巻頭を飾る二人の共同執筆論文「新しいプロレタリア美術」は、左翼政治体制の前進、社会や産業技術のユートピア、社会的前衛としての芸術家の役割など、内容的にナイーヴな論旨に終始しており、雑誌『チェルヴェン』とそう遠く隔たっていない。それに対して、ネズヴァルの論文「電気的世紀の喜び」と巻末のタイゲ論文「美術の今日と明日」は、新時代を拓く先端的な産業技術の活用を謳い、モダニズム運動の国際的な連帯に向けて進もうとする、積極的な姿勢が目立っている。一冊の論集として、内容面では、かならずしも一枚岩になりきっていなかったのである。

これら二つの主張の対立は、タイゲが五歳年上の建築家ヤロミール・クレイツァルと編集作業を進め、一九二二年一二月、ようやく出版にこぎ着けた年鑑『ジヴォト（生活）II』（図版2）で、その帰趨に決着がつくことになった。なぜなら、この年鑑では、戦時中のプロレタリア文化論が完全に姿を消し、マシーン・エイジの知的なモダニズム美学の礼賛傾向が際立っているからである。副題には「新しい美術、構築、知的活動」とある。しかし、実際のところは、美術と日常生活のミゾを埋めるという目的のため、同時代の美術、映画、写真、機械美に焦点が当てられている。それらを説明する図版の多くは、オザンファンとル・コルビュジエの雑誌『レスプリ・ヌーヴォー』（図版179）の編集部から借用転載されたものであった。とすれば、ピュリスムへの共感の産物であることはまぎれもない。

一九二二年夏、タイゲはサイフェルトとともにパリを訪れている。そこでオザンファン、ル・コルビュジエ、ツァラ、マン・レイらと出会い、それぞれから強い感化を受けている。パリから帰国し、年鑑の編集を手がけることになったタイゲは、躊躇することなくピュリスムの精神と形式を、出版文化の、わけてもタイポグラフィの分野に取り込むことになった。翌年、建築家クラブ雑誌『スタヴバ』の編集部に加わったタイゲは、現代建築についてもまた、議論を深めていく。やがてその編集主幹を務めることになり、社会主義体制下での労働者用住宅として、「最小住宅」という、機能主義の極北にたどり着く。[*15]

年鑑『ジヴォトII』(図版2)に示されているモダニズム美学は、タイゲの主張する二つの原理すなわち、構成主義とポエティスムに支えられている。前者は、日常の生活のなかに大量生産と規格化を導入、定着させるための方法的原理とされ、後者は、文学的なフォルムを用いて詩(ポエム)を生むこと、スペクタクルに満ちあふれた現代世界に、抒情的、視覚的な興奮を植え付けることとされる。タイゲ自身の言葉を借りるなら、後者のポエティスムの方は、「言葉のもっとも美しい意味における、生活のアート」化にほかならなかった。[*16]

年鑑の出版は、デヴィエトスィル・グループにおける若手の台頭を決定的なものとした。国際主義としては台頭著しい構成主義に対する反発もあったのだろうが、これを機に、プロレタリア文芸系の詩人やジャーナリスト、あるいは第一回『春季』展に参加した美術家の多くが、グループを去っていった。脱退組のなかに、ムズィカ、ピスカチ、ワフスマン、ホフマイステルの四人がいた。彼ら四人は「新派」なる集団をあらたに結成し、マーネス造形芸術家連盟の展示室を使っての展覧会を通じて、初期デヴィエトスィルを特徴づけていた「魔術的リアリズム」の流れを、しばらくのあいだ保持し続けていくことになる。創立メンバーとしてグループ内にとどまったのは、最年長のヴァンチュラを筆頭に、タイゲ、詩人サイフェルト、著述家シュルツ、舞台美術家ホンズル、映画批評家チェルニークの六人であった。このグループに詩人のネズヴァル、ハラス、ビーブル、役者のイジー・ワフスマン、さらには画家のシュティルスキー、トワイヤン、ムルクヴィチカ、イェリネクが加わり、モダニズム美学の生活次元での実現を目指す前衛運動体デヴィエトスィルが、名実ともに立ち上がることになったのである。

ダダの闖入——ベルリン・プラハ・ザーグレブ

第一次大戦が最終的な局面を迎えようとしていた一九一八年は、ダダが壊滅間近の首都ベルリンで、もっとも華々しい運動を繰り広げた年でもあった。二月一八日には、ベルリンのノイマン画廊で詩の朗読の「夕べ」が開かれ、その席でリヒャルト・ヒュルゼンベックが、ドイツ国内で最初の「ダダ講演」をおこなっている。『ノイエ・ユーゲント』（図版135）の編集に携わっていたヴィーラント・ヘルツフェルデ、その弟のジョン・ハートフィールド、ゲオルゲ・グロッス、さらには風刺新聞『フライエ・シュトラーセ（自由街）』のフランツ・ユング、ラウル・ハウスマンらが、ダダの宣伝と普及のため「クラブ・ダダ」を結成しようと動き出していたのもそのころで、ヨハネス・バーダー、ヴァルター・メーリングもその仲間に加わることになった。

三月には、ベルリンの分離派会館でヒュルゼンベックがはじめて一般市民の前に姿をあらわし、演説をおこなっている。四月一二日にもまた、同じベルリン分離派会館で、クラブ・ダダの大々的な旗揚げのための「夕べ」が開かれた。会場を埋め尽くした満員の聴衆を前に、ヒュルゼンベックが「生活と芸術におけるダダイズム」と題する宣言、いわゆる「ダダイズム宣言」を読み上げ、グロッスが「自作詩」のパフォーマンスを演じ、ハウスマンもまた「絵画における新しい素材」と題する講演をおこなっている。一方、スイスのチューリッヒでも、六月二三日にマイゼ会館で開かれた「夕べ」で、トリスタン・ツァラが「ダダ宣言一九一八年」を読み上げている。これらは、いずれもダダの正史に綴られてしかるべき出来事であった。

ミシガン大学教授インドジフ・トマンの研究によると、ダダのニュースがはじめてプラハで報じられたのは、上述の出来事が続いた一九一八年の夏のことであったという。[*1] ダダのことを報じたのは、当時プラハで発行されていたドイツ語系日刊紙であった。どの出来事に関するニュースであったのか。あるいは、ダダをめぐるそうした一連の動きを伝えるニュースであったのか。確証はないが、それらのいずれかのニュースだったのであろう。

たしかなことは、メルキオール・フィッシャーなる若者が、件の新聞記事でダダのことを知り、興味をもつようになったということである。フィッシャーは二十三歳のドイツ人、プラハのカレル大学でドイツ語と数学を学ぶ学生であった。彼は、第一次大戦終結後の一九一八年一二月、チューリッヒのツァラに宛てて一通の手紙を書いた。幸いなことに、ツァラから返事が届き、以後、二人はなんどか手紙のやりとりをしている。たしかに、これは「ダダ宣言一九一八年」を掲載した『ダダ』第三号（図版142）がチューリッヒで発行された時期と重なっている。[*2] しかし、フィッシャーには、それを眼にする機会があったのかどうか。というより、フィッシャーの受け止め方は、予想に反して、かなり否定的なものであった。二年後の一九二〇年に『脳天を貫く一秒』（図版146）という「世界最初にして唯一のダダ小説」[*3]を、ハノーファーのパウル・シュテーゲマン書店を版元にして、ウィーンで出版することになりはしたが、知り始めた当初は、絶望、不信、懐疑に染まりきったダダの「否定の精神」に、嫌悪と反発しか感じなかったというからである。

第一次大戦が終結し、新しい民主主義国家の誕生とともに、国外から前衛の流入が始まった。端緒を開いたのは、やはり新聞記事であった。一九二〇年三月三日、ブルノの日刊紙『リドヴェー・ノヴィニ』にパリ特派員リヒャルト・ヴァイネルが寄せた「警句」と題する記事がそれである。チェコスロヴァキアにもダダが遅からず浸透していくことになろうが、これは嘆かわしいことである、というのがチェコ語による第一報の論旨であった。[*4]

これに続くヴァイネルの第二報は、六月八日付で上掲紙に掲載された「病跡学的症例」と題する記事である。それはパリのボエティ街四十五番地のサル・ガボーで五月二六日水曜日午後三時に予定された「ダダ祭」に関するものであった。[*5] 当日のプログラムには、つぎのようにあった。「前代未聞の出来事。すべてのダダイストが公衆の面前で頭を丸める」。ヴァイネルはこの惹句に動かされ会場を訪れる。「そのほかにも、いろんな余興、痛くない撲り合いや、ダダの魔術師の芸、本当の山師、巨大なオペラ、男色的音楽、二重声の交響曲、不動のダンス、二篇の戯曲、宣言、詩がある。最後にダダのセックスも見られる」[*6] というのであるから、たしかに、前衛的な芸術や芝居に眼の無かったヴァイネルならずとも、一目覗いてみたくなるような出し物ではあった。

しかし、翌日のパリの日刊紙『リベルテ（自由）』の記事は、およそ予想外のものであった。ロベール・ケンプが「ダダは瀕死である、ダダは死んだ」とこき下ろしていたからである。由緒と伝統のある演舞場を借りきって、大々的に開かれたダダの集会。それが「長く退屈なだけで、それはプログラム制作に熱意が欠けていたあきらかな証拠である」と酷評されていたのである。[*7]最初のダダ体験が、すでに衰退期に入ったパリ・ダダの、退屈なパフォーマンス集会だったというのは、ヴァイネルにとって不幸なことであった。「もし痴れ者のふりをしているだけであったなら。もしわけのわからぬことを喋っているだけであったなら。さにあらず。彼らは真面目であった。愚かさにおいて、おそろしく真面目であった。もっとも心に残ったこと、もっとも嘆かわしいこと、それは彼らが真面目であったということだ」。[*8]要するに、ダダは既存の体制を打破することにつながるかもしれないが、新しい社会の建設に道を拓く創造的な企てとは、とうてい見なしがたい、しかるによって首肯できない、というのが「ダダ祭」を実見したヴァイネルの結論であった。以後、プラハでは一九二〇年代モダニズム運動の参加者の多くが、多少なりとヴァイネルのダダ観を共有し合うことになる。

一方、戦前からのドイツとの交流も、ふたたび蘇りのきざしを見せ始めていた。きっかけを作ったのはベルリンのダダイストたちである。ベルリンでは、一九一八年四月一二日の分離派会館の集会で「ダダイズム宣言」が読み上げられてからというもの、なにか騒動がもち上がるたびに、ダダの名前が取りざたされるようになっていた。一九一九年六月二日にはハウスマンの手で雑誌『デア・ダダ』第一号（図版134）が自費出版され、オットー・ブヒャルト画廊でも『ダダ』大見本市が開かれている。さらに同年九月には、ロマーニッシュ・カフェの常連ヨーン・ヘクスターを編者として、『デア・ブルーティヒ・エルンスト（糞真面目）』なるタブロイド判ダダ新聞が創刊されている。そして、この翌年すなわち一九二〇年の六月二四日には、前年と同じ場所で、出品作百七十四点という、前年を上回る規模の第一回『ダダ』国際見本市がまさに開催されようとしていた。ダダイストは、とにかく、その行動の奇態さ、発言の過激さで話題を振りまいていたのである。

そうした動きの渦中にいたのは、ヒュルゼンベック、ハウスマン、バーダーの「ダダ」三人組であった。彼らがプラハに来て「公演の夕べ」を開くというニュースは、一週間ほど前から地元の新聞で大々的に報じられていた。一九二〇年二月二二日発行のドイツ語系日刊紙『プラハ日報』には、つぎのような記事がある。「すでに予告した通り、三月一日にダダイストたちがプラハへやってきて、公演の夕べを催すことになっている。……ダダイズムとは、この救いようのない世界全体をすさまじい笑いで無視し、古い哲学、詩作、新しい芸術に途方もないナンセンスを対置し、ごく限られた人々の芸術のための芸術として、全世界から悪ふざけを作り出し、それらを無批判な大衆が、まったく本当に大まじめに受け取るのを見ることを、無上の喜びとしているのだという。そこでわれわれは、「公認のダダ哲学者」ラウル・ハウスマンに依頼して、彼の立場を聞くことにした」。[*9]

この編集部の求めに対して、ハウスマンは「ダダイズムはヨーロッパでなにを望むか」という、長い論説で答えている。「ダダは三人の人物、ヒュルゼンベック、バル、ツァラによって発明された。まずダダ（Dada）は、四文字以外のなにものをも意味しない。それによって、そのインターナショナルな性格が生じた。ダダはまず、絶対的な原始性に対する信仰告白だった。……ダダは理想主義を、それゆえ虚偽を知らない。ダダ的人間は世界をあるがままに受け取って、変えようとはしない。ダダは今日に生きている。ダダは過ぎ去った事柄と戦うことはしないし、未来には賛成でも反対でもない。……諸君は異議を唱えるだろう。ダダ、それははったりだと。ところで、人間はセンセーションを求める獣だ。ダダ的人間は、はったりによって、自分自身のセンセーション願望と、重苦しさを飛び越える。はったりは、倫理的原理ではなく、実際的な自己浄化である。ダダとはったりは、互いに同一視されうるので、はったりは真実である――というのは、ダダは厳密な真実だからである。それゆえダダは、むしろひとつの生の状態であり、ひとつの芸術的傾向というよりは、むしろ内的運動の形式である。……六千年にわたる空しい精神的努力ののち、哲学がまったく役に立たなかったことを考えてみれば、諸君は、幸せな瞬間の不可解さから生まれたダダこそが、われわれの時代の唯一実際的な宗教であることを認識しなくてはならない。……ダダは諸君が、自分の本当の状態を認識することのできる、完璧に善良な悪意である。諸君が夜就寝する前に、もう一度ダダという真実を、諸君の精神の目のそばを通過せしめよ――それからダダに加入せよ、というのは、ダダは確実に勝利するからである」[*10]。この挑発的な記事は、ボヘミアの人々、といっても大半はドイツ人社会に属する人々だったのであるが、彼らの好奇心をかき立てずにはおかなかった。

三月一日の当日、会場に予定された物産取引所には「数千人の客」が押しかけたという。この日の「夕べ」は緒からつまずいた。夕刻八時が開演予定であったが、その直前に「ダダ長官」ことヨハネス・バーダーが、台本の半分をもったまま姿をくらましてしまったからである。三月八日発行の『月曜新聞』に掲げられた記事「ダダイスト・スキャンダル」によると、ヒュルゼンベックによるダダ運動の紹介があったのち、ヒュルゼンベックとハウスマンによる「ナイフについての同時対話」、ハウスマンの「ダダ・トロット」、『幻想的な祈り』の朗読と「騒音コンサート」があったという。舞台にたったヒュルゼンベック本人の回想するところによると、「まず抗議の叫び声が聞こえた。それからその声が大きくなり、ますます大きくなった。そしてホール全体が猛り狂った。……それは革命だった。人々は立ち上った。そして舞台に向って動き始めた。彼らはしわがれ声で叫び、こぶしを固め、脅しをかけた」[*11]。一日おいた三月三日には、会場をモーツアルテウムに移し、そこで前々日と同様、ヒュルゼンベックとハウスマンが、今度は比較的少数の聴衆を前に公演をおこない「大成功を収めた」。このようにヒュルゼンベックは回想している。

もっとも、この人騒がせなイヴェントに対するプラハ市民の反応は、上述の『月曜新聞』が「失望」と書いたように、意外と冷ややかなものであった。チェコ人の多くにとって、ベルリンから来たダダイストたちは、なによりもまずドイツ人であった。とうぜん、そのことに対する反感がさきにたったうえ、主役のひとりが逐電し、プログラムの変更を余儀なくされ、そこに奇態さ、難解さ、猥雑さが加わったからである。しかし、だからといって、ダダの衝撃が、そのまま沈静化してしまったわけではない。実際はその逆で、ベルリンのダダイストたちは、プラハで休眠状態にあった前衛芸術運動に、ふたたび火をつけてしまったのである。

事実、『ドイツ・悲劇の誕生――ダダ／ナチ』の著者平井正氏は、このダダ巡業の投じた波紋のひとつとして、四月三〇日にプラハで「ダダ未来派仮装フェスティヴァル」が開催されたことを挙げている。ダダ・ダンス、ダダ同時詩の朗読、ダダ・オーケストラの伴奏によるダダ・シャンソンの歌唱というプログラムで、「ダダ長官」のコンテストまであったという。[*12]

もちろん、ダダ巡業の余波はそれだけにとどまらなかった。しばらくして、若者たちのあいだにもダダが興った。端緒を開いたのは、創刊されて間もない学生新聞『リュシュ（活動）』

の記事であった。同紙の九月一五日発行号に、ヒュルゼンベックの「ダダイズム」なる寄稿記事が掲載されたのである。ダダイストの文章がチェコ語に訳されたのは、これが最初であった。この記事のなかには、ヒュルゼンベックがベルリンのマリク書店から一九二〇年二月に出版し、「ダダの夕べ」でも朗読された『幻想的な祈り』増補新版[*13]からの抜粋と、ツァラのダダ詩が含まれていた。

ヒュルゼンベックの文章を訳したのはヤロミール・ベラークであった。この若手詩人はもともとドイツ表現主義に関心があったようであるが、共産党のシンパとして、この頃からミュンヘンの極左グループとつながりをもっていた。訳註のなかで、ベラークは「われわれチェコのダダイストも、近々、われわれ自身の手で、ダダ新聞を発行したいと思う」と述べている。ここにいう「われわれ」とはすなわち、ベラーク本人と、ズデニェク・カリスタ、アルトゥシュ・チェルニークの三人であり、いずれも二十歳に満たない若者であった。

ベラークとその仲間は、学生新聞で予告した通り、一九二〇年秋に、『デン（日）』という同人誌を創刊している。美術と政治のかかわりを論じる、というのがその発行の趣意であった。一一月号にベラークが寄せたツァラ論は、チェコにおけるダダ研究の嚆矢となった。周知の通り、敗戦後のドイツではストライキが多発し、共産党員による組合活動が活発になっていた。チェコの学生は、自分たちの置かれている状況を、「ベルリン・ダダ」をとりまく社会状況と重ね合わせて見ていた。ダダ運動の惹起する騒乱は、政治革命の起爆剤のひとつになるのではないか、そのように考え始めていたのである。

一九二一年初秋、ベルリンからふたたびダダイストがやって来た。ヒュルゼンベック、バーダーの二人と袂を分かち、「アンチ・ダダ」を宣言したハウスマンとハンナ・ヘッヒが、ハノーファーで独り孤高を保っていたクルト・シュヴィッタースとその妻ヘルマの抱き込みに成功し、四人でプラハに乗り込んできたのである。九月六日火曜日と七日水曜日に、プラハのウラニア大劇場で「夕べ」が二晩通しでおこなわれている。夕刻八時開演のプログラムには、ハウスマンの「なぜヒンデンブルクは顔一面のひげをたくわえているか――ベルリン同時性（音楽附）」の朗唱、ハウスマンの「エキツェントリック・ダンス――イタリア、パリ、プラハ」、シュヴィッタースの「グロテスクの詩」と「わたしのドレスデンの批評家に」「機械人間の寸劇、登場人物三人」とあり、音声詩、ノイエ・タンツ、同時詩、パフォーマンスなど、実験的な出し物の連続するイヴェントであったことがわかる。ハウスマンは長い「プレゼンティスム宣言」を披露したのち、音声詩「魂の自動車」を朗読し、シュヴィッタースで、「うしろからのアルファベット」ほかのグロテスク詩、「レヴォンのレヴォリューション」「アンナ・ブルーメ」（図版144）「シガー」「わたしのドレスデンの批評家に」ほかのメルツ詩の朗読を、ハウスマンと声の交替をおこないながら、見事にこなしてみせた。観衆は二人の掛け合いの妙に打たれ、「夕べ」は成功裡に終わった。

とはいえ、ある種の疑問が生じないでもなかった。この日の夕べは、はたして「ダダの夕べ」といいきれるのか、という疑問である。現に、表看板には「アンチ・ダダ・プレゼンティスム・メルツ巡業」とあった。プログラムを刷ったチラシにも、「アンチ・ダダ」の大文字が二度にわたって印刷されており、「メルツとプレゼンティスムに関する真実に耳を傾けよ」とある。かてて加えて、ハウスマンは「プレゼンティストにしてアンチ・ダダイストである」と自己紹介し、シュヴィッタースについては「メルツ芸術の創始者」として紹介した（図版153・154）。「ダダ」も「アンチ・ダダ」もダダである。あるいは「アンチ・ダダ」でないものはダダでない、というべきか。いずれにせよ、ダダ的な逆説に彩られた「夕べ」であった。そのため、一年前の「ダダの夕べ」の騒乱が再来するのではないか、と期待して集まった物見高い聴衆には、舞台上で繰り広げられる音声詩や同時詩、構成主義的なダンス・パフォーマンスが、いかに時代を先駆けるものであったか、そうしたことに思いをめぐらす余裕など、あろうはずもなかった。[*14] 時代を先駆けるとはすなわち、実際にシュヴィッタースが、このときのハウスマンの音声詩「fmsbw...」から、一九三二年に発表される究極の音声詩「原ソナタ」の着想を得ていたからである。

敗戦後のドイツから二波にわたってダダが闖入し、ボヘミアの学生たちのあいだに、わずかな共鳴者を生もうとしていた時期、プラハではもうひとつ、看過しえないダダ運動が芽生え始めていた。ザーグレブから来たセルビア人留学生たちの活動がそれである。彼らは自分たちの手で、独自の「ダダの夕べ」を組織しようとしていた。運動の牽引車となったのは、カレル大学でスラヴ語を学んでいた十九歳のドラガン・アレクシチであった。このセルビア人留学生は、六歳年長のドイツ人メルキオール・フィッシャーと親しかった。フィッシャーはダダを容易に認めようとしなかったが、しかし、ツァラとの文通の内容を、アレクシチに語って聞かせていたようである。一九二〇年に出版されたフィッシャーのダダ小説は、アレクシチに決定的な影響を与えることになった。

ともあれ、先輩のフィッシャーからダダのことを吹聴されたアレクシチは、同郷の留学生仲間ブランコ・ヴェ・ポリャンスキーの助けを借りて、一九二〇年から一九二二年にかけ、数度にわたって「ダダの夕べ」を開催している。その最初の集会は、一九二〇年一〇月クラロフスケー・ヴィノフラディにある、両側をスカンディナヴィア領事館に挟まれたアパートの一室で開かれた。普段はスポーツ・トレーニング用ジムとして使われていたこともあって、およそ芸術的な営みに相応しい場所とも思えなかった。参加者もそうである。ボクシング・ジムのチャンピオン四人、サッカー・ファン一人、たまたま居合わせたジャーナリスト三人、ユーゴ人学生二人、若い女優一人、アレクシチにチェコ語を教えていたビリヤード・プレイヤー二人、アパートの隣人一人、領事館の職員一人、そして新聞『ツァス』で働いていたブルネルなる紙型工であった。[*15] アレクシチは奇妙な設えの場所に集った、およそ芸術とは縁もゆかりもなさそうな人々を前に、自作の詩を高らかに朗読してみせた。加えて、「オルガルト」すなわち、バルカン＝スラヴ版ダダともいえる「有機的なアート」について熱弁を振るった。

こうしたプラハでの動きに応えるかのように、一九二一年二月、ヴェ・ポリャンスキーの兄リュボミール・ミシチがザーグレブで国際美術雑誌『ゼニット』（図版150）を創刊した。ミシチは古き西ヨーロッパの文明に対し、新しきバルカンの野蛮をもって対峙させようとしていたのである。彼の念頭にあったのは、赤裸の男すなわち「バルバロゲニェ（野蛮霊）」が肉体を離れ、天頂目指して飛翔するという鮮烈なイメージであった。[*16] ミシチの唱えるゼニティズムは、バルカンの地政学に根ざした霊的な宇宙開闢論に特徴があり、その神秘主義的な側面は、とうていダダの即物主義とあい容れない。ために、アンチ・ダダでしかありえなかった。しかし、そこで転倒が起こる。「わたしはダダイストである、なぜなら、わたしはそうでないから」という逆説が成り立つとすると、アンチ・ダダであるゼニティズムはダダである、という論法も成り立つはずだからである。[*17] このダダ的な修辞学によって、初期ゼニティズムはダダとひとつになった。それが「ユーゴ・ダダ」のそもそもの出発点であった。ここではミシチの神秘思想について詳述するいとまはないが、ザーグレブ、パリ、ベオグラードでの継続的な出版活動を通じて、ゼニティズムは、やがて国際的な広がりをもつことになる。

さて、プラハのアレクシチであるが、彼は一九二一年初春、ミシチの弟ヴェ・ポリャンスキーとともに、ゼニティズムとダダは、すくなくとも文学的な次元では、双子の兄弟にも等しい、ということを衆知させるため、大がかりな宣言集会を組織することになった。街の中心にある、シュテーパンスカー通りのユーゴスラヴィア・ホールを借りきっておこなわれた「夕べ」がそれである。千人を超える聴衆が集まったというから、かなりの規模だったのであろう。プログラムの冒頭で、アレクシチは全長二十五メートルにも及ぶ巻紙を拡げながら、長文の「ダダ宣言」を読み上げた。それは電報文のような短いフレーズの連続からなっていた。「芸術は暗闇だった、退屈だった」に始まり、「彼は見る、言葉に開かれた道を。ダダ（＝イコール）偉大な名前。ダダは青年に向けた叫びだ。ダダはプリミティヴィスムだ、熱望だ。未来。額を貫く一秒。……どれも、これも、ダダだ」。[*18]

この宣言では、反抗心、汎ヨーロッパ主義、本能、意識、夢、破壊といった言葉が繰り返されている。その間、聴衆はアレクシチの口から矢のように飛んでくる言葉を、黙って聴かされていた。しかし、そのうち会場が騒がしくなり、やがて騒乱状態に陥った。しまいには拳銃まで舞台に持ち出された。すなわち、ダダ集会として大成功を収めたというわけである。この話を伝え聞いたベルリンのハウスマンとメーリングは、アレクシチに快哉を叫んだといわれている。[*19]

一九二一年晩春、ダダ集会を終えたアレクシチとヴェ・ポリャンスキーは、プラハを離れ、ウィーンに向かった。ハンガリー行動主義を興し、雑誌『マ』の主宰者として亡命中のカシャーク・ラヨシュと会うためである。プラハでダダの一大集会を成功させたアレクシチは、カシャークの雑誌に自らのそれと共通するダダ的な精神を見出したのだろう、すぐにゼニット・グループと「ユーゴ・ダダ」とマ・グループが連帯することになった。事実、一九二一年七月発行の雑誌『ゼニット』には、ハンガリーの現代詩人たちとの友好関係を謳った記事が掲載されているし、翌年六月発行号では、こんどは、カシャークのリノカット構成が表紙に使われている。もっとも、アレクシチはともかくも、ミシチはダダのことばかりが取りざたされ、自ら創始したゼニティズムが、その陰に埋没したり、それと同一視されたりすることに、我慢がならなかったようである。ダダとの関係をめぐる意見の対立がもとで、アレクシチはやがてゼニット・グループと決別し、独り「ユーゴ・ダダ」の道を突き進むことになる。

いずれにせよ、最初は内々の、つぎには大々的なダダ集会を通じて、さらにはザーグレブの雑誌『ゼニット』（図版150）を通じて、弱冠二十歳のアレクシチは多くの人々とかかわりをもつようになった。プラハの「革命芝居」の座長であり、人気役者でもあったカレル・ノルとの交流は、芝居小屋のエンターテインメントにダダを浸透させることになった。ヤロスラフ・ハシェクが一九一九年に起稿し、結局未完のままになった『勇敢なる兵卒シュヴェイクの冒険』は、芝居小屋での好個の演目であったが、騒音の効果と台詞のオノマトペの協奏は、ダダの産物以外のなにものでもなかった。また、一歳年長のタイゲとの交流は、デヴィエトスィルへのダダの浸透という点で、決定的な意味をもつことになったのである。

もちろん、アレクシチの人脈はプラハにのみ限らなかった。ウィーンに亡命中のカシャーク・ラヨシュ、ボルトニク・シャーンドル、ウィッツ・ベーラらのマ・グループ、さらにはハウスマン、メーリング、バルの「ベルリン・ダダ」、アルプ、マックス・エルンスト、バールゲルトの「ケルン・ダダ」、最後にツァラを含む「パリ・ダダ」まで、ダダ運動の中心的なメンバーもそこに含まれている。アレクシチは彼らに、「オルガルト」に関する自説の翻訳を送り届けている。ツァラからの返信には「オルガルトはダダであり、また逆も真なり。それらの両方をあらためよ」とあり、またハウスマンはハウスマンで、「オルガルト」の概念を基にして、彼の「ダダ智学」を展開することになった。[*20]

アレクシチの交信リストには、もちろん、シュヴィッタースも欠けてはいなかった。シュヴィッタースはセルビア人学生をハノーファーのパウル・シュテーゲマンに紹介した。この出版人は、一九一九年のクルト・シュヴィッタースの『アンナ・ブルーメ詩抄』（図版144）をはじめ、一九二〇年のリヒャルト・ヒュルゼンベックの『前へ！　ダダ——ダダイズムの歴史』（図版147）、ヴァルター・ゼルナーの『最後の弛緩——ダダ宣言』（図版148）、ハンス・アルプの『雲のポンプ』

（図版149）などの出版を通じて、「ハノーファー・ダダ」の中核的な存在になっていた。シュテーゲマンはアレクシチの友人でもあったメルキオール・フィッシャーのダダ小説『脳天を貫く一秒』（図版146）を、一九二〇年にダダ叢書の一冊として出版している。表紙を飾る石版画は、シュヴィッタースの手になる。

一方では、プラハからザーグレブ、リュブリアナ、ノヴィ＝サッドへ、他方ではプラハからウィーン、チューリッヒ、ブダペシュトへ、さらにはプラハからベルリン、ベルリンからハノーファー、ハノーファーからケルン、さらにはパリへというように、各地のダダイストが次々とつながりをもつようになり、前衛運動のネットワークが形成されていく。アレクシチの場合には、交友の幅の広いシュヴィッタースの知遇を得たことが大きかった。しかし、それはかりでなく、プラハにあって、セルビア語系とクロアチア語系の新聞、雑誌の特派員を務めていたことも、交流を拡げるうえで幸いしたようである。いずれにせよ、そうしたネットワークを最大限に活用し、アレクシチはいまだ学生の身分にありながら、「ユーゴ・ダダ」の中核、というよりもむしろバルカン全体におけるダダの領導者と目されるようになった。以後、アレクシチは、死ぬまで「ヘビー級ダダイスト」を自称し、また周りの人からも「ダダ」のニックネームで呼ばれ続けることになる。セルビア人留学生は、西ヨーロッパの諸都市とバルカンのそれを結ぶプラハにおいて、図らずもダダの情宣者の役割を果たしていたのである。

ベルリン未来派の旋風——ベルリン・プラハ

ベルリンに拠点を設けたイタリア未来派も、大戦直後のプラハに乗り込み、ダダイストに負けず劣らず、華々しい活動を繰り広げようとしていた。ドイツでの運動の担い手となったのは、イタリアのメッシーナに生まれた批評家ルッジェーロ・ヴァザーリである。彼がベルリンに移り住んだのは、一九二一年初めのことであった。画廊経営のかたわら、国際芸術家センターの運営を委ねられたヴァザーリは、五月に月刊誌『デア・フトゥリスムス（未来派）』（図版163）を創刊することになった。[*1] この雑誌は、タイトルこそまぎれもないが、内容面では表現主義への傾きが強く、第一面上部に掲げられたタイトルの形式にも、雑誌の中途半端な性格があらわれていた。タブロイド判紙を四つ折りした、都合八頁のアンカット冊子である。ドイツではじめての未来派定期刊行物を謳い文句にしていたが、その惹句にはもはや訴求力がなかった。ベルリンの主潮は、すでにダダの位相に突入していたからである。それればかりではない。イタリア未来派が敗戦後のドイツの危機的な状況下で、芸術的にも政治的にも、明確な活動綱領を提起しなかったこともあって、多くの読者を獲得できなかった。そのため、創刊後間もない、一九二一年七月発行号が第二・三合併号となり、八月発行の第四号で、早くも終刊を迎えることになった。

当時のドイツで、イタリア未来派はどのように見られていたのか。いささか、極端にすぎるきらいはあるが、作家ルネ・シッケレは一九二〇年に、つぎのように書いている。「ただもうなんであれあさりにあさりまくるヘアヴァルト・ヴァルデンが、折しも未来派の見本をトランクにつめこんでヨーロッパを旅していた抜け目のないマリネッティに、まんまとひっかかった」[*2]。こうしてみると、たしかに、イタリア未来派に対する期待感も沈静化の傾向にあったといわざるをえない。しかし、ヴァザーリの雑誌の創刊と発行が、いたずらに終わったわけではなない。なぜなら、一九二一年八月発行の終刊号に、「舞台を改革しよう」で始まるエンリコ・プランポリーニの宣言「未来派舞台美術」が掲載され、それが北ヨーロッパの舞台美術界に、大きな変革をもたらすことになったからである。この宣言は、のちに未来派の舞台美術理論の基礎とされるようになった。そのため、プランポリーニの未来派宣言のなかで、もっとも重要なものと目されている。プランポリーニは、この宣言をもって、舞台美術家として国際舞台に登場し、新生チェコスロヴァキアの首都プラハでの活動に、弾みをつけることになった。

一九二一年一〇月、とはすなわちダダ・メルツ巡業の翌月、プランポリーニは「未来派特命全権大使」としてプラハに乗り込み、ルドルフィヌムで二ヶ月間にわたる『イタリア現代絵画』展を開場した[*3]。そこでは二十一点にのぼるボッチョーニ作品が陳列された。チェコ未来派の絵画・彫刻も併陳された。このときプランポリーニは、自ら作品の陳列にあたったといわれる。空間演出のプロの面目躍如であった。同年一二月にもプランポリーニは、シュヴァンダ劇場で「未来派の夕べ」を開催している。このときは、マリネッティを舞台に立たせ、未来派の統合的演劇の理論を実演してみせた。一説によると、その夕べのパフォーマンスのなかで、マリネッティは「デヴィエトスィル万歳」を叫んだという。

一九二一年秋の展覧会でボッチョーニ彫刻を実見し、暮れの「未来派の夕べ」でマリネッティの講演を聴いたタイゲは、デヴィエトスィルの仲間とともに、マリネッティとプランポリーニの二人を自宅へ招き、懇親の機会をもった。プランポリーニはそれを機に、ポエティスム運動にイタリア未来派として参加することになった。彼は一九二二年八月発行の『ヴェライコン』に、「絶対絵画宣言」をチェコ語で発表している。絵画にさまざまな素材を導入しよう、と呼びかけるプランポリーニの主張は、マリネッティの唱える「タットリスモ（触覚主義）」の受け売りであったが、のちのプロハースカに大きな影響を与えることになった。

一九二二年一二月にはスタヴォヴ劇場で、マリネッティ戯曲『炎の太鼓』を舞台化している。[*4] 演出カレル・ドスタール、音楽バリッラ＝プラテッラ、効果音ルイジ・ルッソロという配役であった。プランポリーニは回り舞台を使い、物語を同時進行させるという演出で、観客を魅了した。デヴィエトスィルのメンバーのなかで舞台美術に興味をもっていたベドジフ・フォイエルシュタイン、イジー・フレイカの二人も、プランポリーニの演出に心を奪われたようで、後述する「自由劇場」の演目で、それを試みることになる。[*5]

プランポリーニは、タイゲとサイフェルトが一九二三年に創刊する機関誌『ディスク（日輪)』(図版17)と、未来派かぶれの建築家クロハが一九二七年にブルノで創刊するデヴィエトスィル建築部門雑誌『ホリゾント(地平)』(図版37)の定期寄稿者リストにも名を連ねている。プラハで未来派運動が頂点を迎えた時期は、デヴィエトスィルの揺籃期でもあった。そのため、タイゲ、チェルニーク、ホンズルらは、近代的機械文明の賛美、自由語のかたちをとった造形的タイポグラフィ、舞台や芝居小屋でのパフォーマンス、未来派の示威運動を特徴づける挑発性、攻撃性、ダンディズムといったものを、自分たちのポエティスムの運動のなかに、無理なく取り込むことができたのである。

このようにイタリア未来派がプラハで各種の活動を繰り広げていた一九二二年、プラハのペトル&トゥヴルディーー書店から、マツェクの翻訳で、マリネッティの著作『未来派自由語』[*6](図版159)の翻訳書『解き放たれた言葉』(図版100)が出版された。表紙はヨゼフ・チャペックのリノカット版画によるもので、いまだキュビスムの影響を留めていた。とはすなわち、ブック・カバーの意匠として、いささか時代遅れのものであることは否めなかったし、そして事実、この時代になると、リノカット版画の技法そのものを古臭く、装飾的である、として退ける見方も出始めていたのである。タイゲもそうした意見に与する者のひとりであった。後述する宣言『モダン・タイポグラフィ』のなかで、タイゲはヨゼフの得意としていたリノカット表紙を「バロック的装飾」にすぎない、と厳しく退けることになるからである。とはいえ、初版千五百部の評判は悪くなかった。すぐに版を重ねているからである。マリネッティの原書では、タイポグラフィの遊びが随所に取り込まれている。そればかりか、造形詩の印刷された折り込み図版をともなっているため、外国語への翻訳は、もとよりなじみにくい本であった。しかし、この翻訳書ではタイポグラフィが、見事にチェコ語へ置き換えられており、すこしの違和感も感じさせない。このチェコ語版は、マリネッティ詩集の、世界で最初にして、唯一の翻訳書となった。

この本は、というより一九一四年の『ザング・トゥム・トゥム――一九一二年一〇月アドリアノポリ』（図版158）に始まるマリネッティの「自由語」は、タイゲのそれをはじめとするデヴィエトスィルの詩集の視覚構成に、大きな影響を及ぼしている。実例は、一九二四年出版のネズヴァルの『パントマイム』（図版103）（再版）、一九二五年出版のサイフェルトの『無線電信の波の上で』（図版106）など、いくつも挙げることができる。この後者は、あらためていうまでもなく、マリネッティが一九一三年三月一一日に発表した未来派宣言「無線想像力と自由語」からの影響を抜きには考えにくい。[*7] 電信やラジオなど、無線のコミュニケーションに近代都市の未来像を見る、というのは未来派の主張のひとつだったからである。この点においてはトリスタン・ツァラも、マリネッティの考えを追認する側にたっている。「ダダ宣言一九一八年」のなかで、ツァラ曰く、「バッハのフーガ、ネオンのサイン、淫売宿の広告を伝える無線電信、神への献花を広めるパイプ・オルガン、これらすべてがひとまとまりになって、しかも現実のところ、写真に、一方的な教理問答にとって替わりつつある」(図版142)。

一九二六年にネズヴァルがプラハのオット書店から二千部限定で出版した『アベツェダ(アルファベット)』——ミルチァ・マイエロヴァーの舞踏構成』もまた、見ようによっては、未来派的な創意の産物であった。『アベツェダ』の詩の初出は、一九二二年出版の『パントマイム』(初版)であった。この詩では、アルファベットの文字に詩片が組み合わされ、それぞれが短いスタンツァを構成するようになっている。この詩を印刷したものは、ある種の「自由語」でもあった。一九二六年四月にプラハの自由劇場で催された「ネズヴァルの夕べ」では、この詩があらためて取り上げられている。ノイエ・タンツのマイエロヴァーが、二十二歳の演出家イジー・フレイカの振り付けで「舞踏詩」を舞ったのである。そのパフォーマンスのようすを写真家カレル・パスパに撮影させたタイゲは、アルファベットの大文字とマイエロヴァーの動きを捉えた写真を組み合わせ、類例のない出版物に仕上げてみせた。タイゲは、スタンツァという伝統的な文学形式とノイエ・タンツという現代的な身体運動、文学と身体、舞台と書物、タイポグラフィと写真など、異なる分野、異質な世界の横断的な結びつきから、時代の先をいく、というよりも唯一無二の作品を生み出したのである(図版69)。これこそ、未来派の統合理論の、最良の実践例にほかならなかった。

一九二〇年代前半のプラハにおける未来派の宣伝運動の成果は、一九二四年一月一一日に発行された未来派機関誌『ル・フュチュリスム』第九号に盛り込まれることになった。「世界未来派」と銘打たれた機関誌には、プラハの未来派として、タイゲ、コストカ・ノイマン、フォイエルシュタイン、フィラ、ホフマン、シュパーラ、チャペック、クレイツァル、サイフェルト、ムズィカの名前が掲げられている。[*8] 未来派からのこうした期待に対するプラハ側の反応には複雑なものがあった。ミラノで開かれた未来派会議において、マリネッティがファシストへの支持を表明していたからである。デヴィエトスィル協会は、当然のことながら、こうした未来派の政治選択を受け容れなかった。しかし、過去派を一掃しようとする彼らの過激な「モデルニテ」の主張は一顧に値する、というタイゲ流の考え方がなくはなかったからである。

事実、タイゲは、後述の通り、一九二五年に発行された、デヴィエトスィルの第二機関誌『パースモ』（図版19）第二号において、マリネッティの未来派宣言「触覚主義」を引用しつつ、「五感の詩」に関する理論を展開している。[*9] また一九二九年二月発行の第三機関誌『ReD』（図版26）第一号をまるまる「マリネッティと世界未来派」特集号に充てている。後者には、こうある。「未来派の最大にして最高の革新的意義は、その過激なモデルニテ、その百パーセントのモデルニテにある」。未来派がモデルニテを「すべての創造にとって必要不可欠の条件」としていることに、タイゲは首肯していたのである。[*10]

ハンガリー行動主義の流入——ブダペシュト・ウィーン・プラハ

デヴィエトスィルの形成に影響を与えたのは、ダダ、イタリア未来派だけではなかった。一九二一年暮れにマリネッティと親交を結んだタイゲは、上述の通り、翌年夏サイフェルトとともにパリを訪れ、そこでル・コルビュジエと親交を結ぶ機会をもった。大戦後の新しい社会には、装飾的な要素をはぎ取り、形態の純化を目指す、簡素で力強いデザインが必要である。ル・コルビュジエは、そうした先進的な建築哲学と機能的な造形言語について、「ピュリスム」の必要性を訴えていた。タイゲとサイフェルトもまた、近代社会のヴィジョンを具体化する方策を模索していた。二人はル・コルビュジエの建設的な思想に、共鳴するものを感じたようである。プラハに戻った二人は、そのことをデヴィエトスィルのメンバーに語って聞かせ、オブルテル、ムルクヴィチカから、建築家やデザイナーにピュリスムが浸透していくことになった。タイゲが建築に関心をもち始めたのは、ちょうどその頃のことである。事実、タイゲはパリ訪問のあと、急速に建築とのかかわりを深めていった。一九二三年、ブルノの建築家クラブの雑誌『スタヴバ』の編集陣に加わったタイゲは、やがて編集主幹の職を得て、この雑誌をチェコスロヴァキアの代表的な国際建築雑誌に成長させる。

一方、亡命者の集うウィーンからは、フランスのピュリスムより、造形においてははるかに構成主義的で、精神においてはダダ的で、行動においては政治的な潮流が押し寄せてきた。ブダペシュトで一九一五年一一月一日に雑誌『ア・テット（行動）』[*1]（図版166）を創刊したカシャークの「アクティヴィスム（行動主義）」がそれである。[*2] 一九一九年二月二〇日にブダペシュトでおこなわれた講演のなかで「アクティヴィスムとは」とカシャークはいっている、「われわれの社会運動における新しい用語である。それは『直接行動』といい直してもよい。わたしはそれを、抑圧された人民すなわち、自ら為した努力によってしか贖われることのない人々の、自然発生的にして恒常革命的な振る舞い方という、より幅広い、より包括的な意味で、理解したいと考える。この広義の意味での土台の上にこそ、またこうした目的のためにこそ、ブダペシュト・アクティヴィスム・グループは創設されたのである」。[*3]

一九一九年八月クン・ベーラ率いるハンガリー＝タナーチ労働組合政権が崩壊し、右翼急進派による激しい圧制と弾圧が始まった。『ア・テット』（図版166）がクン政権下で廃刊へと追い込まれるや、あらたに創刊した雑誌『マ』（図版167）を通じて、アクティヴィスムの運動を継続していた急進的な若手芸術家グループは、国外への亡命を余儀なくされた。カシャークもまた、右派の白色テロから逃れるため、家族と近親者を引き連れ、ウィーンに亡命した。帯同したのは、義弟の画家ウィッツ・ベーラ、詩人画家バルタ・シャーンドルとその妻であり、カシャークの実の妹でもあった詩人ウィヴァーリ・エルジ、舞台美術家のマーツァ・ヤーノシュであった。

一九一九年末、ウィーン市街のすこし外れにあるアマリエン街の借家に落ち着いたカシャークは、仲間とともに近くに事務所を借り、翌年五月一日に雑誌『マ』を、国際前衛芸術雑誌として再興する。ドイツに亡命した仲間のひとりモホイ＝ナジ・ラースロー、さらには美術批評家カーライ・エルネーから送られてくる、ベルリン・ダダ、ロシア構成主義、オランダのデ・ステイルに関する情報を基に、「ダダの夕べ」にならったイヴェントも組織している。「マの夕べ」がそれである。

第一回目の「夕べ」は、一〇月一六日にコンサート・ホールで開かれた。ツァラ、アルプ、シュヴィッタースらのダダ詩の朗読が中心だったようである。シュヴィッタースの「アンナ・ブルーメ」（図版144・145）をハンガリー語で読み上げたのは、カシャークの妻ヨラーン・シモンであった。二回目の「夕べ」は一ヶ月後の一一月一三日にケルトナー街四番地で開かれている。さらに、一一月二一日にはバルタ・シャーンドルが、自作のダダ詩の朗読をおこない、翌年九月の「文学の夕べ」でも、ツァラ、バルタ、カシャークの詩の朗読がおこなわれている。カシャークとその仲間は、亡命地ウィーンでも、ブダペシュト時代と同様の、しかし今度はアクティヴィスムでなく、ダダの、しかも多分に、非政治的で、文学的な活動を展開しようとしていたのである。

カシャークは、父親がスロヴァキア出身であった。そのためもあろうが、一九一六年一一月発行の『マ』創刊号の表紙に、チェコ人画家ヴィンツェンツ・ベネシュのキュビスム風リノカットを採用するなど、早くからボヘミアに人脈を培っていた。[*4] 一九二二年三月、カシャークは家族や仲間を引き連れて、ウィーンからプラハに発った。詩の朗読とスペクタクルからなる「文学のマチネ」を開催するためである。三月一六日の集会では、プログラムの冒頭、カシャークが「マ」の運動を紹介する講演をおこない、つぎにイタリア未来派詩人のリベロ・アルトマーレ、アルザス人のハンス・アルプ、ドイツ人のリヒャルト・ヒュルゼンベック、クルト・シュヴィッタースの詩が朗読された。これに続いて、ウィーンから来たカシャークとウィヴァーリ・エルジの詩、さらにはトランシルヴァニア出身のレイター・ローベルト、スロヴァキア出身のクドラーク・ラヨシュの詩が、カシャークの妻ヨラーン・シモン、クドラーク・ラヨシュ、チェコ人フランチシェク・シュピツァルらによって朗読された。プログラムの最後は、バルタ・シャーンドルによるパフォーマンスであった。「デモクラシオ（抗議行動）」と題するものがそれである。これは、コーラス、幻灯、音楽、人形、ポスターを用いた複合的な舞台であったようである。カシャーク美術館のフェレンツ・シャプラールは、観衆のひとりとして会場に居合わせたカレル・タイゲの回想を紹介している、「チェコスロヴァキアでは、ダダイズムについて喋ることがほとんどなかった。わたしが覚えているのは、一九二〇年に『リュシュ』という学生新聞に載った記事と、すでに忘れ去られているダダイストのプリミティヴな散文のいくつかと、すでに失われてしまった絵のいくつかである。共和国崩壊後、ハンガリーから移民してきたマ・グループのメンバーが、プラハの共産党サークルにおけるダダの夕べで、奇態なパフォーマンスを催した」[*5]。

この時期、ウィーンの行動主義グループがダダと急接近し始めた背景には、トリスタン・ツァラの存在があった。一九二〇年一二月六日カシャークがフランス語で、チューリッヒのダダ・グループに宛てて出した手紙が、パリのジャック・ドゥーセ文学図書館のツァラ文庫のなかに残されている。雑誌『マ』の最新号と「宣言」を別便で贈ったので、そちらからも出版物をなにか送ってほしい、という簡単な文面の手紙である。これが契機となって、カシャークはツァラと出版物や資料を交換するようになった[*6]。もっとも、カシャークがチューリッヒの住所に宛てて手紙を出した時点で、ツァラはすでにスイスを離れていた。同年の初め、正確には一月一七日午前中パリに到着していたのである。それ以来、たちまちにしてダダの英雄に祭り上げられたツァラは、二月から五月にかけての一連の「ダダ宣言集会」のスキャンダル、五月に学士会館の一室で開かれた「ダダによるモーリス・バレス氏の告訴と裁判」と、それに起因する、アンドレ・ブルトン率いる「文学」グループとの確執、さらには六月シャンゼリゼ劇場での「ルッソロによるイタリア未来派騒音音楽特別演奏会」をきっかけに起こったマリネッティ・グループとの衝突事件など、「パリ・ダダ」の歴史を身をもって体現していた。そのため、カシャークにとっては、人的交流の広がりにおいても、また情報源としても、もっとも頼りがいのある存在であった。

事実、パリのツァラ文庫に残されているカシャークのツァラ宛書簡によると、一九二一年六月前後から一九二三年三月二九日までのあいだに、パリのツァラから、ウィーンでの出版事業に係わる原稿、写真ネガ、翻訳用底本、さらには書籍代金や出版経費の一部が、カシャーク宛てに送られていたことがわかる。それらのなかには、ツァラ本人のもの以外に、アルプ、ピカビアの原稿が含まれており、さらには確証こそないものの、ピカビアの雑誌『391』、ブレーズ・サンドラールの新刊書なども含まれていたようである。一方、ウィーンのカシャークは、雑誌『マ』以外に、何冊かの自著、「ホリゾント叢書」の第一冊『アルキ・ペンコ画帖』、ウィーンで『マ』の衛星雑誌として一号のみ発行された『2×2』、さらには後述の『新しき芸術家の書』(図版170)六冊などをツァラに送っていた。一九二二年三月の『デア・シュトゥルム』に初出し、ガーシュパール・エンドレの翻訳で同年に単行本として刊行されたツァラの戯曲『ダダ——ガス心臓』、あるいはまたサンドラールの詩集『ニグロの詩』のハンガリー語版として一九二五年に刊行された『ネーゲル・アントローギア』など、ウィーンのマ出版局から刊行されたフランス語文学の翻訳書は、まさに郵便を介した、カシャークとツァラの二人の交流の成果だったのである。

もうひとつ、ツァラの存在がカシャークを啓発したと考えられることがある。各国の前衛運動を結ぶ国際誌創刊のアイデアがそれである。ドイツ語で書かれた一九二一年一二月一六日付書簡のなかで、カシャークはツァラにつぎのような提案をおこなっている、「もうひとつお知らせしておきたいことがあります。オリジナルの著作そのほかをハンガリー語に訳したもの、さらにはドイツ語、ハンガリー語、イタリア語、ロシア語のテキストの国際誌も出版したいと考えています。これは季刊誌で、仕上がりのよいものにします。もっとも先鋭的な潮流の代表者たち（ツァラ、ピカビア、アルプ、シュヴィッタース、エヴォーラ、ロドチェンコ、リヴァス、ユイドブロ、ヒュルゼンベックほか）に協力者となってもらいます。この定期刊行物を創るには、各国の美術家が百から百五十部の買い取りを保証し、印刷費が賄えるようにするため、費用を前払いしてくれるだけでよいのです。もしご賛同いただけるようなら、一部六フランで百から百五十部お引き受けいただきたく、代金九百フランをご送金ください」[*7]。残念ながら、この提案は実現しなかった。がしかし、翌年の汎ヨーロッパ的な前衛運動の動きを、間違いなく先取りしたものであった。

ところでプラハであるが、この街では、先述の通り、一九二一年の秋から暮れにかけて、すなわち、この半年間のあいだに、ダダ・メルツ巡業の騒ぎと、それに続くマリネッティとプランポリーニによる未来派の一大デモンストレーションがあったばかりであった。また上述の「マの夕べ」と同じ月には、ザーグレブから雑誌『ゼニット』を代表してヴェ・ポリャンスキーがプラハを訪れ、「ユーゴスラヴィアの夕べ」を開催していた。さまざまな潮流（イズム）が示威運動を繰り広げる喧噪のなかで、プラハの若者たちが、カシャークの「夕べ」をどのように受け止めたのか。詳細は審かにされていないが、しかし、すくなくともデヴィエトスィルの運動体のなかに、カシャークを通じて、ベルリン、チューリッヒ、ワイマール、ライデン、ウィーンにおける前衛運動の動向、さらには一九二〇年にいち早くロシアを訪れていたペーリ・ラースローからカシャークに伝えられていた、ロシア構成主義に関する情報がもたらされていたろうことは想像にかたくない。カシャークはプラハを訪れるにあたって、幾何学的なモティーフで、構成主義的な装いにデザインを一新した雑誌『マ』の最新号（一九二二年一月発行）を携えてきていた。そこにはタイポグラフィを活用した造形詩が盛り込まれている。また「夕べ」のプログラムには、朗読される音声詩、方法としてのコラージュが組み込まれていた。これらの先鋭的な試みのすべてを、デヴィエトスィルは、やがてその活動のなかへ取り込むことになった。[*8]

カシャークの寄与は、それだけにとどまらなかった。プラハからウィーンに戻った彼は、ベルリンのモホイ＝ナジと密に連絡を取りながら、一九二二年九月、『新しき芸術家の書』（図版170）の刊行にこぎ着けている。この大冊は、もともと雑誌『マ』のアンソロジー特別号として企画されたものであった。モホイ＝ナジが二月二二日付でカシャークに宛てた書簡が残されており、そのなかに、ロシアの写真六点、イリヤ・エレンブルクの記事、ヘリコン書店から出版されたばかりの「ロシアの本」、タトリンの『第三インターナショナル記念塔』の写真ネガを送る、また入手したらすぐに『レスプリ・ヌーヴォー』(図版179)のバック・ナンバーをすべて送る、と書かれてあることから、同年初めには、出版の企画が決まっていたのであろう。[*9] ウィーンで出版されたハンガリー語版と、ベルリンで出版されたドイツ語版の二種が存在し、それぞれが千五百部出版されている。さきに出版されたのはハンガリー語版であった。版元を引き受けたのは、ウィーンに亡命していたハンガリー人詩人ユリウス・フィッシャーの経営する書店で、この書店からはデーリ・ティボールの百部限定詩集『馬、秣、人』(一九二二年)、カシャークの『新詩』(一九二三年)、ガーシュパール・エンドレの『カシャークとその作品』(一九二四年)など、マ・グループの重要な、しかも装いの美しい出版物がいくつも刊行されている。

『新しき芸術家の書』の巻首には、カシャークの執筆した「宣言」が掲載されており、その日付は五月三一日となっている。とすれば、後述の通り、いままさにデュッセルドルフで進行しつつあった「進歩的芸術家」国際会議を念頭において、刊行されたものと考えるべきであろう。カシャークはいう、「……もはや既存の枠組みに合わせることができない。社会の枠組みにも、アートのそれにも。古いものから、なにかあたらしいものを構成したいとは思わない。積極的な意味において、構成したいと思わないのだ。われわれの時代は構築性の時代である。超越的な雰囲気から逃れ出た生産的な能力のおかげで、普通の人でも、共通の目標にたどり着くに必要な階級闘争を経て、社会的階級秩序に近づくことができるようになった。それらの能力のおかげで、芸術家の手から美学の尺度が切り出され、堕落した世界のあらたな統一性すなわち、工作と精神の建造物が、最終的に生み出されることだろう。アート、サイエンス、エンジニアリングは単一の点に収斂する。変化がなくてはならない、創造がなくてはならない、というのも運動は創造を意味するから。運動に平衡をもたらさねばならない、というのも、そうしてはじめてフォルムが達成されるから。新しいフォルムとは建築である。完璧なる雑音消去。意思の力。安心感の単純さ。新しいアートは、疑うことを知らぬ子供のように単純であり、あらゆる素材に対し絶対的であり、それらの上に君臨している」。

カシャークとモホイ＝ナジは、この本で、構成、エネルギー、空間、映像（運動とダイナミズム）といった側面から、同時代の視覚芸術の諸潮流（イズム）のあり方を俯瞰的に眺め返し、結論としてアートと社会生活が不可分であること、産業技術の活用とその指導的原理としての「構成」こそが時代の枢要な概念であること、アート、サイエンス、テクノロジーを統合して「総合芸術作品」を造り上げること、時代の創造的な変革を目指す必要のあることなどを訴えようとしている。時代を織りなす諸潮流（イズム）を俯瞰的に眺めることで自分たちの立脚点を確認し、そこから新たな方向性を探り出す。モホイ＝ナジは最新の美術動向を示す写真図版を百点近く集め、それら視覚資料によって、内容を眼で見て解らせる方法を採っている。そうした出版企画は、エル・リシツキーとハンス・アルプが一九二五年に出版する国際協働出版物『デア・クンスティスムス（諸芸術潮流）』に、そのまま受け継がれることになる。そこからさらに、一九二七年四月、デヴィエトスィルの記念碑的な出版物『フロンタ（前線）』（図版4）が誕生するのである。

他方で、東からの潮流、すなわち革命後のソヴィエトの芸術動向も、デヴィエトスィル・メンバーの関心事であった。彼らの多くは、二十歳前の多感な時期に、ボロヴィー書店の雑誌『チェルヴェン』（図版11）と、その誌名を冠した叢書を通じて、ロシアの十月革命と、それに続くハンガリー革命の動静によく通じていた。一九二〇年一一月一〇日の「マの夕べ」には、ポツダムのグスタフ・キーペンハウアー書店から『ロシアにおける新美術』[*10]を出版したばかりのコンスタンティン・ウマンスキーが招かれている。「マの夕べ」は一転して「ロシアの夕べ」の様相を呈することになった。カンディンスキー、マレーヴィチ、ロドチェンコ、ステパーノワ、ウダリツォーワ、タトリンらの作品を幻灯機で上映し、ウマンスキーが講演をおこなったというからである。また、時代はすこし下るが、一九二五年二月には、ヴィノフラディ劇場で二月革命を記念する「新ロシアの夕べ」が開催され、マヤコフスキーの革命叙事詩『一億五千万』がチェコ語で披露されている。ボフミル・マテジウスの訳によるチェコ語版は、同じ年にヴァーツラフ・ペトル書店のアトム叢書の一冊として出版されている（図版105）。革命詩人のプラハ来訪が実現するのは、さらにこの二年後であった。一九二七年四月二三日、マヤコフスキーは自由劇場の舞台にたつことになる。

ロシアからの影響という点では、カシャークの上掲書と同様、総合芸術雑誌『ヴェーシチ・ゲーゲンシュタント・オブジェ』（図版156）の果たした役割も、忘れるわけにいかない。一九二一年一二月リシツキーはモスクワを離れ、ドイツに移り住むことになった。彼はベルリンでイリヤ・エレンブルクと合流し、翌年五月二八日から三一日までデュッセルドルフで開催の予定されていた「進歩的芸術家」国際会議と、それにあわせて七月三日まで開催の予定されていた第一回『デュッセルドルフ国際美術展』に向け、前衛芸術運動の大同団結と国際交流を促すための雑誌の出版を企てようとしていた。

この出版事業には、有力な後ろ盾があった。モスクワの「インフク（芸術文化研究所）」である。この研究所は一九二〇年、カンディンスキーを所長に招き、言語芸術、造形芸術、音楽芸術、建築理論など、異分野横断型の統合原理を研究しようとしていた。しかし、この研究計画はネップ（新経済政策）施行という時代の波に乗りきれず、たちまちにして頓挫した。カンディンスキーは一年もしないうちに所長の職を追われ、翌年ロシアを離れ、一九二二年ワイマール・バウハウスに参加することになる。カンディンスキーの辞職後、研究所でにわかに台頭してきたのは、芸術作品の創造より、生活の役に立つ実用品のモデルの生産を優先しようとする現実的な考え方、すなわち生産主義であった。その中核となったのは、ロドチェンコ、アレクセイ・ガン、ポポーワ、ヴェスニーンといった構成主義者グループで、マヤコフスキーの隣人でもあったオシップ・ブリークも理論家として、そこに加わっている。一九二一年以降、生産主義を標榜する構成主義者の拠点インフクが、リシツキーの出版事業に、支援を表明したというわけである。

『ヴェーシチ・ゲーゲンシュタント・オブジェ』は、一九二二年三月ベルリンのスキテン書店から第一・二合併号が出版され、翌月の第三号で終刊している。第四号として『アメリカ特集号』発行の予告も掲載されていたが、結局、それは叶わなかった。[*11] 通巻三号全二冊に終わりはしたが、この雑誌の創刊発行には大きな意味があった。この出版物の意義は、つぎの二点にある。

ひとつは、カシャークとモホイ=ナジの編著『新しき芸術家の書』（図版170）を一歩先駆けるかたちで、デルメ、オザンファン、ル・コルビュジエの三人が一九二〇年一〇月にパリで創刊した『レスプリ・ヌーヴォー』の主張を、ドイツ語圏読者に伝えたことである。事実、ベルリンの雑誌には、写真図版やテキストなど、パリの雑誌からの焼き直しが、各所に見出される。前衛芸術運動の相互連携を促進し、国際主義への道を拓く、そうした考えを具体化する実験的な試みであった。そのことが、五月末に開かれた上述のデュッセルドルフ「進歩的芸術家」国際会議、さらには九月二五日にファン・ドースブルク率いるデ・ステイル・グループとハンス・リヒター率いるダダイスト・グループの糾合を実現すべくワイマールで開催された「ダダと構成主義」国際会議を通じて、各国前衛運動グループ間での了解となり、以後は、互いに連携を表明し合った前衛雑誌出版局のあいだで、定期刊行物の相互恵贈はもちろんのこと、作品の紙焼きや写真ネガの借用が、日常的におこなわれるようになったのである。[*12]

もうひとつは、革命後のソヴィエトの芸術動向すなわち、ネップのかけ声のなかで、「新ロシア」の芸術家たちが生産主義の方向に向かいつつある現実を、最初に西ヨーロッパの知識人に伝えたことである。『ヴェーシチ・ゲーゲンシュタント・オブジェ』（図版156）は、マヤコフスキー、イヴァン・プニー、ボリス・パステルナークに関する記事、タトリン、マレーヴィチ、アルキペンコの作品やメイエルホリドの舞台セットを紹介する図版を通じて、同時代のロシア構成主義の実態をあらわにしてみせた。生産主義を支えるロシア構成主義グループが、フランスのピュリスム・グループと解合する紙面。ベルリンで発行された雑誌で、「東」の実践と「西」の思想が出合い、ひとつになった。デヴィエトスィルのメンバーが、リシツキーとエレンブルクの雑誌から感知したのは、東西のそうした建設的な出合いのヴィジョンだった。

一九二三年にはプラハのソヴィエト連邦大使館に「モスクワ言語学サークル」で中核的な役割を担った言語学者ロマン・ヤコブソンが赴任してきた。広報担当参事官という職ではあったが、文化顧問の代わりも務めることになっていた。そのため、プラハの知識人との交流が、彼の職務の一部となった。ヤコブソンは三週間でチェコ語を習得したという。すぐにデヴィエトスィルのメンバーと交流をもつようになり、彼らの活動にも参加するようになった。「夕べ」を主催することもあった。そうした席で、ヤコブソンは、マヤコフスキー、フレーブニコフ、エセーニン、パステルナークらの詩を朗読したという。[*13]

ロシア未来派の詩ばかりでなく、リシツキーとエレンブルク、さらには構成主義理論を、タイゲ、ネズヴァル、ヴォルケル、ヴァンチュラに紹介したのも、やはりヤコブソンである。一九二〇年代後半になると、ソヴィエトでは社会的な有用性を優先させる生産主義が国家的な指導原理と見なされるようになり、それに協力的でない芸術家や文化人が、ことごとく「フォルマリズム批判」の矢面に立たされる時代となった。ヤコブソンはロシアを離れる決意を固め、プラハに移住する。一九二六年には、ボガティィレフらとともに、ヴィレーム・マテジウスの創設した「プラハ言語学サークル」に加わった。フォルマリズム理論による「文学の科学」の探求は、やがてプラハに特権的な地位を与えることになる。それはひとえに、ヤコブソンの存在によるものであった。

■年鑑・論集・雑纂

1 ヤロスラフ・サイフェルト、カレル・タイゲ編集
革命論集『デヴィエトスィル』
一九二二年、プラハ、ヴォルテル
カレル・タイゲ（表紙、タイポグラフィ）
Jaroslav Seifert & Karel Teige, *Devětsil: Revoluční sborník*, 1922, Praha, V. Vortel, 24.3 x 16.1cm, 202, (4)pp., Karel Teige (Cover, Typography)

一九二〇年一〇月五日にプラハで結成された革命的前衛芸術家国際連合、通称デヴィエトスィルの処女論集。グループの活動は、本書の出版を機に、大きく方向転換を始めた。急進的な政治的前進、社会的・テクノロジー的なユートピア、社会のなかでの芸術家の新しい役割の創造など、活動の方向性が本書のなかで明確にされたからである。このグループは第一次大戦後のおよそ十年間のあいだ、ヨーロッパ諸国の前衛グループと交流をもちながら、表現力に富む仕事を展開し、モダンと称される文化生活の発展に寄与した。第一章では一九二二年初頭にタイゲとサイフェルトが起草した「新しいプロレタリア美術」が、初期デヴィエトスィルの理想を伝えている。それに対し、サイフェルトによる最終章の「美術の今日と明日」は、国際的なモダニズムへの新しい地平を拓いており、多くの点で主張の不一致が目立つ。表紙に用いられている「黒い日輪」は、一九二〇年代ヨーロッパ各地の前衛の出版物にしばしば登場する。デヴィエトスィルの初期の出版物にも用いられており、事例は『アルキペンコ』（一九二三年）のモノグラフィ、サイフェルトの処女詩集『涙の街』第二版（一九二四年）、グループの第一機関誌『ディスク（日輪）』など、いくつか知られる。なお、この論集は表と裏が同一形式をとっており、この点もまた珍しい。寄稿者はサイフェルト、ネズヴァル、タイゲ、コクトー、ゴル、エレンブルク、チェルニーク、ピーシャ、クレイツァル、ホンズル、ヴォルケルほか。レジエ、シャガール、リプシッツ、アルキペンコ、ザッキン、シュテレンベルク、タイゲの作品が図版として紹介されている。結論はフランス語、ロシア語、ドイツ語の併記。

1

2 ヤロミール・クレイツァル編集
新美論集『ジヴォト(生活)II――新しい美術・建築、今日の知的活動』
一九二二年、プラハ、芸術クラブ造形部門
フォイエルシュタイン、クレイツァル、シーマ、タイゲ(表紙)&タイゲ(タイポグラフィ)

Jaromír Krejcar, *Život II: Sborník nové krásy. Nové umění, konstrukce, soudobá intelektuální aktivita. / La vie II. L'art nouveau, construction, activité intellectuelle contemporaine*, 1922, Praha, Výtvarný odbor umělecké besedy, 25.4 x 18.7cm, 208pp., Bedřich Feuerstein, Jaromír Krejcar, Josef Šima, Karel Teige (Cover) & Karel Teige (Typography)

前年に創刊された月刊文芸雑誌『ジヴォト(生活)』の年報ではあるが、単著として自律している。デヴィエトスィルの主張を代弁する場となっているからである。本書では、それまでどちらかといえば否定的であった近代社会のあり方と、とくにモダニズム美術に対し、積極的に歓迎する姿勢が示されている。以後、このグループは西ヨーロッパの文化と東ヨーロッパのそれを架橋することになり、そこからポエティスムと構成主義をひとつにした、デヴィエトスィル独特の近代美学が確立される。表紙はドーリア式柱と自動車のホイールのフォトモンタージュ。オザンファンとジャンヌレ(ル・コルビュジエ)による「ピュリスム」の諸論文、なかでも本書のために特別寄稿された「建築とピュリスム」が、フランス語とチェコ語翻訳の併記で掲載されている。そのことからもあきらかな通り、ル・コルビュジエの創刊した『レスプリ・ヌーヴォー(新精神)』からの影響が顕著である。また、リシツキーとエレンブルクがベルリンで創刊した『ヴェーシチ・ゲーゲンシュタント・オブジェ(事物)』からも強い影響を受けている。建築における「モダンな美学」の探求は、マシン・エイジを代表する「大陸間横断鉄道の建築」や、エロティックな香りを漂わせる「チベットの建築」にまで及んでいる。写真と映画を論じているのはエプスタインの「映画」と、タイゲの論文

「フォト、キノ、フィルム」であり、これらにはフェアバンクス、ピックフォード、チャップリンのスチール写真、さらにはマン・レイの写真が添えられている。そのほか、タイゲの講演「現在の美術」、編集者クレイツァルの「現代チェコ美術」と、機械時代の文化を論じた「メイド・イン・アメリカ」、さらにはサイフェルトによる詩的な宣言「世界のあらゆる美」が掲載されている。なお、表紙を手がけたフォイエルシュタインはチェコの代表的な建築家で、大正末期に来日し、フランク・ロイド＝ライトの弟子アントニー・レイモンドの建築事務所で働き、国際聖路加病院他の建築の設計に携わっている。

3

3 ブラトニー、ゲーツ、イエジャーベク、カリスタ、ザマザル編集
『文学連盟論集』
一九二三年、ヴィシュコフ、F・オブズィナ
レフ・ブラトニー（表紙）

Lev Blatný, František Götz, Čestmír Jeřábek, Zdeněk Kalista, Jozef Zamazal, *Sborník literární skupiny: Spolku českých básníků a spisovatelů, soustředěných kolem revue "Host"*, 1923, Vyškov, Edice F. Obzina, 26.5 x 21.3cm, 110, (6)pp., Lev Blatný (Cover)

雑誌『ホスト（客）』の周辺に集った文芸グループの作品論集。千五十部限定であることからもわかる通り、貼り込み図版の使用、凝ったタイポグラフィとレイアウトなど、当時の標準からするとかなり贅沢な出版物である。カリスタ、ビーブル、ランダ、ラーツ、チャルミスカの詩、さらにはザマザルの「現代美術における様式要素」、ゲーツの「新しい詩」の、重要な評論が収録されている。美術作品としては、ドラン、フジタ、ユトリロ、ピカソ、モディリアーニ、シーマ、ヴァニェクの複製が貼り込まれている。ブラトニーによる石版刷り表紙は、色遣いと構成が出色である。

4 ハラス、プルーシャ、ロスマン、ヴァーツラヴェク編集
現代活動国際年鑑『フロンタ』
一九二七年、ブルノ、フロンタ出版局
ズデニェク・ロスマン（表紙）
František Halas, Vl. Průša, Zdeněk Rossmann, Bedřich Václavek, *Fronta: Mezinárodní sborník soudobé aktivity./ Internationaler Almanach der Aktivität der Gegenwart./ Recueil international de l'activité contemporaine*, 1927, Brno, Edice Fronta, 30.4 x 24.0cm, 208pp.+171 figs., Zdeněk Rossmann (Cover)

デヴィエトスィルの先導で出版された雑纂で、この種の出版物としては異例の大判である。チェコの前衛芸術家の大半と、外国の著名な前衛芸術家が多数参加している。文字要素はチェコ語、ドイツ語、フランス語で併記されている。大きな赤い日輪と、そのなかに填め込まれた「フロンタ」の文字、ロスマンの表紙デザインは単純にして鮮烈である。巻頭に「すべてを小文字で印字する。時間とモノが節約できるからである」とあり、事実、全巻を通じて小文字で印字されている。この点については、バウハウス流の「活字の経済」論が貫徹されている。協力者リストのなかに「パリの murajama（村山知義）」の名前があり、山里永吉の立体作品の写真が紹介されている。緒言に「将来における唯一の可能なる社会は、社会主義社会であるが、その文化はいかに？」とあり、これが全体の基調となっている。カシャークの「芸術と生活」、リヒターの「幻想を抱くべからず」、シュヴィッタースの「芸術と時代」、ヴァルデンの「人間における美術」、ウェストハイムの「芸術の危機」、ネズヴァルの「ダリとシュール」、リブモン＝デセーニュの「芸術と生活に関する考え」、ベーネの「美術でなにが起こっているか？」、ホンズルの大論考「イズムと美術」、リヒターの「絶対的創造」、ヴァイルの「ロシアと西洋の新しい文学」、ヘルツフェルデの「かなり長く愛してきた」、メンテンの「詩・文学の新形態の客観的条件」、オザンファンの「芸術の現状」、ファン・ドースブルクの「一九二六年の芸術の総覧」、モホイ＝ナジの「イズムあるいは美術」、オブルテルの「調和」、グロピウスの「造形作品の新しい道」など、ダンス、演劇、音楽、ダダ、ロシア舞踏、マルクス主義を幅広く取り上げている。

*5 フランチシェク・ムズィカ、オタカル・シュトルフ＝マリエン編集
アヴェンティヌム造形芸術紀要『ムザイオン』
一九二八―一九三一年、プラハ、アヴェンティヌム
František Muzika & Otakar Štorch-Marien, *Musaion: Aventinská revue pro výtvarné umění*, 1928–31, Praha, Aventinum, 33.0 x 25.3cm, 128, (6)pp.
『ムザイオン』は一九二八年にふたたびアヴェンティヌム書店から刊行されることになった。ムズィカとシュトルフ＝マリエンが編集をおこなっている。これは四つ折り大判のアート紙で、贅沢な芸術雑誌となった。一九三〇年までに十二冊の出版を数え、一九三一年には年一冊の年報となる。内容は絵画、彫刻、建築に関わる。一九三一年の年報では、冒頭にフランスの美術史家エリー・フォールのブールデル論が掲げられるなど、フランス寄りの保守的な姿勢が目立つ。しかし、ル・コルビュジエからタイゲに宛て送られた現代建築論と、それに対する、タイゲからの返答が掲載されるなど、チェコでのアクチュエルな時代状況にも、素早く反応している。また、カッラ、カンピリ、デ・キリコといったイタリア絵画、クレー、グロッスといったドイツ絵画、というように、この時代のチェコの美術雑誌としては、国際的な美術動向に目配りがきいている。

6 エルンスト・パウル主筆、在チェコスロヴァキア共和国ドイツ社会民主労働者党編集
『労働者年鑑』
一九二九―一九三二年、ボーデンバッハ（ポドモクリ）／カールスバット（カルロビバリ）、ゲルトナー／グラフィア印刷出版局
ヴィクトル・スラーマ、ゲオルク・トラップ他（表紙）
Ernst Paul (Schriftleitung), Parteivorstande der Deutschen sozialdemokratischen Arbeiterpartei in der Tschechoslowakischen Republik (Herausgegeben vom), *Arbeiter Jarhbuch*, 1929–1932, Bodenbach, Gartner & Co., Gesellschaft mit Beschrankter Haftung/ Karlsbad, Druck-und Verlagsanstatt "Graphia", 25.5 x 19.7cm, 240/256, (2)pp., Viktor Th. Sláma & Georg Trapp (Bildschmuch)
これらの『年鑑』は、戦前の日本に将来されたものらしく、国内で見いだされた。どの巻にも、所収の写真やカットを国内の出版物へ転用したと思われる跡が、頁の各所に残されていることから、日本国内でのプロレタリア文芸運動の図像構成に、なんら

6

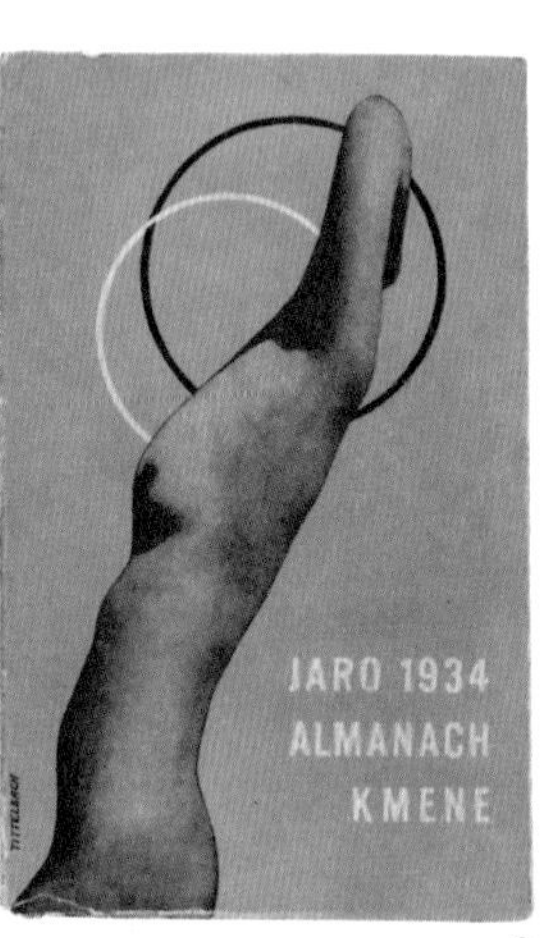

9

かの影響を与えていたと考えられる。もっとも、チェコスロヴァキアにおける労農運動関係資料が、だれの手で日本国内へもたらされたのか、いまとなってはそれを跡づけることが困難である。

*7 スタニスラフ・オドヴァールコ編集
一九二〇―一九三〇年版年鑑『詩と生活』
一九三〇年、パルドゥヴィツェ、ヴォコレク
スタニスラフ・オドヴァールコ（表紙）
Stanislav Odvárko, *Almanach pro poesii a život 1920–1930/Almanach pour le poétisme et la vie 1920–1930*, 1930, Pardubice, V. Vokolek, 24.0 x 16.2cm, 98, (4)pp., Stanislav Odvárko (Cover)
第一号にて終刊。タイポグラフィやレイアウトなど、頁デザインはすべて編者オドヴァールコによる。表紙にはリシツキーの自写像「構成者」が用いられている。この構成は、一九二九年にシュツットガルトのフリッツ・ヴェーベルキント有限会社から出版された、フランツ・ローとヤン・チヒョルトの『フォト＝アウゲ――時代の写真七十六点』からの転用である。図版はシーマ、シュティルスキー、フンケ、トワイヤン、ホフマイステルなど。テキストはタイゲ、ビーブル、エレンブルク、ネズヴァル、ツァラ、アポリネールなど。

*8 クルト・コンラート編集
一九三二年版年鑑『トゥヴォルバ（創造）』
一九三一年、プラハ、ボレツキー
ストルペ（表紙、口絵、レイアウト）
Kurt Konrád, *Magazín Tvorba 1932*, 1931, Praha, K. Borecký, 23.0 x 15.5cm, 113pp., Stolpe (Cover, Layout & frontispiece)
政治・文化年鑑。ラデック、ブライテンフェルド、マルコフ、タイゲらが寄稿している。

9 ヨゼフ・ホラ他編集
『クメン年鑑（一九三四年春）』
一九三四年、プラハ、プラハ出版社クラブ
Josef Hora, *Almanach Kmene*, jaro 1934, Praha, Klub nakladatelů v Praze, 19.5 x 12.5cm, 18.5 x 11.7cm
プラハ出版社クラブの出版年鑑。一九三〇年から一九三七年まで八年にわたって、全九冊が出版されている。一九三〇年代のチェコスロヴァキアの作家の紹介、出版事情、書店経営、出版フェアのようすを、ステックの写真や、ヨゼフ・チャペックの風刺画を通して、確認することができる。編者は各号異なり、ホラ（一九三一／三二年）、ハラス（一九三二／三三年）、マイェロヴァー（トワイヤン）（一九三三／三四年）、ヴォクロヴァー＝アンブロソヴァー（一九三四年）、サイフェルト（一九三四／三五年）、ザーヴァダ（一九三五／三六年）、ヨゼフ・チャペック（一九三六／三七年）、ポラーチェク（一九三七年）の順。表紙はタイゲ、ティテルバッハ。

■文芸雑誌・建築雑誌

10 シモン、ネベスキー、ペチールカ、ノヴォトニー、フィラ編集『ヴォルネー・スムニェリ（自由潮流）』一九〇〇—一九三四年（?）、プラハ、マーネス造形芸術家連盟
T. F. Šimon, V. Nebeský, J. Pečírka, Vladimír Novotný & Emil Filla, *Volné směry: Umělecký měsíčník*, 1900–1934 (?), Praha, Spolek umělců Mánes, 31.2 x 28.6cm/29.8 x 21.3cm

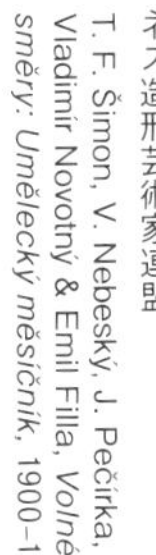

10

ボヘミアの美術家を総結集した、マーネス造形芸術家連盟の月刊機関誌。四つ折りの大判で、紙質、印刷とも最良である。一九〇〇年の創刊から一九三四年の第三四巻三／四号まで確認できる、もっとも長命な美術雑誌。編集主幹は時代ごとに変わっている。内容は中世の美術から現代の動向まで幅広い。時代の前衛に対して、保守的な立場に立たされるのは、美術アカデミーを母胎にして誕生した芸術家連盟の機関誌の宿命である。ただし、印象派やポスト印象派、ロダンやブールデルなど、フランスの同時代美術をボヘミアへ紹介した点で、その重要性は比類ない。初期には、スアレス、アポリネール、アナトール・フランス、ロダン、ジャコブなど、フランス人による各種評論の占める比率が高かったが、次第にベネシュ、ネベスキー、ズルザヴィー、イーラ、ジーラなど、チェコの批評家・美術家による論文が支配的になっていく。いずれにせよ、クビシュタ、フィラ、シュパーラ、ベネシュ、プロハースカなど、キュビスム運動のメンバーが、この雑誌の中心的な担い手であったこともあり、デヴィエトスィルと一線を画していた。一九三〇年代に入ると、ナチスの弾圧を逃れて亡命して

ČERVEN

SOCIÁLNÍ TÝDENNÍK

ROČNÍK III　Orgán Svazu komunistických skupin　ČÍSLO 25

Naše úkoly ve světové revoluci sociální

289

11

きたハートフィールドのフォトモンタージュや、国内のホフマイステル、シュティルスキー、トワイヤンの仕事など、先鋭的な美術家の活動が紹介されるようになる。

11

スタニスラフ・コストカ・ノイマン編集
『チェルヴェン（六月）——プロレタリア文化、共産主義、文学、新美術』
一九一八—一九二一年、プラハ、ボロヴィー
Stanislav Kostka Neumann, *Červen: Proletkult - komunism - literatura - nové umění/ Sociální týdenník*, 1918–1921, Praha, Borový, 27.0 x 18.0cm

通巻四巻。一九一六年からヨゼフ・チャペック、ホフマン、タイゲらが挿画やテキストを寄稿していたベルリンの左翼文芸雑誌『ディ・アクツィオーン（行動）』が手本になっている。創刊者のノイマンは、チェコにおけるキュビスム運動（アポリネール）と、未来派運動（マリネッティ）の共鳴者であり、チェコスロヴァキアの独立以降は、急進的な左翼運動の推進者となった。詩、文学批評、芸術論、文学と政治について、タイゲ、カレル・チャペック、ノイマン、アポリネール、ゴル、ロラン＝ホルスト、サイフェルトらが、論文や版画を寄せている。創刊から第二巻までの八つ折り判時代には、ヨゼフ・チャペック、ブルネル、シュパーラ、クビシュタ、タイゲ、ホフマンらのオリジナル作品を含み、いわゆる「頑固派」の拠点となった。第三巻から四つ折り判に変わり、チェコスロヴァキア共産党の隔週刊文芸雑誌に変質した。マルクス主義の教条主義的な宣伝媒体となったため、「頑固派」はこの雑誌を離れ、アヴェンティヌム書店の『ムザイオン』に移った。

12

ミロスラフ・ノヴォトニー編集
隔週刊青年芸術雑誌『レプブリカ（共和国）』
一九一九年、プラハ、クリカ
カレル・トロニーチェク表紙（石版）
Miloslav Novotný, *Republika: Umělecký čtrnáctideník mladých*, roč.1, číslo 9, 1919 květen, Praha, B.M. Klika, 26.4 x 18.8cm, 103pp., Karel Troníček (Cover lithography)

おそらく全一巻で十冊の発行であろう。十九歳のタイゲのオリジナル・リノカットが三点含まれており、ほかにも一九一八年の詩が収録されている。ワフスマン、ヴァニェクの挿画、ヨゼフ・チャペックのリノカットを含む。ノイマンの『チェルヴェン』の衛星雑誌のひとつで、サイフェルト、ヴァニェク、ブラトニー、ホラ、カレル・チャペック、ヴァンチュラなど、のちにデヴィ

エトスィルを結成するメンバーの多くが寄稿している。チェコスロヴァキア独立前夜の文芸動向を伝える、稀少な文芸誌である。

13
ラディスラフ・ヴラディカ、カレル・タイゲ編集
月刊美術雑誌『オルフェウス』
無刊記、プラハ、美術クラブ発行、プレスタ出版
Ladislav Vladyka & Karel Teige, *Orfeus: Umělecký měsíčník*, s.d. (1921?), číslo prve, Praha, Umělecký klub, Presta, 24.0 x 18.5cm, 32, (2)pp.

ホラ、カレル・チャペック、ヴァンチュラ、ズルザヴィー、サイフェルト、ホフマイステルらが参加した『チェルヴェン』の衛星雑誌。編集はタイゲ。シュパーラの藍刷りの木版画のほか、スース、タイゲの石版画。

***14**
カレル・チャペック編集
現代芸術年報『ムザイオン（ムーサイ神殿）』
第一―八集
一九二〇―一九二八年、プラハ
Karel Čapek, *Musaion: Sborník pro moderní umění, Svazek 1–8*, 1920–1928, Praha, Aventinum, 26.0 x 17.5cm (vols.I–II)/ 21.0 x 14.5cm (Vols.III–VIII)

大判の八つ折りで八十五頁。『チェルヴェン』の後継雑誌。チェコ・キュビスムを展開した「頑固派」の拠点となった。八年間に八冊の発行を数える。最初の二集はカレル・チャペックが実質的な編集をおこなっており、表紙にヨゼフ・チャペックのリノカット・ヴィネットをあしらい、アンソロジー形式を採っている。ホフマン、シュパーラ、ヨゼフ・チャペックのオリジナル・リノカット、クレムリチカのオリジナル石版画を含む。シュパーラ、クビシュタ、ズルザヴィー、ヨゼフ・チャペックの作品が図版紹介されている。第三集以降は、同時代美術家のモノグラフィの形式に変わる。第三集は「ネベスキー」、第四集は「カレ

12

13

15

ル・タイゲとヤン・ズルザヴィー」、第五集は「カレルとヨゼフのチャペック兄弟」、第六集は「エリー・フォールとルドルフ・クレムリチカ」、第七集は「ヨゼフ・コヂーチェクとヴァーツラフ・シュパーラ」、第八集は「エマヌエル・スィブリークとフランチシェク・クプカ」。

15
ゲーツ、イェジャーベク、ブラトニー、カリスタ、ペトルほか編集
月刊文学誌『ホスト（客）』
一九二一／二二—一九二九年、プシェロフ／プラハ、オブゾル印刷所
František Götz, Čestmír Jeřábek, Lev Blatný, Zdeněk Kalista & Václav Petr, *Host: Měsíčník pro moderní kulturu/Měsíčník literární skupiny*, 1921/22–1929, Přerov/Praha, Tiskárna "Obzor", 23.1 x 19.1cm/28.6 x 19.4cm

合併号を含むため、各年全十冊の月刊誌で、全九巻を数える。初期は角型の八つ折り判アンカット、四年目以降は四つ折り判。編者はゲーツ、イェジャーベク、ブラトニー、カリスタの四人。美術、詩、散文、建築など、現代の文化生活を取り上げる。創刊当初は文学を中心とする、どちらかといえば保守的な雑誌であった。挿絵はチェコ・キ

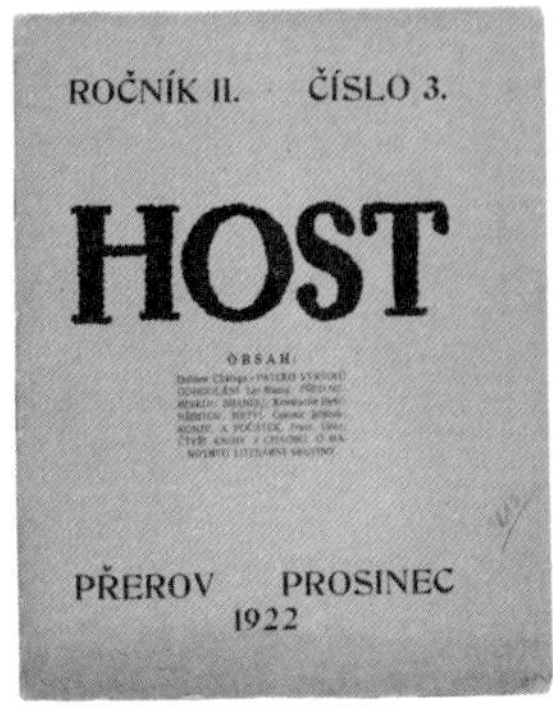

15

ュビスムの流れを汲む木版画が各号二点どまり。ただし例外的に、第二年六／七号はデューシャの小口木版画、第三年四号はザマザルのオリジナル木版画でそれぞれ飾られており、後者の表三では、デヴィエトスィルの一号機関誌『ディスク』の広告が眼を惹く。第四年目（一九二四―二五年）になると、編集にタイゲ、サイフェルト、イエジェクの三人があらたに加わり、レイアウトと内容が劇的に変化する。表紙はタイゲによる構成主義的なデザインに変わる。タイゲによるソヴィエト美術論は、構成主義に関する最初の重要な論文のひとつとされる。また、同じタイゲによる「ポエティスム宣言」も、この雑誌に登場する。ホラ、ビーブル、サイフェルト、シーマ、ホンズルの詩論、タイゲの「新しきプラハ」、ビーブルの「ズロム（挫折）」、エリュアールやコクトーの詩、ル・コルビュジエ、レジエ、ピカソらの絵、タイゲによるロシア新興美術（ラリオーノフ、アルキペンコ、マレーヴィチ、ヴェスニン、アリトマン、タイーロフ、ステパーノワ、リシツキー）の紹介、マヤコフスキーの革命叙事詩「一億五千万」、エレンブルクの詩、ロシア演劇・映画、プランポリーニ、フジタの紹介もある。

16

16 ヘーグル、ホラン、コチーク、コタリーク、ノイマン編集
芸術家協会造形部会論集『ジヴォト（生活）』一九二一―一九四八年、プラハ、プラハ芸術家協会造形部会
ケルハルト、チヒー、グロス、カレル（表紙）

Miloslav Hégr, Karel Holan, Pravoslav Kotík, Jiří Kotalík & Jaromír Neumann, *Život: Sborník výtvarného odboru umělecké besedy/ La Vie. Album annuel publie par la Section d'art de la 'Umělecká Beseda'*, 1921-1948, Praha, Výtvarný Odbor Umělecké Besedy v Praze, 26.0 x 19.4cm/24.1 x 21.1cm/29.9 x 21.2cm, Oldřich Kerhart, František Tichý, František Gross & Václav Karel (Cover)

創刊から第二一年第四号まで確認できる、もっとも長命な雑誌のひとつである。初期の八つ折り判アンカットから後年の四つ折り判まで、時代とともに、判型が変化する。最初の数年間は、カットをあしらった絵表紙であったが、のちには活字表紙となる。全体を通じて、チェコスロヴァキアのタイポグラフィの、高度な技術の模範としてあった。美術と建築を中心とする雑誌で、「造形作品・芸術文化雑誌」の副題をともなう時期もあった。第二年は年鑑『ジヴォトⅡ』としてクレイツァルの編集で、同じプラハから、一九二二年一二月に出版されている。第一四年から以降は、各号雑誌として発行されている。大戦中は、第一七年から第一九年まで、各年三冊しか出版されていない。どの号にもチェコスロヴァキアとヨーロッパの芸術家の作品が、図版で豊富に紹介されている。グロッス、ストナル、ラダ、ズルザヴィー、シーマ、クレムリチカ、ヨゼフ・チャペック、シャガール、ピカソ、チヒー、アルプ、ブランクーシ、デュフィ、エルンスト、ミロ、ホフマンなど。終刊号はシーマ特集。テキストは、クレイツァル、サイフェルト、ル・コルビュジエ、ルッテ、コプタ、ネズヴァル、ムルクヴィチカ、スムルシュ、ブリアン、タイゲ、ホラ、ヴァレリー、リルケ、マラルメ、ハラス、ジュール・ロマン、ルイス・キャロルなど。フランス語の要約の附されている号

RÉSUMÉ DES ARTICLES EN FRANÇAIS

ŽIVOT XI

VÝTVARNÝ SBORNÍK

VYDAL VÝTVARNÝ ODBOR
UMĚLECKÉ BESEDY V PRAZE

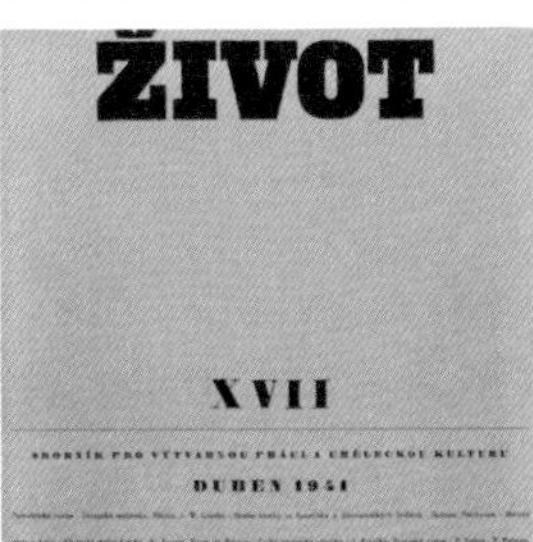

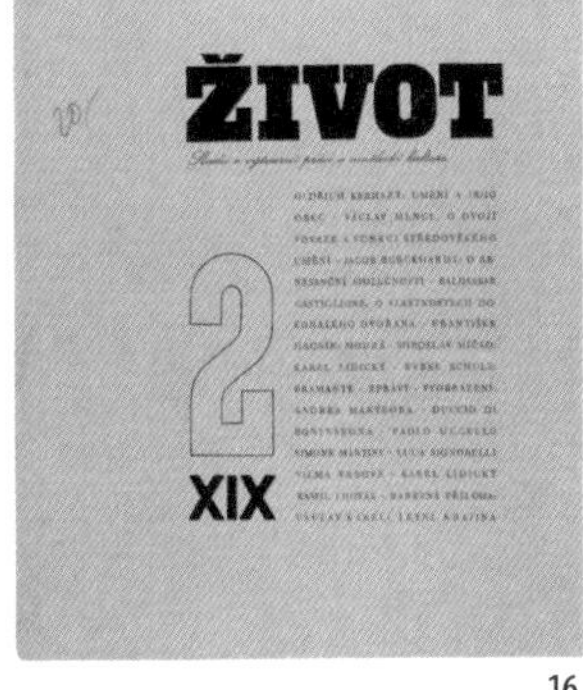

16

もある。第一年と第三年の各号には、限定千部とある。

17

17 クレイツァル、サイフェルト、タイゲ、チェルニーク編集
国際雑誌『ディスク（日輪）』
一九二三—一九二五年、プラハ／ブルノ
カレル・タイゲ（表紙）
Jaromír Krejcar, Jaroslav Seifert, Karel Teige, Ivan Goll, J. Šima & Enrico Prampolini, *Disk/ Le disque/ Der Diskus/ The Disc/ Il Disco: Internacionali Revue/ Revue Internationale/ Intern. Zeitschrift/ International Review/ Rivista Internazionale*, 1923–1925, Praha/Brno, 29.5 x 21.4cm, 20pp. (vol.1), 29.0 x 21.5cm, 32pp. (vol.2), Karel Teige (Cover)

通巻二号。デヴィエトスィルの最初の機関誌として一九二三年に創刊された。第一号はクレイツァル、サイフェルト、タイゲの編集でプラハから発行された。ロベール・ドローネー、ムルクヴィチカ、アルキペンコ、ザッキン、シュルヴァージュ、シュティルスキー、シーマなど二十二点の図版、テキストは、ネズヴァル、ホンズル、サイフェルト、シュルツ、ヴァンチュラ、チェルニーク、タイゲなど。第二号ではチェルニークが編集に加わり、一九二五年にブルノで出版されている。オブルテル、クレイツァル、タイゲ、シュティルスキー、シーマ、レスレルなど、十七点の図版。チェルニーク、ホンズル、ネズヴァル、ハラス、ヴォスコヴェツのテキスト。

18 モラヴィア・グラフィック・クラブ編集
『グラフィック展望』
一九二四—一九二六年、ブルノ、モラヴィア・グラフィック・クラブ
ボフシュ・ヴァリフラフ、アロイス・ヘイダ、ヤン・ナーヴラト、アロイス・ヤンドル（表紙）
Vydává Grafický Klub pro Moravu v Brně, *Grafický obzor*, 1924–1926, Brno, Odborný list knihtiskařů moravských, 30.6 x 28.3cm, Bohuš Valihrach, Alois Hejda, Jan Návrat & Alois Jandl (Cover)

一九二〇年にブルノで創刊されたデザイン雑誌。各号に多数の見本刷りが挿入されていることから、チェコスロヴァキアの印刷技術の水準を知る上での格好の資料となる。

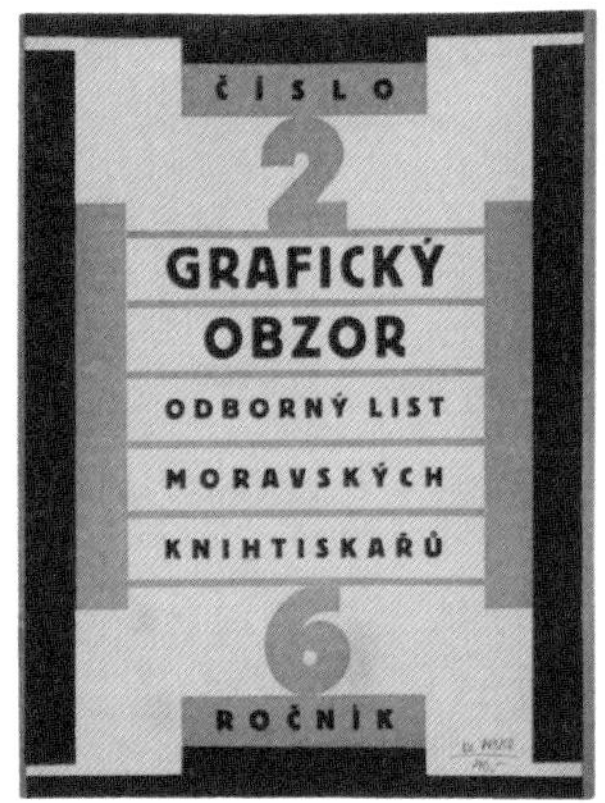
ČÍSLO
2
GRAFICKÝ
OBZOR
ODBORNÝ LIST
MORAVSKÝCH
KNIHTISKAŘŮ
6
ROČNÍK

ODBORNÝ LIST KNIHTISKAŘŮ MORAVSKÝCH
ČÍSLO 8–9
GRAFICKÝ OBZOR
ROČNÍK IV
VYDÁVÁ GRAFICKÝ KLUB PRO MORAVU V BRNĚ

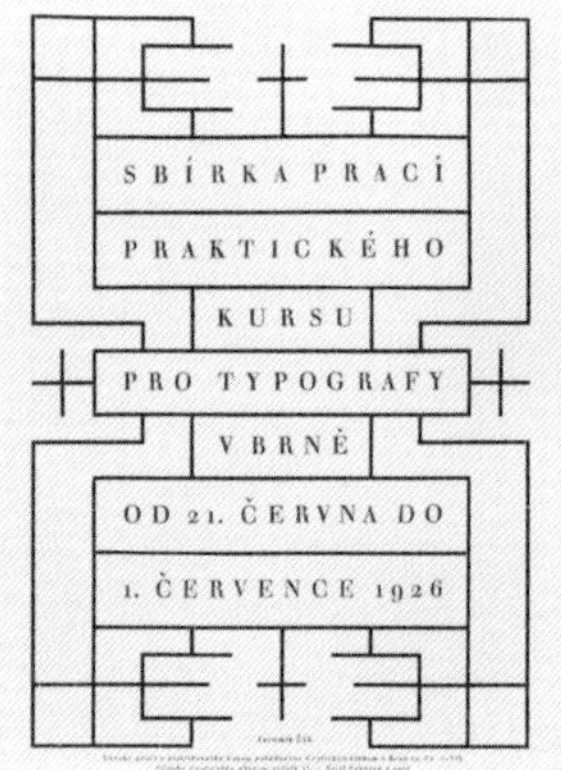
SBÍRKA PRACÍ
PRAKTICKÉHO
KURSU
PRO TYPOGRAFY
V BRNĚ
OD 21. ČERVNA DO
1. ČERVENCE 1926

GKM
GRAFICKÝ
OBZOR
ČASOPIS MORAV-
SKÝCH KNIHTISKAŘŮ
A PŘÁTEL GRAFIKY
VYDÁVÁ GRAFICKÝ
KLUB PRO MORAVU
VYCHÁZÍ MĚSÍČNĚ
S UKÁZKAMI PRACÍ
ROČNÍK VI. – ČÍSLO
7-8

19

19 チェルニーク、ハラス、ヴァーツラヴェク、クレイツァル、タイゲ編集
国際冊子『パースモ（圏）』
一九二四—一九二六年、ブルノ、デヴィエトスィル出版局
ズデニェク・ロスマン（表紙）

Artuš Černík, František Halas, Bedřich Václavek, Jaromír Krejcar & Karel Teige, *Pásmo: La Zone. Pamphlet International/ The Zone. International pamphlet/ Revue International Moderne,* 1924–1926, Brno, Edice Devětsil, 1st year: 46.5 x 31.0cm, 6–12pp. / 2nd year: 31.5 x 24.0cm, 16–20pp., Zdeněk Rossmann (Cover, Typography)

第一年は通巻一四号で十冊のタブロイド判の六頁、ないし十二頁。第二年は通巻一〇号で八冊の、大型の四つ折り判で十六頁、ないし二十頁。各号色違いの脆弱な紙に刷られている。第二年の第五号までは、クレイツァルとタイゲが編集に加わる。第一年第一一号以降は、「現代国際雑誌」の副題を持つ。デヴィエトスィルの第二機関誌に相当する。一九二〇年に流入の始まった「ベルリン・ダダ」の影響が顕在化している。タイトルの多国語表記は、デヴィエトスィルが国外の前衛運動との連携を深めてきたことを示している。タイゲのほかに、ハラス、ホンズル、ヴォルケル、ヴォスコヴェツ、クレイツァル、ネズヴァルが寄稿。また、バウマイスター、プランポリーニ、ベーネ、ファン・ドースブルク、カシャーク、シュヴィッタース、モホイ＝ナジ、グロピウス、ヴァルデンのテキストも、チェコ語、ドイツ語、フランス語の混用で掲載されている。図版はザッキン、バウマイスター、レジエ、シュティルスキー、シーマ、モホイ＝ナジ、シュレンマー、オブルテル、タイゲ、レスレル、「シトロエン」の筆名でのトワイヤンなど。ハリウッド映画、演劇、建築、音声詩、フランス詩、ダダのタイポグラフィによる自由詩の記事がある。

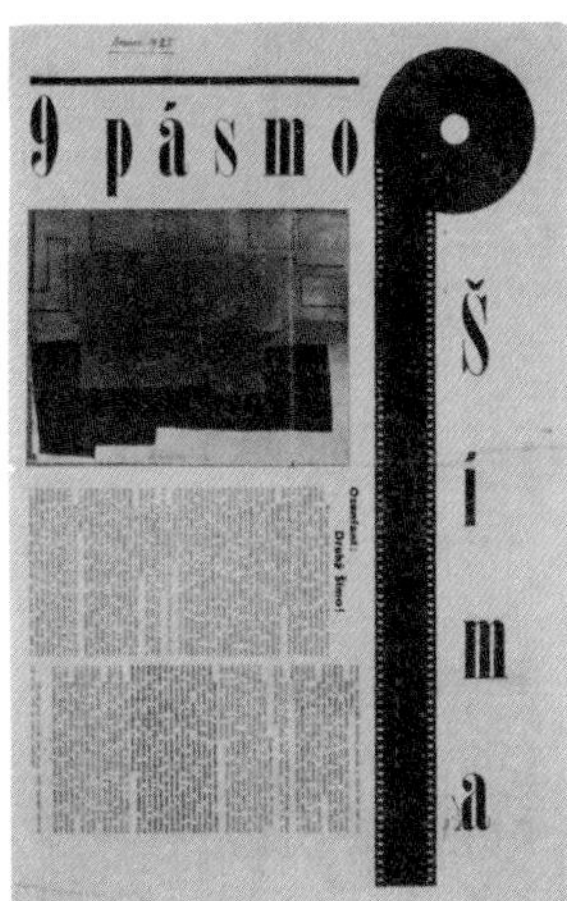

9 pásmo

Šíma

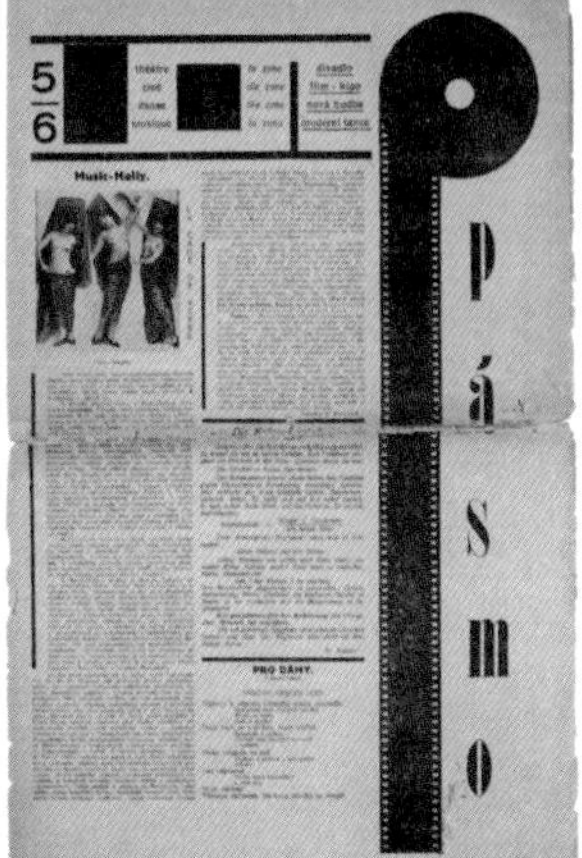

5 6

divadlo
film - kino
nová hudba
moderní tanec

Music-Holly.

PRO DÁMY.

pásmo

11 pásmo 12

Revue internationale moderne. Éd.: Devětsil (A. Černík).

Důležité upozornění pánům odběratelům a p. knihkupcům!

E. Nadelman: Autoportrét

NOVÉ NĚMECKO. DAS NEUE DEUTSCHLAND.

Devětsil o stavbě nového divadla.

Báseň.

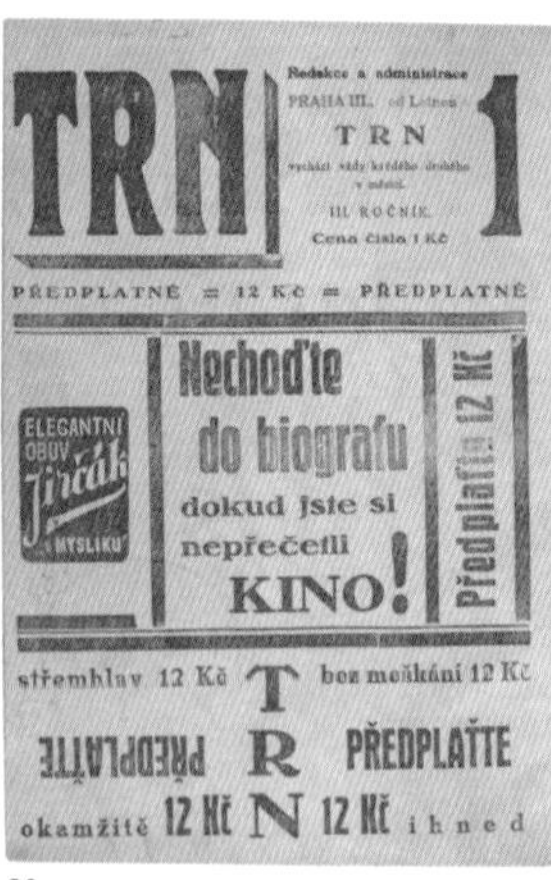

20

20 トゥルン学生編集出版連合編集
『トゥルン（棘）』
一九二四—一九三三年、プラハ、トゥルン学生編集出版連合
Řídí a vydává studentské, redakční a vydavatelské sdruženi TRN, *TRN: Humor-psina-švejkovina-fóry-tendence-satira-karikatura*, 1924–1933, Praha, Vydavatelské sdružen TRN, 27.5 x 19.3cm/25.4 x 17.3cm

一九二四年から一九三三年まで、九年間にわたって、各年十冊が発行されている。初めは八つ折り、つぎに四つ折り、最後にフォリオ判と、次第にサイズが大きくなる。平均十六頁の政治風刺雑誌。安価な雑誌であったため用紙の質が悪く、傷みやすい。しかし、各頁ごとにカットや、カリカチュアが挿入されており、時代の雰囲気をよく伝えている。広告のなかに、デヴィエトスィル関係のもの、あるいは雑誌『パースモ』に関するものなど、一〇年代の前衛グループに関係するものが多い。「ベルリン・ダダ」のグロッスの政治風刺カット、ハートフィールド風のフォトモンタージュの使用も眼を惹く。この雑誌の最大の魅力は、大胆なタイポグラフィの使用による表紙の構成である。後半の表紙デザインは、タイゲのタイポグラフィの影響を強く受けている。

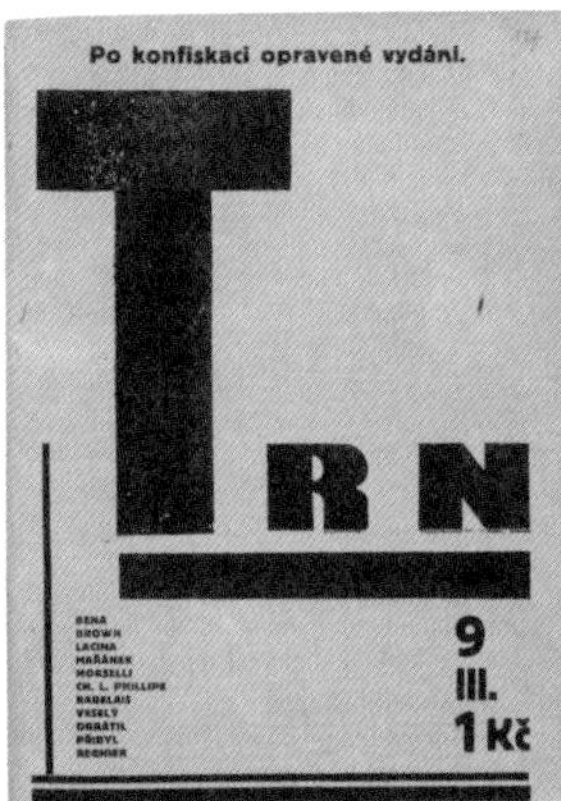
Po konfiskaci opravené vydání.
TRN
BENA
BROWN
LACINA
MAŘÁNEK
MORSELLI
CH. L. PHILLIPE
RABELAIS
VESELÝ
OBRÁTIL
PŘIBYL
REGNIER
9
III.
1 Kč

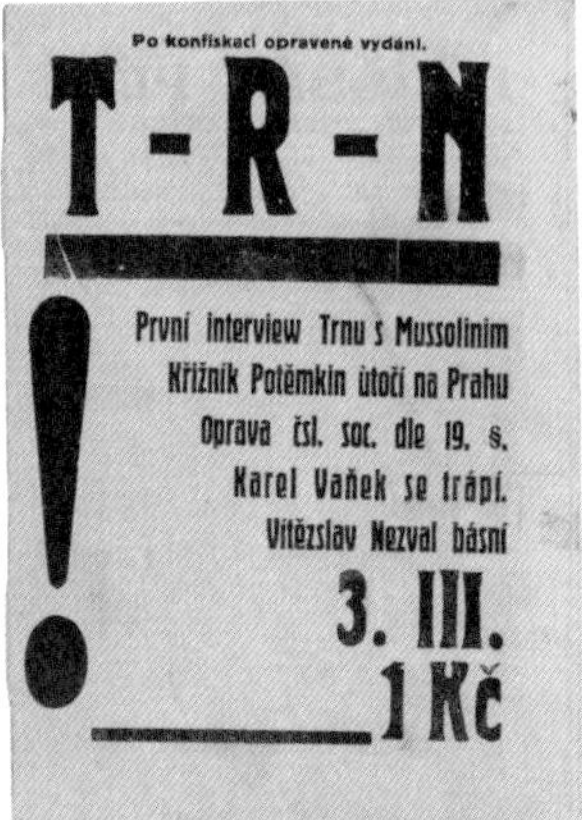
Po konfiskaci opravené vydání.
T-R-N
!
První interview Trnu s Mussolinim
Křižník Potěmkin útočí na Prahu
Oprava čsl. soc. dle 19. §.
Karel Vaněk se trápí.
Vítězslav Nezval básní
3. III.
1 Kč

Zvláštní vydání
TRN
Náš časopis vysílá
VÝPRAVU K SEVERNÍ TOČNĚ
Zdrcující konkurence
Amundsenovi i Američanům.
Hledáme
statečné a ke všemu odhodlané muže,
kteří by se přidali.
Humor · Psina
Švejkovina
· Fóry
3. II.
Satira
Tendence
Karikatura
1 Kč

TRN
6-III.
K LIDU NÍŽ - S LIDEM VÝŠ
O VZDĚLÁNÍ
Z. Tábor
V. Lacina
S. Brown
E. F. Burian
J. Kříž
a t. d.
1 Kč
POVÍDKA HRŮZY

TRN
NÁRODNÍ
DIVadlo
DNES:
AIDA
1 Kč
8.
Satira – Humor
Tendence
Karikatura
II.

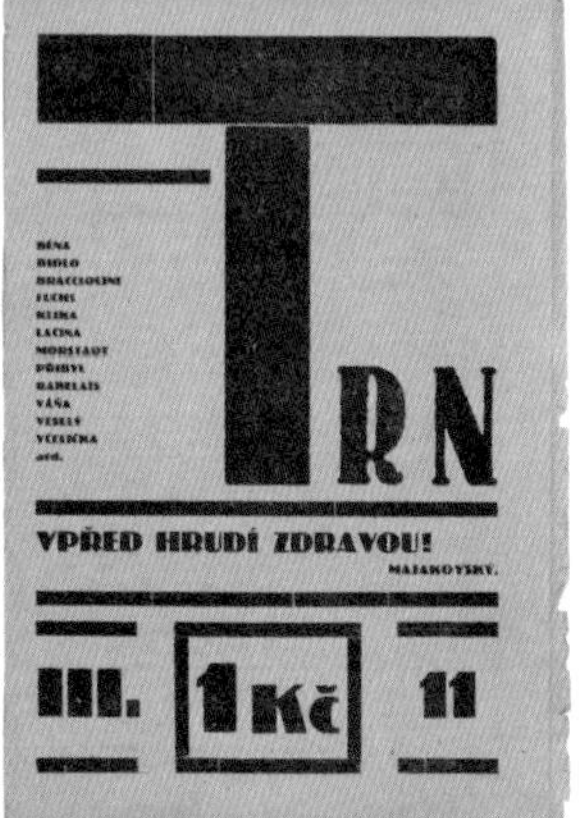
TRN
VPŘED HRUDÍ ZDRAVOU!
III.
1 Kč
11

Po konfiskaci opravené vydání.
TRN
II.
2 Kč
Nedotýkati se
Nedotýkati se
11
12

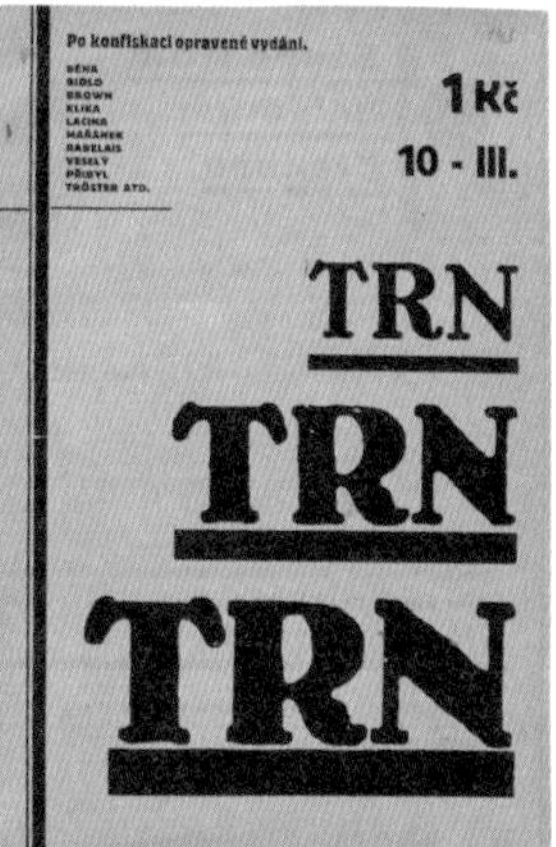
Po konfiskaci opravené vydání.
BĚNA
BIDLO
BROWN
KLIKA
LACINA
MAŘÁNEK
RABELAIS
VESELÝ
PŘIBYL
TRÖSTER ATD.
1 Kč
10 - III.
TRN
TRN
TRN

20

21

21 エデゥアルド・ウルクス編集
『ダフ（雑踏）――美術、批評、政治、哲学、文学』
一九二五年、プラハ＝ブベネツ、リュド・オブトゥロヴィチ
Eduard Urx, *Dav: Umění, kritika, politika, filozofie, literatura*, 1925, Praha-Bubenec, L'udo Obtulovič, 27.8 x 19.0cm, 64pp.

一九二四年に創刊された急進左翼系文芸批評雑誌。第二号で終刊した。ウィーンに支店を出したベルリンの急進的出版社マリク書店とつながりがあり、グロッス、ディックスなど、「ベルリン・ダダ」の風刺画が数多く挿絵に使われている。また、ウィーンに亡命し国際的な前衛美術雑誌『マ（今日）』を編集出版していたカシャークとも接触があり、カシャークの寄稿を受けている。表紙の大胆な構成主義的な意匠は、ハンガリー・アヴァンギャルドからもたらされたものであろう。本文のタイポグラフィにも、構成主義的な色彩が強い。

*22 シュミート、ノル、ヴァヴジーク、ザーヴァダ編集
月刊文芸誌『クルフ（輪）』
一九二五年、モラヴェスカー・オストラヴァ
ズデニェク・ロスマン（表紙、タイポグラフィ）
Karel Šmíd, A.C.Nor, Zdeněk Vavřík & Vilém Závada, *Kruh: Měsíčník pro literaturu a umění*, 1925, Moravská Ostrava, 28.0 x 20.5cm, 16pp., Zdeněk Rossmann (Cover & Typography)

一九二五年一〇月の創刊。第一巻一号の存在は確認できるが、以後の発行履歴は未詳。ノホラ、ザーヴァダ、ヴァヴジークの詩。ノル、コヴァールナの散文。ピーシャ、フランクル、ヨゼフ・チャペックの文芸批評が掲載されている。

*23 E・A・フルシュカ編集
『クリオズニー・レヴュー』
一九二五―一九二六年、プラハ
レオ・ブロシュ、ヨゼフ・ヴァーハル、カレル・ヴォトゥルチカ（表紙、リノカット）
E.A. Hruška, *Kuriosní revue*, 1925–1926, Praha, 19.0 x 15.5cm, 32–48pp., Leo Brož, Josef Váchal & Karel Votlučka (Linocut Covers)

一九二五年に創刊され、二百二十二部限定で、全四号三冊が発行されている。フルシュカ、ヤロ・ベランのリノカット挿図、ヴィネットなど、立体表現主義の流れを汲む版画作品が、多く収録されている。

*24
オタカル・シュトルフ＝マリエン、J・J・パウリーク編集
文学・美術・批評紙『アヴェンティヌム新報』
一九二五―一九三四年、プラハ、アヴェンティヌム

Otakar Štorch-Marien/J.J. Paulík, *Rozpravy Aventina: List pro literaturu, umění a kritiku/Čtrnáctideník pro literaturu, umění a kritiku/Týdeník pro literaturu, umění a kritiku*, 1925–1934, Praha, Aventinum, 45.0 x 31.0cm, 4pp.

一九二〇年代から三〇年代にかけて、プラハでもっとも先進的な出版社であったアヴェンティヌム書店が発行を続けたニュース・レター。したがって、映画、演劇、舞台美術、絵画、建築をはじめ、各種の出版物や展覧会など、同時代の文芸運動に関する情報の宝庫とされる。作家の肖像、映画のスチール、舞台のデザイン、カリカチュア、絵画の複製など、視覚的な情報も満載されている。出版広告も、アヴェンティヌム書店ばかりでなく、ボロヴィーやマーネスの、興味深いものが多く、最初の二年間は、タイポグラフィもまた見事である。出版者兼編集者のシュトルフ＝マリエンはもちろん、シーマ、タイゲ、ネズヴァル、マテジウス、ムルクヴィチカ、ホンズィーク、ムズィカ、ミロスラフ・ルッテなど、チェコの前衛のほとんどが参加している。最初の三年間は、年に二十冊のペースで刊行されていたが、第四年目から年四十冊となり、第九年目の一九三四年まで、発行が続いた。ただし、パウリークが編集に参加した最後の年には、第一五号までしか出版されていない。第五年の四十冊は、ホフマイステルが手掛けたカバー・イラスト・ドローイングが表紙を飾っている。タブロイド判で四頁。総索引も存在する。

*25
ズデニェク・ロウダ編集
『ノヴェー・スムニェリ（新潮）』
一九二七／二八―一九二九／三〇年、プラハ、アヴェンティヌム

Zdeněk Louda, *Nové směry: Revue výtvarné výchovy*, 1927/28–1929/30, Praha, Aventinum

通巻三号。モダン・アートと文学を、国際的なスケールで取り上げている。ヨゼフ・チャペック、ゴル、ベーム、ヴィアーラ、ピッテルが寄稿。

26
カレル・タイゲ編集
現代文化月刊誌『ReD（デヴィエトスィル雑誌）』
一九二七／二八―一九二九／三一年、プラハ、オデオン
カレル・タイゲ（表紙、タイポグラフィ）

Karel Teige, *ReD: Měsíčník pro moderní kulturu/ International Monthly for Modern Development*, 1927/28–1929/31, Praha, Odeon, 23.4 x 18.2cm, Karel Teige (Cover, Typography)

一九二七年から一九三一年にかけて発行された月刊文芸誌。合併号を含むため、全体で三〇号二十九冊。雑誌名の『ReD』は「デヴィエトスィル雑誌」の頭文字を取ったもの。同時代の国内外の前衛運動の理論や実験の紹介、建築、デザイン、美術、詩など、さまざまな領域に跨がる、モダニズムの実践を取り上げている。その射程は、ヨーロッパ各地の前衛の拠点から、ロシア、アメリカにまで及んでおり、編集長タイゲの視野の広がりが感じられる。この雑誌には、当時の重要な建築家、美術家のほとんどが紹介されている。たとえば、アルプ、バウマイスター、シャガール、ファン・ドゥースブルク、エルンスト、グロピウス、カシャーク、ル・コルビュジエ、リシツキーがそれである。第一年九号はネズヴァルとタイゲによるポエティスムの特集号として、とくに重要である。第三年五号はデッサウのバウハウスの特集号であり、アルバース、シュミット、クレー、マイヤーらの作品が紹介されている。ほかに、ソヴィエト文化（第一年二号）、アポリネール（第一年三号）、マリネッティと世界未来派（第二年六号）、写真・映画・タイポグラフィ（第二年八号）の特集号がある。テキストはチェコ語もあるが、大半はドイツ語である。ブック・デザインは、編集長タイゲの手になる。カバ

26

ーは初期の「絵画詩」的な色彩の強いものから、中期のより構成主義的なもの、さらに後半の機能主義的なものまで、タイゲの関心の在処を、そのまま反映している。頁の構成など、全体としてタイゲの提案した「モダン・タイポグラフィ」の代表的な作品となっている。この雑誌は、チェコ・アヴァンギャルドの雑誌のなかで、もっとも重要なものと目されている。

*27 オットー・ギルガル編集
詩歌・政治・生活雑誌『シャルドゥーフ・ザーピスニーク（シャルダ・ノート）』
一九二八年、プラハ、ギルガル
Otto Girgal, *Šaldův zápisník: List pro poesii, politiku a život*, 1928, Praha, Girgal, 21.2 x 14.2cm
通巻一〇号九冊が発行されている。出版社を経営していたギルガルが、エッセイ、詩、書評を掲載している。カバーは一九二〇年代の洗練されたタイポグラフィで構成されている。

*28 E・F・ブリアン、J・フレイカ、F・コヴァールナ、V・ペトシーコヴァー、L・シュトル編集
同時代文化誌『シグナール（標識）』
一九二八―一九二九年、プラハ、プルーロム
E.F. Burian, J. Frejka, F. Kovárna, V. Petříková, & Lad. Štoll, *Signál: Časopis*

26

součásné kultury, 1928–1929, Praha, Průlom, 24.0 x 16.5cm

第一年に十冊が発行されている。表紙は構成主義的なデザインで、各号色変わり。ブリアン、ホラ、ライシェンタール、シュムルツ、ゼレンカ、バルビュス、リンハルト、シュトルフ、ヴァーツラヴェクらが寄稿している。

*29
ユリウス・フチーク編集
月刊現代文学『クメン（幹）』（第二期）
一九二六―一九二九年、プラハ、クメン・クラブ
Julius Fučík, *Kmen: Měsíčník pro moderní literaturu* (2nd. Serie), 1926–1929, Praha, Vydává Klub moderních nakladatelů "Kmen", 30.1 x 21.0cm, Karel Teige (Cover design)

シャルダの編集で、一九一七年から一九二二年にかけて発行された同名雑誌の第二期。第一年一二号、第二年一〇号で、通巻二二号十九冊を数える。ホラ、ピーシャ、ホンズル、ハラス、タイゲ、カレル・チャペック、シュトルフ＝マリエン、ゲーツ、サイフェルト、ビーブルなど、チェコ・アヴァンギャルドの主要メンバーの、ほとんどすべてが寄稿者リストに名を連ねていることから、二〇年代後半における、もっとも重要な定期刊行物と目される。ボードレールをはじめ、プルースト、ピカソ、ジョイスなど、西ヨーロッパの作家・画家への関心も高く、ツァラ、デルメ、サンドラールのテキストの翻訳も随時掲載されている。また、新書の発行と、それらに関する書評からも、目配りの広さが窺われる。図版や挿図には、スデックの写真、シュティルスキーのドローイング、ホフマイステルやムズィカのカリカチュアが登場する。第二年六号には、抽象美術さらには、プラハで開かれたシーマの個展を論じたタイゲの論考が掲載されている。これはとくに重要な号である。第二年に関しては、別刷り四頁の総索引が発行されている。

*30
フランチシェク・ムズィカ、オタカル・シュトルフ＝マリエン編集
現代芸術年報『ムザイオン（ムーサイ神殿）』第九―一〇集
一九二九／三〇―一九三一年、プラハ、アヴェンティヌム
František Muzika & Otakar Štorch-Marien (ed.), *Musaion: Sborník pro moderní umění*, Svazek 9–10, 1929/30–1931, Praha, Aventinum, 32.5 x 24.5cm

一九三〇年版からムズィカとシュトルフ＝マリエンの編集になり、「国際美術雑誌」を標榜するようになった。

31
ヨゼフ・ホラ編集
文学・芸術・科学雑誌『プラーン（計画）』

31

一九二九―一九三二年、プラハ、ボロヴィー
オタカル・ムルクヴィチカ（第一年の表紙、タイポグラフィ）、ヨゼフ・カプリツキー（第二年の表紙、タイポグラフィ）
Josef Hora, *Plán: Revue pro literaturu, umění a vědu*, 1929-1932, Praha, Borový, 24.0 x 16.0cm, Otakar Mrkvička (1st year: Cover, Typography)/Josef Kaplický (2nd year: Cover, Typography)

一九二九年刊行の第一巻は全一二号十一冊で七百三十五頁。第二年は全一冊で三百四十三頁。デヴィエトスィルのメンバーによって創刊、発行されたモダニズム文芸運動誌。ビーブル、サイフェルト、ハラス、ツァラ、ブルトン、リンハルト、ナウマン、ホラ、マイェロヴァーらが、寄稿者リストに名を連ねる。図版には、フィラ、フンケ、レジエの作品が使われており、モホイ＝ナジのフォトグラムも、別刷り図版に使われている。ムルクヴィチカによる表紙のデザインは、リシツキー、モホイ＝ナジの仕事の延長線上にある。しかし、ここではハンガリー構成主義からの影響、なかでもカシャーク・ラヨシュのデザインで一九二八年にブダペシュトのゲーニウス書店から出版された、デーリ・ティボルの著作『歌い、死す』との近似が注目される。

*32
カレル・タイゲ編集
国際現代建築『MSA』
一九二九―一九三一年、プラハ、オデオン
カレル・タイゲ（表紙、タイポグラフィ）
Karel Teige, *MSA: Mezinárodní soudobá architektura/ L'Architecture Internationale d'Aujourd'hui/ Internationale Architektur der Gegenwart*, 1929-1931, Praha, Odeon, In-4to., pp.174/pp.295/pp.148, Karel Teige (Cover, Typography)

通巻三号。この雑誌は『ReD』とともに、チェコ・アヴァンギャルド、なかでも建築のそれにおける、もっとも重要な機関誌である。図版解説はチェコ語のほかに、ドイツ語、フランス語、ロシア語の三ヶ国語で併記されている。この雑誌の重要性は、国際的にも広く認知されていた。この雑誌は機能主義と、デッサウ・バウハウスの影響下にあった。寄稿者はル・コルビュジエ、ギーディオン、ギンズブルク、グレーフ、ロース、メイヤー、ミース・ファン・デル・ローエ、シャウエル、スタム、タイゲである。第一号は「国際現代建築」の副題を持つ。「チェコスロヴァキアにおける近代建築」の副題のある第二号は、タイゲによるチェコスロヴァキア建築に関する特集号で、コチェラ、ロース、クレイツァル、ヤナーク、ホホル、ロシュコトといった建築家が、取り上げられている。第三号は「ヨゼフ・ハヴリーチェクとカレル・ホンズィーク――建物とプラン」の副題のある特集号。全三冊とも、タイゲによるモダン・タイポグラフィが高く評価されている。

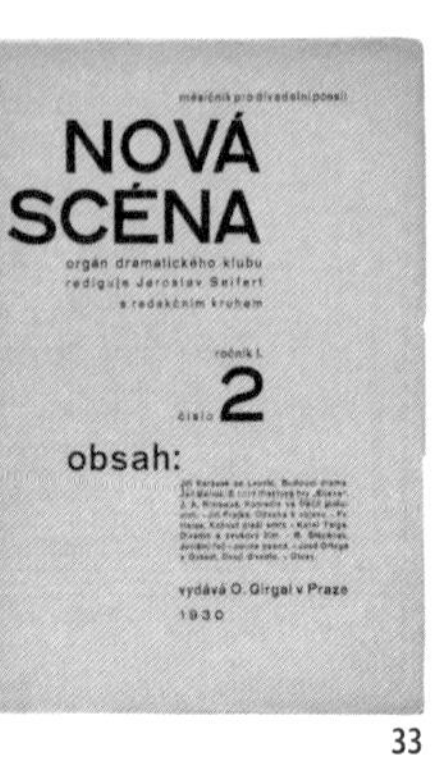

33

33 ヤロスラフ・サイフェルト編集
『ノヴァー・スツェーナ（新舞台）』
一九三〇年、プラハ、ギルガル
カレル・タイゲ（表紙?）
Jaroslav Seifert, *Nová scéna: Orgán dramatického klubu*, 1930, Praha, Girgal, 24.5 x 17.3cm, Karel Teige (Cover?)

通巻六号。サイフェルトが主宰した雑誌。タイポグラフィはタイゲか、さもなくばその周辺の誰かであろう。ハラス、ホラ、サイフェルト、バルトシュ、ネズヴァル、ブリアン、タイゲのテキスト。ヘイトゥム、クラール、ムズィカ、トワイヤンの図版。

34 ヴォイチェフ・クルフ編集
チェコスロヴァキア建築家連盟雑誌『アルヒテクト（建築家）』第二八巻四号、一二号＆第三三巻四号
一九二九―一九三四年、プラハ、チェコスロヴァキア建築家連盟
Vojtěch Krch, *Architekt SIA: Časopis československých architektů*, XXVIII, 4, 12 & XXXIII, 4, 1929–1934, Praha, Spolek československých inženýrů SIA, 29.6 x 20.9cm

表紙はチェコの構成主義デザインの典型。

***35** ヴィーチェスラフ・ネズヴァル編集
月刊現代文芸雑誌『ズヴェロクルフ（黄道十二宮）』
一九三〇年、プラハ
Vítězslav Nezval, *Zvěrokruh: Měsíčník soudobého umění/ Revue Internationale illustrée de Littérature et d'Art Contemporain*, 1930, Praha

一九三〇年一一月と一二月に発行され、通巻二号。チェコのシュルレアリスム機関誌。内容はネズヴァルのシュルレアリスムへの関心を反映しており、そこに予示された活動は、一九三四年のプラハ・シュルレアリスト・グループの旗揚げを先導した。創刊号にはブルトンの『ナジャ』の抜粋が含まれる。エリュアール、アラゴン、メザンス、マグレなど、シュルレアリストのテキストも含まれる。そのほか、ネズヴァル、心理学者ブローク、ホフマイステル、ビーブル、タイゲのテキスト。第二号にはブルトンの「シュルレアリスム第二宣言」の全文のほか、ツァラ、マラルメ、ガルシア・ロルカの詩が掲載されている。ルドン、クルール、デ・キリコ、エルンスト、シュティルスキー、トワイヤンの図版。

***36** アロイス・リブカ、ヤロミール・セドゥラーチェク編集
文化報告『カンパニ』
一九三〇―一九三二年、モラフスカー・オストラヴァ
Alois Rybka & Jaromír Sedláček, *Kampaň: Reportážně kulturní*, 1930–1932, Moravská Ostrava, Zdeněk Rossmann (Typography)

各年十冊の発行で、一九三二年五月まで続いたことが確認できる。同じ発行元から一九二五年に創刊された月刊文芸誌『クルフ（輪）』の後継誌。政治風刺を中心とする文化雑誌で、発行停止処分を受けたこともある。美術、建築、文学も積極的に取り上げている。ルース、ル・コルビュジエ、ソヴ

ィエト建築、ダダ、さらにはシュレンマーやプランポリーニの実験演劇に関する記事がある。タイポグラフィは、おそらくロスマンであろう。

37 ヴァーツラフ・ロストラピル編集
チェコスロヴァキア現代文化評論雑誌『ホリゾント（地平）』第三三／三四合併号「建築家ラジスラフ・マホニュ」
一九三一年、ブルノ、ルドルフ・M・ローレル
Václav Rostlapil, *Horizont: Revue současné kultury v československu*, číslo 33/34 : Architekt Ing. Ladislav Machoň, 1931, Brno, Rudolf M. Rohrer, 31.0 x 23.3cm

創刊は一九二七年一月。

***38** A・シュカルダ、P・コブリツ、F・オウピツキー、J・イチーンスキー編集
『チェコスロヴァキア写真年鑑』／『チェコ写真年鑑』
一九三一―一九三九年、一九四〇―一九四一―一九四六―一九四九年補遺巻、プラハ、写真協会／チェコスロヴァキア・アマチュア写真家クラブ
カレル・タイゲ（表紙、タイポグラフィ、レイアウト）
A. Škarda, P. Koblic, Fr. Oupický & J. Jičínský, *Československá fotografie/Česká fotografie*, 1931–1940, 1946, 1949, Praha, Fotografický obzor/Svaz československých klubů fotografů amatérů (t.III-), 27.5 x 22.0cm, 64 full page reproduction, Karel Teige (Cover, Typography, Layout)

一九三一年から一九四九年にかけて、全十二冊が発行されており、そのうちの最初の八冊は、タイゲのデザインによる。各巻には、約六十五点前後の写真の複製が掲載されており、これによって、チェコスロヴァキアの、とくに戦前の写真史の全体を展望することができる。同時期に、月刊誌として『写真展望』（*Fotografický obzor*）が同協会から発行されているが、こちらは、ありふれた写真グラフ雑誌である。主な写真

34

37

家はハーク、ラウシュマン、シュティルスキー、フンケ、スデック。

*39 チェコスロヴァキア・シュルレアリスト・グループ
『シュルレアリスム国際公報』第一号
無刊記（一九三五年）、プラハ、チェコスロヴァキア・シュルレアリスト・グループ
インドジフ・シュティルスキー（表紙コラージュ）

Le Groupe surrealiste er Tchécoslovaquie/ Mezinárodní buletin surrealismu. Vydala Skupina surrealistů v ČRS, *Bulletin International du Surréalisme/ International Surrealist Bulletin/ Mezinárodní buletin surrealismu*, no.1, n.d. (1935), Praha, Le Groupe surrealiste en Tchécoslovaquie/ Mezinárodní buletin surrealismů. Vydala Skupina surrealistů v ČRS, 22.0 x 31.0cm, 12pp., Jindřich Štyrský (Cover collage)

一九三五年四月九日に第一号がプラハから発行されている。チェコ語とフランス語の併記。四つ折り判で十二頁、図版はシュティルスキーとトワイヤンの四点。一九三五年初頭、ブルトンとエリュアールは「チェコスロヴァキア・シュルレアリスト・グループ」の招待を受け、プラハを訪れる。シュルレアリスム国際会議のためであるが、そこで共産党報道部から大歓迎を受けたという。ネズヴァルらの宣言を収録。プラハの創刊号以降は、サンタ・クルーズ・ド・テネリフェで一九三五年に第二号、ブリュッセルで同年八月二〇日に第三号が「ベルギー・シュルレアリスト・グループ」によって刊行されている。

40 現代絵入り新聞『ジエメ（われら生きよう）』／『ヤク・ジエメ（われらいかに生きるべきか）』
一九三一—一九三七年、プラハ
ラジスラフ・ストナル（表紙、レイアウト）

Žijeme/ Jak žijeme: Obrázkový magazín dnešní doby, 1931-1937, Praha, 25.4 x 18.0cm, Ladislav Sutnar (Cover, Layout)

一九三一／三二年は第一号から第一二号まで、一九三二／三三年は第一号から第一〇号まで。一九三三年に『ヤク・ジエメ（われらいかに生きるべきか）』に改題ののち第一—三号が、さらに『マガジンＤＰ』（*Magazín DP*）と改題して第四—一〇号が発行されている。一九三四／三五年には、第一—一〇号（*Magazín DP2*）、一九三五／三六年には第一—一〇号（*Magazín DP3*）、一九三六／三七年には第一—一〇号（*Magazín DP4*）が、それぞれ発行されている。副題は「現代の挿絵入り新聞」の意。第二次世界大戦以前のチェコスロヴァキアの前衛芸術に関する資料として重要である。第一年の十二冊と第二年の十冊は、表紙にストナルのフォトモンタージュが使われており、それらの質の高さが注目に値する。美術、文学、映画、商業美術、建築、都市計画、写真の総合グラビア雑誌で、それらの多くは、チェコスロヴァキアを代表する写真家スデックの手になる。ジャーク、タイゲ、ネズヴァル、モホイ=ナジ、コウラ、リンハルト、フフス、ハヴリーチェク、ブリアン、ホフマイステル、ル・コルビュジエが寄稿している。

*41 カレル・タイゲ編集
文化・社会・政治的生活雑誌『ドバ（今日）』
一九三四—一九三五年、プラハ、フロメク
カレル・タイゲ（表紙）

Karel Teige, *Doba: Časopis pro kulturní, sociální a politický život*, 1934-1935, Praha, Fromek, 24.6 x 17.5cm, 275pp., Karel Teige (Cover)

通巻二〇号。『MSA』と『ReD』の後継雑誌。不況に苦しむ、当時の経済状態を反映して、外観は地味である。キッシュ、フチーク、ムズィカ、ネズヴァル、ブルトン、クロハ、タイゲその他寄稿。図版はグロッス、ホフマイステル、ノウザなど。ヤン・フロメクはオデオン書店の出版者であった。

*42 フランチシェク・マレク編集
チェコスロヴァキア印刷技術雑誌『ティポグラフィア』第四二巻九号
一九三五年、プラハ、プラハ活版協会

žijeme
1931

žijeme
1931

žijeme 1931

žijeme
1931
obrázkový magazin dnešní doby
červenec–srpen 1931

žijeme 1931

žijeme 1931

žijeme 1932
11

Po konfiskaci
druhé opravené
vydání
žijeme 1932
1

František Marek, *Typografia: Odborný list československých Knihtiskařů*, roč.42, číslo 9, 1935, Praha, Vydává Typografia v Praze, 31.0 x 23.5cm
四つ折り判で、各種の印刷見本が挿入されている。プラハの活版業者が、タイポグラフィの教育普及を目的として創刊した。タイゲの有名な論文「モダン・タイポグラフィ」が掲載されたのは、この雑誌である。

44

*43 ヴィーチェスラフ・ネズヴァル編集
『シュルレアリスム』
一九三六年二月、プラハ
インドジフ・シュティルスキー（表紙コラージュ）
Vítězslav Nezval, *Surrealismus*, fev. 1936, Praha, 22.0 x 30.0cm, 48pp., Jindřich Štyrský (Cover Collage)
ネズヴァルの主宰した雑誌。ブルトンとエリュアールのプラハ訪問を機に刊行されたが、一号雑誌に終わった。

44 ボフミル・ヒュプシュマン編集
建築・都市計画・応用美術雑誌『スティル（様式）』第一五—二〇集
一九三六—一九三七年、プラハ、プラハ建築家連盟
Bohumil Hubschmann, *Styl: Časopis pro architekturu, stavbu měst a umělecký průmysl*, roč.XV–XX, 1936–1937, Praha, Vydala Společnost architektů v Praze, 30.5 x 23.0cm
一九〇八年ズデニェク・ヴェルトを編集主幹として創刊された、マーネス造形芸術家連盟の建築雑誌で、その伝統の重みは比類ない。出版はかならずしも定期的であったわけではなく、一九三六／三七年で一五／二〇集となっている。上質紙四つ折り判の贅沢な雑誌。表紙のデザインには、同時代の建築雑誌と共通する、機能主義的な傾向があらわれている。

*45 ウラジミール・コンヴィチカ編集
『チェコの素描家』第九年一号&第一〇年五号
一九四〇—一九四二年、プラハ、ヴォイチェフ・ヴァルテル
Vladimír Konvička, *Český kreslíř: Měsíčník výtvarné a technické výchovy*, roč.IX, číslo 1 & roč.X, číslo 5, 1940, Praha, Vojtěch Walter, 29.8 x 21.4cm
四つ折り判の月刊美術教育雑誌。

*46 オルドジフ・スタリー、ヴァーツラフ・コペツキー編集
『チェコスロヴァキア共和国建築』第五巻四号、五号
一九四六年五—六月、プラハ、建築家組合・建築家連盟・建築家協会
Oldřich Starý & Václav Kopecký, *Architektura ČSR*, roč. V, číslo 4, 1946 květen, Praha, Klub architektů-Sdružení architektů-Společnost architektů, 31.0 x 23.6cm
ロシア語、英語、フランス語の要約付。

šestina světa
karel kreibich
vznik a vývoj vks (b) 1

49

umění
frant. píšek
sovětská literatura

48

sovětské hospodářství
ing. l. v. dobevský
plánovité hospodářství

47

文学・評論

47—49
「ソ連邦学術論文」叢書
ネイェドリー、プロハースカ、シュメラル、タイゲ編集
プラハ、ソ連邦経済文化的接近協会
イジー・フリムル（表紙、レイアウト）
Zd. Nejedlý, Vl. Procházka, B. Šmeral & K. Teige, Monografie SSSR, 21.2 x 13.4cm, 32/80/96pp., Jiří Friml (Cover, Layout)

ソ連邦における社会生活の肯定的な側面を宣伝するための叢書。指導者スターリンがモダニズム運動を全面否定し、社会主義リアリズムを国家公認の唯一の綱領と決めたことで、タイゲは編集部を去ることになった。

47 L・V・ドベフスキー
『計画経済』ソヴィエト経済一
一九三四年
L.V. Dobevský, *Plánovité hospodářství*, Sovětské hospodářství 1, 1934

48 フランチシェク・ピーシェク
『ソヴィエト文学』芸術二三—二四
一九三五年
František Píšek, *Sovětská literatura*, 1935, umění 23–24

49 カレル・クレイビフ
『ボリシェビキの発生と発展』世界の六分の一叢書三七—三八
一九三六年
Karel Kreibich, *Vznik a vývoj vks (Bolševiků)*, Šestina světa 37–33, 1936

50—55 オリンプ叢書（全七冊）
一九二六—一九二七年、プラハ、ヴァニェク&ヴォトヴァ
Edice Olymp 1-7/8, 1926-1927, Praha, Vaněk & Votova

50 ズデニェク・マツェク
『見知らぬコリンニェ』オリンプ叢書一
一九二六年
ズデニェク・マツェク（表紙、タイポグラフィ）
Zdeněk Macek, *Neznámé Korinně*, Edice Olymp 1, 1926, 23.0 x 16.1cm, (54)pp., Zdeněk Macek (Cover, Typography)

限定五百五十部本。マツェクの表紙デザインは、その着想の奇抜さと、色遣いにおいて、忘れがたいものとなっている。書中の詩篇のタイポグラフィには、かなりの遊びが見られ、イタリア未来派の「自由語」に近いものとなっている。

51

50

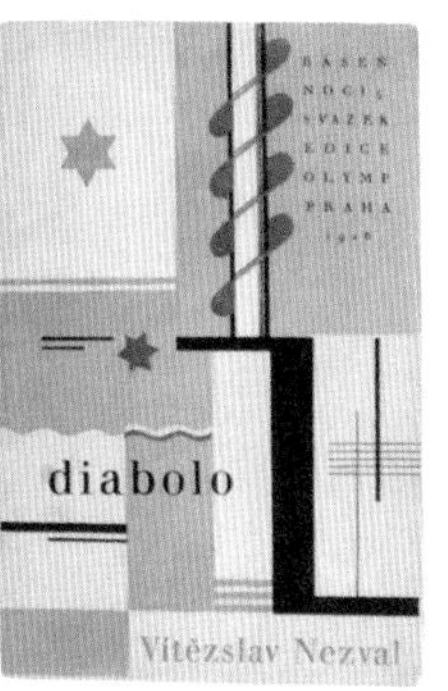

53

52

51 ヤン・アルダ
『目抜き通りで』 オリンプ叢書二
一九二六年
ズデニェク・マツェク（表紙、タイポグラフィ）
Jan Alda, *Na promenádě*, Edice Olymp 2, 1926, 24.4 x 16.7cm, 48, (6)pp., Zdeněk Macek (Cover, Typography)

限定五百五十部本。一九二一年から一九二六年にかけて発表された、アルダの詩を一冊に編んだもの。

52 ミロスラフ・ホウスカ
『十字路』 オリンプ叢書三
一九二六年
ヴィート・オブルテル （表紙、タイポグラフィ）
Miroslav Houska, *Křižovatka*, Edice Olymp 3, 1926, 24.4 x 16.2cm, 26, (4)pp., Vít Obrtel (Cover, Typography)

限定五百五十部本。オブルテルは、さまざまな太さの直線による、幾何学的な構成を好んで用いた。とはいえ、罫線の種類の多さ、象徴的なモティーフの使用、活字の選択の点で、タイゲより装飾的である。

53 ヴィーチェスラフ・ネズヴァル
夜の詩 『ディアボロ （コマ遊び）』 オリンプ叢書五
一九二六年
ヴィート・オブルテル （表紙）
Vítězslav Nezval, *Diabolo: Báseň noci*, Edice Olymp 5, 1926, 24.0 x 16.0cm, (26) pp., Vít Obrtel (Cover)

限定五百五十部本。オブルテルによる表紙は、ポエティスムの装釘を代表するものとされている。どことなく、具象物を想起させるところがある。

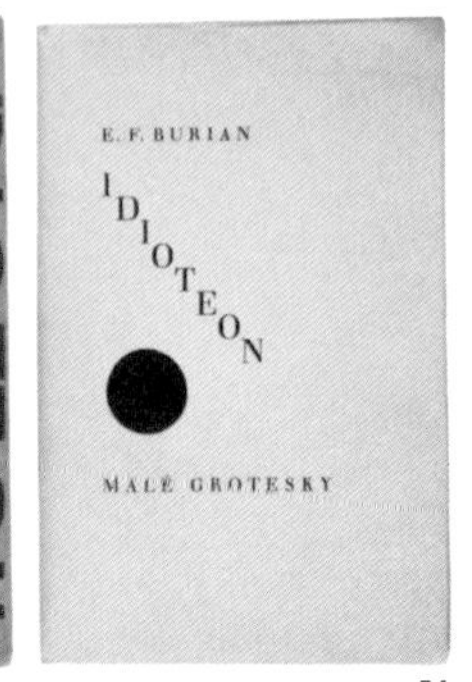

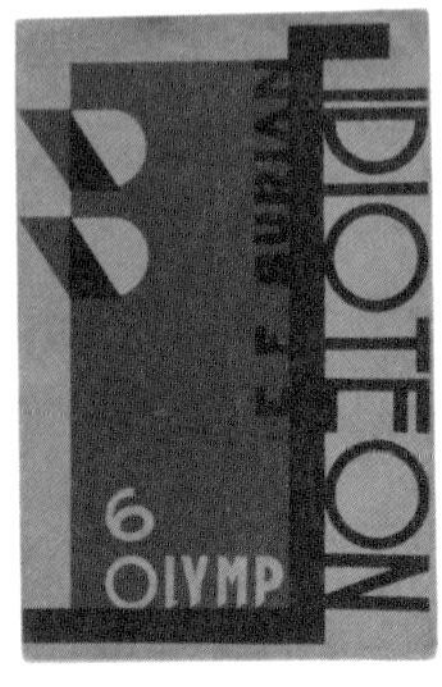

54

55

54 エミル・フランチシェク・ブリアン
『精神薄弱』オリンプ叢書六
一九二六年
イヴァン・フラヴァーチェク（表紙、タイポグラフィ）
Emil František Burian, *Idioteon: Malé grotesky*, Edice Olymp 6, 1926, 24.2 x 16.0cm, 44pp., Ivan Hlaváček (Cover, Typography)

限定五百五十部本。表紙デザインとタイポグラフィは建築家のイヴァン・フラヴァーチェクによる。独特の色遣いに特徴があり、扉もまた、表紙に呼応する構成主義的な作りである。フラヴァーチェクは、同じオリンプ叢書のなかで、ノヴァークの『リリカ（抒情）』（一九二七年）のデザインも手掛けている。

56

55
カレル・タイゲ
『構成と詩——今日の芸術と明日の芸術一九一九—一九二七年』オリンプ叢書七／八
一九二七年
カレル・タイゲ（表紙、タイポグラフィ）
Karel Teige, *Stavba a báseň, umění dnes a zítra 1919–1927*, Edice Olymp 7/8, 1927, 24.0 x 16.2cm. 183, (37)pp., Karel Teige (Cover, Typography)

一九一九年から一九二七年にかけて、タイゲが『ReD』、『スタヴバ』、『パースモ』、『ヴェライコン』、『クメン』、『ホスト』の諸雑誌に寄稿した美術・建築論集。したがって、タイゲの著作のなかで、もっとも重要な著作となった。ペレ、ファン・ドースブルク、ル・コルビュジエ、ミース・ファン・デル・ローエ、ピカソ、モンドリアンの作品が写真で紹介されている。表紙と本扉のいずれのデザインも、ポエティスムの最良の精華といってよい。

56—58
アヴェンティヌム人民文庫
プラハ、オタカル・シュトルフ＝マリエン、アヴェンティヌム
カレル・タイゲ、オタカル・ムルクヴィチカ（表紙、タイポグラフィ）
Lidová knihovna Aventina, Praha, Otakar Štorch-Marien, Aventinum, Karel Teige & Otakar Mrkvička (Cover, Typography)

廉価なポケット版文庫。五十冊以上が出版されている。多くの表紙がタイゲの手になり、大胆な色遣いとあい俟って、美しい叢書をかたちづくっている。

56
フランチシェク・クプカ
『革命ロシアの詩人たち』アヴェンティヌム人民文庫二
一九二四年
カレル・タイゲ、オタカル・ムルクヴィチカ（表紙、タイポグラフィ）
František Kubka, *Básníci revolučního Ruska*, L.K.A. sv.2, 1924, 17.0 x 11.4cm. 108, (6)pp., Karel Teige & Otakar Mrkvička (Cover, Typography)

57

58

57
ルイ・デリュク
『チャールズ・チャップリン』アヴェンティヌム人民文庫七
一九二四年
カレル・タイゲ、オタカル・ムルクヴィチカ（表紙、タイポグラフィ）
Louis Dellec, *Charlie Chaplin*, L.K.A. sv.7, 1924, 17.0 x 11.4cm, 72, (2)pp., Karel Teige & Otakar Mrkvička (Cover, Typography)
喜劇王チャップリンは、ダグラス・フェアバンクスと同様、デヴィエトスィル協会の外国人名誉会員の一人である。

58
アレクサンドル・ネヴィエロフ
『パンの街タシケント』アヴェンティヌム人民文庫一四
一九二五年
カレル・タイゲ、オタカル・ムルクヴィチカ（表紙、タイポグラフィ）
Alexandr Nevěrov, *Taškent, Chlebové město*, L.K.A. sv.14, 1925, 17.0 x 11.4cm, 116, (2)pp., Karel Teige & Otakar Mrkvička (Cover, Typography)

60

59

59—61
アヴェンティヌム書店出版物
プラハ、オタカル・シュトルフ＝マリエン
Edice Aventinum, Praha, Otakar Štorch-Marien

59
ギヨーム・アポリネール
小説『虐殺された詩人』「今日の本」叢書一一
一九二五年
オタカル・ムルクヴィチカ、カレル・タイゲ（表紙、タイポグラフィ）
Guillaume Apollinaire, *Zavražděný básník: Román*, Knihy dnešku sv.11, 1925, 21.3 x 13.5cm, 84, (3)pp., Otakar Mrkvička & Karel Teige (Cover, Typography)

60
ヴィーチェスラフ・ネズヴァル
『絵葉書のための詩』
一九二六年
カレル・タイゲ、オタカル・ムルクヴィチカ（表紙、タイポグラフィ）
Vítězslav Nezval, *Básně na pohlednice*, 1926, 19.7 x 12.3cm, 59, (1)pp., Otakar Mrkvička & Karel Teige (Cover, Typography)

郵便の消印をデザイン化した意匠が楽しい。切手、消印、封筒など、郵便に関わりのあるものは、デヴィエトスィルの「絵画詩」の好個の素材であった。

61

61 ウラジミール・ラッフェル
『肉体譚』
一九二八年
フランチシェク・ムズィカ（表紙）
Vladimír Raffel, *Tělové povídky*, 1928, 20.0 x 12.5cm, 68, (8)pp., František Muzika (Cover)
同年にプラハのナウマンから出版された、ピエール・ジラールの『女性の心をよく知るべし』（*Poznejte lépe srdce žen*）の表紙（タイゲ）にも、これと共通する、ヌードのトルソが用いられている。

62—74
オデオン叢書
プラハ、ヤン・フロメク
Edice Odeon, Praha, Jan Fromek

62 ウラジミール・リディン
『潮風』「今日の本」叢書一〇
一九二五年、フランチシェク・ピーシュク訳
カレル・タイゲ（表紙）
Vladimír Lidin, *Mořský průvan*, Knihy dnešku sv.10, 1925, Translated by František Piška, 21.0 x 13.0cm, 127pp., Karel Teige (Cover)
一九二五年には「絵画詩」を表紙とする出版物が眼を惹く。これも、そのなかのひとつである。

63 イジー・マヘン
『繋がれたガチョウ』
一九二五年
カレル・タイゲ、オタカル・ムルクヴィチカ（表紙、タイポグラフィ）
Jiří Mahen, *Husa na provázku*, 6 filmových libret, 1925, 20.0 x 12.5cm, 116, (4)pp., Karel Teige & Otakar Mrkvička (Cover, Typography)

63

62

64

64
イサック・バベル
『騎兵隊』オデオン叢書三八
一九二八年、アブラム・フェルドマン、ユリウス・フチーク共訳
カレル・タイゲ（表紙、タイポグラフィ）
Issak Babel, *Rudá jízda*, Odeon 38, 1928, Translated by Abram Feldman & Julius Fučík, 19.8 x 14.0cm, 148pp., Karel Teige (Cover, Typography)

65

65 エミール・ヴェルハーレン
『黎明』オデオン叢書二
一九二五年（新版）、スタニスラフ・コストカ・ノイマン翻訳
カレル・タイゲ（表紙）
Émile Verhaeren, *Svítání*, Odeon 2, 1925 (Nové vydání), Translated by Stanislav K. Neumann, 19.6 x 14.0cm, 103pp., Karel Teige (Cover)

ヴェルハーレンの原著は「六月叢書」に初出。この初出本の表紙は、マツェクの表現主義的なものであったが、タイゲは活字と写真を組み合わせた「絵画詩」としている。翻訳者のノイマンは、イタリア未来派から強い影響を受けた批評家で、一九一三年に「開かれた窓」と題するテキストを書いており、これは、のちに「チェコ未来派宣言」と呼ばれることになった。『左翼前線』の第三代議長を務める。

66 ギヨーム・アポリネール
小説『座る女』オデオン叢書三
一九二五年
カレル・タイゲ、オタカル・ムルクヴィチカ（表紙）
Guillaume Apollinaire, *Sedící žena: Román*, Odeon 3, 1925, 19.8 x 14.0cm 142, (2)pp., Karel Teige & Otakar Mrkvička (Cover)

一九二〇年代の出版物に対する、オザンファンとル・コルビュジエの主宰したフランスの前衛雑誌『レスプリ・ヌーヴォー（新精神）』からの影響を端的に示す。オデオン叢書には、タイゲとムルクヴィチカの協働になる装釘が多い。

67 ヴラジスラフ・ヴァンチュラ
『パン焼き職人ヤン・マルホウル』オデオン叢書四
一九二五年
オタカル・ムルクヴィチカ、カレル・タイゲ（表紙）
Vladislav Vančura, *Pekař Jan Marhoul*, Odeon 4, 1925 (2. vydání), 19.7 x 13.8cm, 138, (2)pp., Otakar Mrkvička & Karel Teige (Cover)

文字とイメージ断片を同等に扱う「絵画詩」の代表作。

67

66

68

68
ヴィーチェスラフ・ネズヴァル
『偽装結婚』オデオン叢書一〇
一九二五年
インドジフ・シュティルスキー、トワイヤン（表紙）

Vítězslav Nezval, *Falešný mariáš*, Odeon 10, 1925, 20.0 x 13.8cm, 58pp., Jindřich Štyrský & Toyen (Cover)

ネズヴァルの詩・散文集で、千部の限定で出版された。表紙のフォトモンタージュは、シュティルスキーとトワイヤンの協働による初期の作例であるが、一九三〇年代に顕在化するシュルレアリスムへの傾きの兆候がすでに現れている。

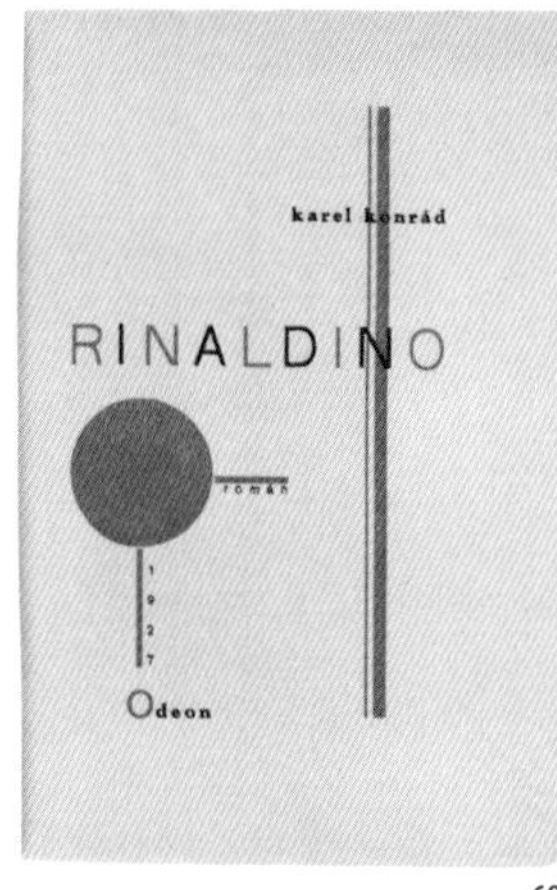

69

69
カレル・コンラート
小説『リナルディーノ』オデオン叢書二六
一九二七年
カレル・タイゲ、オタカル・ムルクヴィチカ（表紙、タイポグラフィ）
Karel Konrád, *Rinaldino: Román*, Odeon 26, 1927, 20.0 x 13.7cm, 138, (2)pp., Karel Teige (Cover), Teige & Otakar Mrkvička (Typography)

70
アドルフ・ホフマイステル
『花嫁――レビュー、バレー、カリカチュア』
オデオン叢書二七
一九二七年
アドルフ・ホフマイステル（表紙、タイポグラフィ、挿絵）
Adolf Hoffmeister, *Nevěsta: Revue, balety, karikatury*, Odeon 27, 1927, 19.8 x 13.6cm, 54, (1)pp., Adolf Hoffmeister (Cover, Typography, Illustrations)
表紙のデザインから、扉絵、タイポグラフィまで、ホフマイステルがすべてひとりでこなしている。表紙の写真に使われている女性のバストは、デヴィエトスィルが一九

70

71

二三年末にプラハの「芸術家の館」で開催した展覧会「現代美術のバザール」の呼び物のひとつとなったもので、チェコ・アヴアンギャルドの出版物のなかには、これに類する、エロティックな女性バストが散見される。本書では、ホフマイステルのデザイン感覚が見事に結晶している。

71
アントニーン・ナーレフカ
『その日その日』オデオン叢書九
一九二八年
Antonín Nálevka, *Ze dne na den*, Odeon 9, 1928, 18.2 x 12.5cm, 70, (1)pp.

72
コンスタンチン・ビーブル
『お茶と珈琲を運ぶ船とともに——一九二六—一九二七年詩集』オデオン叢書三七
一九二八年（第二版）
カレル・タイゲ（表紙、タイポグラフィ、構成）
Konstantin Biebl, *S lodí, jež dováží čaj a kávu: Poesie 1926–1927*, Odeon 37, 1928 (2. vydání), 19.8 x 14.0cm, 63, (1)pp., Karel Teige (Cover, Typography, Compositions)

ビーブルのこのシュルレアリスム詩集は、第二版で初めて挿絵が附された。本書がチェコ・アヴァンギャルドの出版物のなかで、もっとも高い評価を勝ちえているのは、タイゲによるタイポグラフィと、六点のカラー石版構成のゆえである。奥付には「タイポグラフィック・モンタージュ」とあり、この仕事にかけるタイゲの姿勢が、明確に示されている。この第二版には、ファン・ヘルダー紙に刷られた、百五十部限定の署名入り特装本が存在する。

73
コンスタンチン・ビーブル
詩集『挫折』オデオン叢書四六
一九二八年（新版）
カレル・タイゲ（表紙、タイポグラフィ、構成）
Konstantin Biebl, *Zlom*, Odeon 46, 1928 (Nové vydání), 19.8 x 14.0cm, 64pp., Karel Teige (Cover, Typography, Compositions)

ビーブルの一九二三年から二八年にかけてのシュルレアリスム詩集の新版。初版八百部は一九二五年に、オタカル・フフスとツィリル・ボウダの表紙デザインで、ヒペリオン書店から出版されているが、挿絵などは、とくにない。この新版は千六百部限定で出版され、そのうちの百部はファン・ヘルダー紙を使った特装本である。この特装本は、普及版と異なり、深紅の題簽紙に表題と著者名が墨刷りされ、それが青色の表紙に貼られている。タイゲはこの新版の挿画として、幾何学的要素とタイポグラフィのみによって成り立つ、構成主義的なコンポジシオンを採用している。リシツキーが一九二一年に手がけたオランダ建築雑誌『ウェンディンヘン』の影響を受けているのではないかとされるのは、そのためである。

72

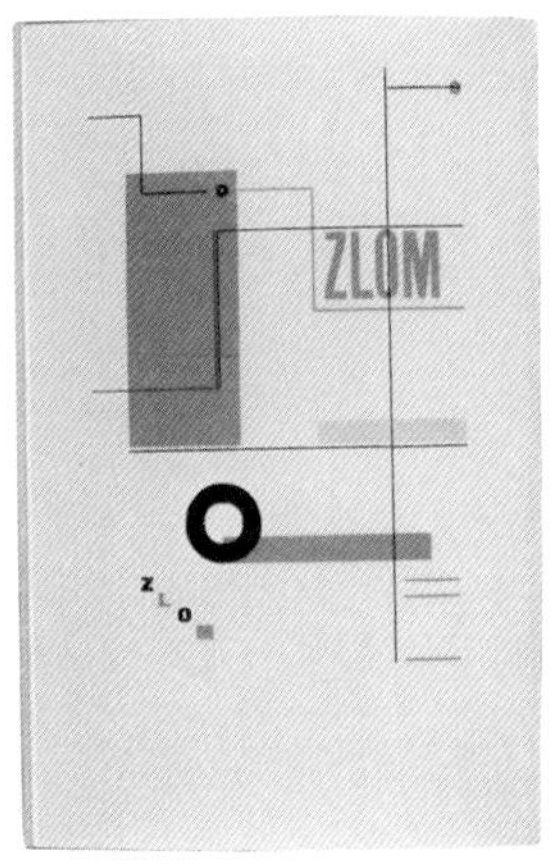

73

74

形式的には『お茶と珈琲を運ぶ船とともに』と対をなすが、星印が用いられるなど、本書の方が、いくらか装飾的な色彩が強い。いずれにせよ、この新版の装釘は、その機能主義的な側面を含めて、ポエティスム美学の最良の成果のひとつとされている。

74
スタニスラフ・コストカ・ノイマン
『ブラゴジュダ、その他の戦争の想い出』オデオン叢書四七
一九二八年
カレル・タイゲ（表紙、タイポグラフィ）
Stanislav Kostka Neumann, *Bragožda a jiné válečné vzpomínky*, Odeon 47, 1928, 19.8 x 14.0cm, 85pp., Karel Teige (Cover, Typography)
ポエティスムの装釘の代表作。

75

75—77

オデオン愛書家叢書

プラハ、ヤン・フロメク＝オデオン

Bibliofilská edice Odeon, Praha, Jan Fromek, Odeon

75

シャルル・ボードレール

『ファンファルロ』オデオン愛書家叢書五

一九二七年、J・ネヴァジロヴァー翻訳

カレル・タイゲ（表紙、タイポグラフィ）

Charles Baudelaire, *Fanfarlo*, Bibliofilské Edice 5, 1927, Translated by J. Nevařilová, 18.3 x 12.7cm, 125, (1)pp., Karel Teige (Cover, Typography)

限定千部本。ボードレール没後六十年を記念して刊行された。ナダールの撮影したボードレールの肖像写真が口絵として貼り込まれている。円と四角と直交する線による構成というだけでなく、色彩、用紙、印刷の取り合わせの妙が、この贅沢な出版物を、よりいっそう魅力的なものとしている。

77

76

76
ハインリヒ・ハイネ
『フォン・シュナーベレヴォプスキの想い出より』オデオン愛書家叢書六
一九二八年、F・ゼマン、E・バルバソヴァー共訳
オタカル・ムルクヴィチカ（表紙、挿絵）
Heinrich Heine, *Z pamětí pána von Schnabelevopski, 1831*, Bibliofilské Edice 6, 1928, Translated by F. Zeman & E. Barbasová, 19.0 x 12.5cm, 80pp., Otakar Mrkvička (Cover, Illustrations)
限定七百部本。

77
インドジフ・ホンズル
『回転舞台——現代演劇考』オデオン愛書家叢書七
一九二五年、プラハ、オデオン
シュティルスキー、トワイヤン（表紙、フォトモンタージュ）
Jindřich Honzl, *Roztočené jeviště: úvahy o novém divadle*, Bibliofilské Edice 7, 1925, 20.0 x 14.0cm, 182pp., Jindřich Štyrský & Toyen (Cover, Photomontage)
演劇評論家のホンズルは、チェコの舞台美術のみならず、ドイツとロシアの演劇事情にも通じていた。表紙を飾るシュティルスキーとトワイヤンのフォトモンタージュは、幾何学的形象と写真の切り抜きでイメージを構成するという、チェコ・アヴァンギャルドにおける、モンタージュ技法の代表作となっている。

78

78—85
フランチシェク・ボロヴィー書店のネズヴァル詩集
プラハ、フランチシェク・ボロヴィー
Edice Fr. Borový, Praha

78
ヴィーチェスラフ・ネズヴァル
『階段でかくれんぼ』
一九三一年（第二版ソフトカバー）
カレル・タイゲ（表紙、タイポグラフィ）
Vítězslav Nezval, *Schovávaná na schodech: Adaptace Calderónovy hry o 4 obrazech*, 1931 (2. vydání), 24.4 x 16.2cm, 156, (4)pp., Karel Teige (Cover, Typography)

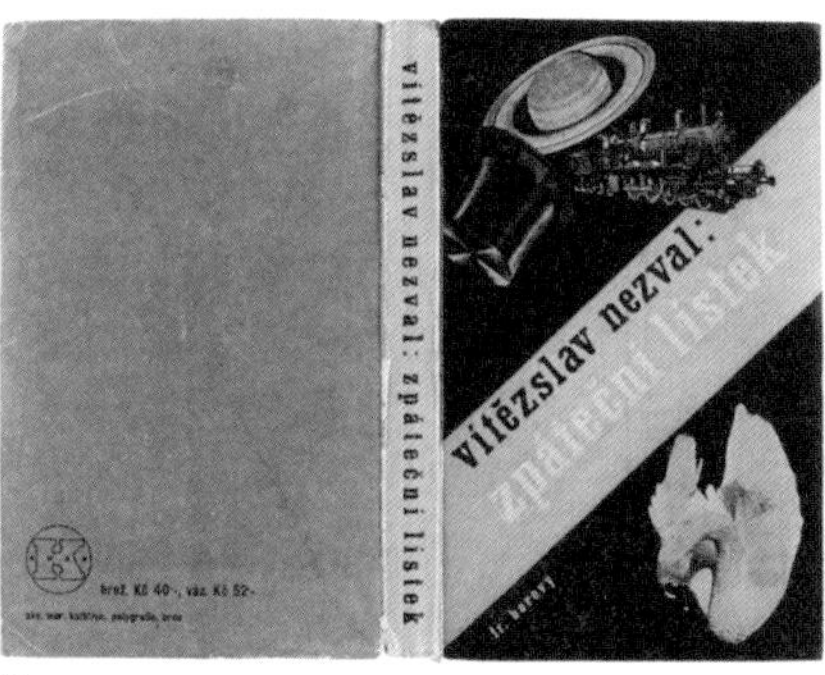

79

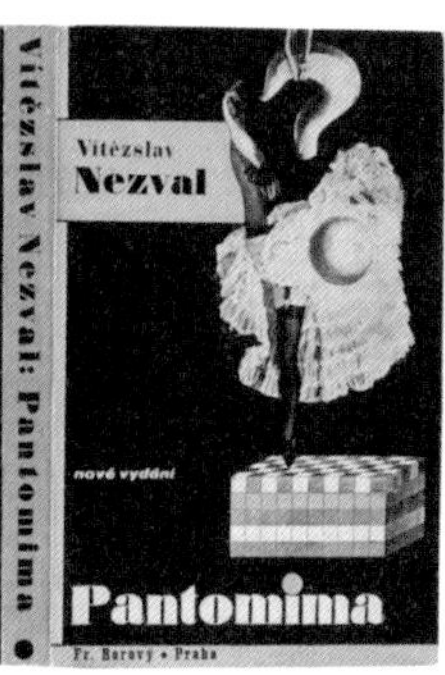

80

79
ヴィーチェスラフ・ネズヴァル
『往復切符――一九三二年詩集』
一九三三年
カレル・タイゲ（表紙、タイポグラフィ）
Vítězslav Nezval, *Zpáteční lístek: Básně 1932*, 1933, 21.2 x 13.0cm, 234, (1)pp., Karel Teige (Cover, Typography)

80
ヴィーチェスラフ・ネズヴァル
『パントマイム』
一九三五年（新版）
カレル・タイゲ（表紙、タイポグラフィ）
Vítězslav Nezval, *Pantomima*, 1935 (Nové vydání), 21.0 x 13.5cm, 226, (1)pp., Karel Teige (Cover, Typography)
一九二二年初版の新版。判型が小型化し、全体にコンパクトになっている。

81

82

81
ヴィーチェスラフ・ネズヴァル
『さようならとハンカチ――一九三三年旅の詩』
一九三五年（第三版）
フランティシェク・ムズィカ（表紙）、カレル・タイゲ（タイポグラフィ）
Vítězslav Nezval, *Sbohem a šáteček: Básně z cesty (1933)*, 1935 (3. vydání), 21.5 x 13.5cm, 208pp., Karel Teige (Typography) & František Muzika (Cover)

82
ヴィーチェスラフ・ネズヴァル
詩集『複数形の女』
無刊記（一九三六年）
カレル・タイゲ（表紙、タイポグラフィ、フォトモンタージュ）
Vítězslav Nezval, *Žena v množném čísle: Poesie*, 1936, 21.7 x 13.7cm, 206pp., Karel Teige (Cover, Typography, Photomontages)
タイゲによるシュルレアリスム風のフォトコラージュが二点付されている。

84

83

85

83 ヴィーチェスラフ・ネズヴァル
『見えないモスクワ』
一九三五年
カレル・タイゲ（表紙、タイポグラフィ）、インドジフ・シュティルスキー（挿絵）
Vítězslav Nezval, *Neviditelná Moskva*, 1935, 21.5 x 13.5cm, 171pp., Karel Teige (Cover, Typography) & Jindřich Štýrský (Illustrations)

84 ヴィーチェスラフ・ネズヴァル
詩集『一条の雨降るプラハ』
一九三六年
カレル・タイゲ（表紙、タイポグラフィ、フォトモンタージュ）
Vítězslav Nezval, *Praha s prsty deště*, 1936, 21.5 x 13.5cm, 204, (1)pp., Karel Teige (Cover, Typography, Photomontages)

85 ヴィーチェスラフ・ネズヴァル
『夜の詩』
一九三八年（第四版）
カレル・タイゲ（表紙、タイポグラフィ）
Vítězslav Nezval, *Básně noci*, 1938 (4. vydání), 19.5 x 12.3cm, 206pp., Karel Teige (Cover, Typography)

86

87

86—90
プレヤダ書店出版物
プラハ、プレヤダ、ルドルフ・シュケジーク
Edice Plejada, Praha, Rudolf Škeřík

86 ヴィーチェスラフ・ネズヴァル
『アクロバット』
一九二七年
ヴィート・オブルテル（表紙、タイポグラフィ、扉絵）
Vítězslav Nezval, *Akrobat*, 1927, 20.1 x 13.6cm, 44, (1)pp., Vít Obrtel (Cover, Typography, Frontispiece)

限定二百五十部本。プレヤダ書店が企画した「新詩叢書」の第一冊目にあたる。装釘はオブルテルで、この叢書のロゴと、そしてクロース装カバーの装釘と、それに使われる詩人のモノグラムを、同時に手がけている。ポエティスムを代表するデザインである。

87 ヴラジスラフ・ヴァンチュラ
『教師と生徒』
一九二七年
ヴィート・オブルテル（表紙）
Vladislav Vančura, *Učitel a žák*, 1927, 20.0 x 13.7cm, 66, (2)pp., Vít Obrtel (Cover)
限定二百五十部本。

88 ヴィーチェスラフ・ネズヴァル
『エジソン』
一九二八年
ヴィート・オブルテル（表紙、タイポグラフィ）
Vítězslav Nezval, *Edison*, 1928, 20.2 x 13.5cm, 49pp., Vít Obrtel (Cover, Typography)

89 ヤロスラフ・サイフェルト
『伝書鳩——一九二八—一九二九年詩集』
一九二九年
ヴィート・オブルテル（表紙）
Jaroslav Seifert, *Poštovní holub: Básně*

89

88

90

1928–1929, 1929, 20.5 x 13.4cm, 75pp., Vít Obrtel (Cover)
限定三百五十部本。

90 フランチシェク・ハラス
『雄鶏は死を懼れさせる——一九二八—一九二九年詩集』
一九三〇年
ヴィート・オブルテル（表紙）、インドジフ・シュティルスキー、トワイヤン（扉絵）
František Halas, *Kohout plaší smrt: Básně 1928–1929*, 1930, 20.4 x 13.5cm, 56, (6)pp., Vít Obrtel (Cover), Jindřich Štyrský & Toyen (Frontispiece)
限定三百五十部本。

91

92

91—94
ストナル装丁・クラトフヴィール挿絵バーナード・ショウ本
ジョージ・バーナード・ショウ
ラジスラフ・ストナル（表紙、タイポグラフィ）、ズデニェク・クラトフヴィール（挿絵）
George Bernard Shaw, Ladislav Sutnar (Cover, Typography) & Zdeněk Kratochvíl (Illustrations)

91 『小品集一』
一九三〇年、プラハ、ドゥルシュステヴニー・プラーツェ、アルフレド・プフランツェル、カレル・ムシェク共訳
Drobnosti I, 1930, Praha, Družstevní práce, Translated by Alfred Pflanzer & Karel Mušek, 19.4 x 14.3cm, 129, (2)pp.

92 『結婚』
一九三一年、プラハ、ドゥルシュステヴニー・プラーツェ、エミリエ・K・シュクラーチョヴァー翻訳
Ženění a Vdávání, 1931, Praha, Družstevní práce, Translated by Emilie K. Škráčová, 19.4 x 14.0cm, 244, (3)pp.

93 『林檎手押し車』
一九三二年、プラハ、ドゥルシュステヴニー・プラーツェ、フランク・テタウエル翻訳
Trakař Jablek, 1932, Praha, Družstevní práce, Translated by Frank Tetauer, 19.3 x 14.0cm, 159, (2)pp.

94 『キャプテン・ブラスバウンドの改宗』
一九三二年、プラハ、ドゥルシュステヴニー・プラーツェ、ウラジミール・プロハースカ、カレル・ムシェク共訳
Obrácení Kapitána Brassbounda, 1932, Praha, Družstevní práce, Translated by Vladimír Procházka & Karel Mušek, 19.3 x 14.0cm, 130, (1)pp.

94

93

95

95
アルノルト・ツヴァイク
『王の戴冠』
一九三八年、プラハ、ドゥルシュステヴニー・プラーツェ
ラジスラフ・ストナル（表紙）、エマヌエル・フリンタ（挿絵）
Arnold Zweig, *Nastolení krále*, 1938, Praha, Družstevní práce, 18.7 x 13.8cm, 491, (4)pp., Ladislav Sutnar (Cover) & Emanuel Frinta (Illustrations)

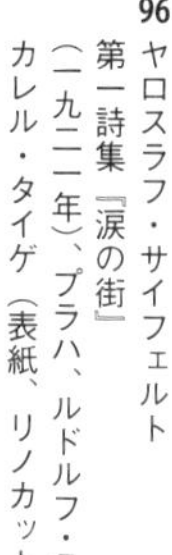

96

97

■その他の出版物

96
ヤロスラフ・サイフェルト
第一詩集『涙の街』
（一九二一年）、プラハ、ルドルフ・ライマン
カレル・タイゲ（表紙、リノカット挿絵）
Jaroslav Seifert, *Město v slzách: První verše*, (1921), Praha, Rudolf Rejman, 18.7 x 14.0cm, 62pp., Karel Teige (Cover, Linoryt illustrations)

サイフェルトの処女詩集。デヴィエトスィルの名前による緒言があることから、このグループの活動の嚆矢として、重要な本である。表紙ならびに挿絵は、いまだ立体表現主義の影響下にあったタイゲのオリジナル・リノカット。なお、本書の第二版（一九二三年）、第三版（一九二九年）の装釘も、タイゲの手になる。

97
ヤロスラフ・サイフェルト
第一詩集『涙の街』
一九二九年（第三版）、プラハ、オデオン
カレル・タイゲ（表紙、タイポグラフィ）
Jaroslav Seifert, *Město v slzách: První verše*, 1929 (3. vydání), Praha, Odeon, 19.9 x 14.0cm, 67pp., Karel Teige (Cover, Typography)

第二版に較べ、幾何学的な要素への傾斜が強まっている。

98
ギヨーム・アポリネール
序幕付き二幕によるシュルレアリスム劇『ティレシアスの乳房』オデオン叢書一五

99

98

一九二六年、ヤロスラフ・サイフェルト翻訳
カレル・タイゲ（表紙、頁レイアウト）、ヨゼフ・シーマ（全頁大挿絵）

Guillaume Apollinaire, *Prsy Tiresiovy: Nadrealistické drama o dvou jednáních s prologem*, Odeon 15, 1926, Translated by Jaroslav Seifert, 20.0 x 14.0cm, 71, (5)pp., Karel Teige (Cover, Layout) & Josef Šíma (full-page illustrations)

千部限定本。一九一六年に完成されたアポリネール劇の初訳。戦時の到来を前に、フランス人に出産を奨めるべく書かれたもの。アポリネールは、一九一七年三月ポール・デルメに宛てた書簡のなかで、「シュルレアリスム」の言葉を初めて使ったという。この台本は、その言葉を冠せられた最初のものという意味で、記憶に値する。一九一七年六月にパリで初演された。

99

オット・ゾンネンフェルト
一幕物喜劇『愛のおとぎ話』
一九二六年、プラハ、ブルノ支部デヴィエトスィル
アルトゥシュ・チェルニーク（表紙）

Otto Sonnenfeld, *Pohádka lásky: Komedie o 1 aktu*, 1926, Praha, Brno "Devětsil", 22.0 x 15.5cm, 24, (2)pp., Artuš Černík (Cover)

100

100
フィリッポ＝トマーゾ・マリネッティ
『解き放たれた言葉』（未来派自由語）
一九二二年（第二版）、プラハ、ペトル＆トヴルディー、アトム叢書
ヨゼフ・チャペック（リノカット表紙）
Filippo-Tommaso Marinetti, *Osvobozená slova (Les mots en liberté futuristes)*, 1922 (2. vydání), Praha, Petr a Tvrdý, Edice Atom, 20.5 x 13.5cm, 84pp, Josef Čapek (Cover Linoryt)

第二版も初版と同じ年に刊行されている。イタリア未来派の領袖マリネッティの代表的な著作として知られる『未来派自由語』は、タイポグラフィの遊びが書中の随所に盛り込まれ、また活字による造形詩を印刷した折り込み図をともなうため、外国語への翻訳には馴染みにくい。そのため、本書はマリネッティの上掲著作の世界最初にして、唯一の翻訳書となった。

101
カレル・シュルツ
『北・南・西・東』
一九二三年、プラハ、ヴォルテル＆ライマン
カレル・タイゲ＆ヤロスラフ・クレイツァル（表紙）
Karel Schulz, *Sever-jih-západ-východ*, 1923, Praha, Vortel & Rejman, 18.0 x 13.0cm, 137, (2)pp., Karel Teige & Jaroslav Krejcar (Cover)
表紙の意匠について、ズデニェク・プリムスはリシツキーの『プロウン』（Proun R. V. N. 2）からの影響を指摘している。

102
ヤロスラフ・サイフェルト
散文詩集『ひたすらの愛』
一九二三年、プラハ、ヴェチェルニツェ
オタカル・ムルクヴィチカ（表紙、挿絵）

Jaroslav Seifert, *Samá láska: Verše*, 1923, Praha, Večernice, 19.5 x 13.8cm, 61, (1)pp., Otakar Mrkvička (Cover, Illustrations)

サイフェルトの第二詩集。ムルクヴィチカはフォトモンタージュを構成するにあたって、蒸気船と自動車のタイヤ、花瓶と空を対比させるなど、イメージの異化効果によって、新しい時代の雰囲気を醸し出している。ポエティスムの「絵画詩」の代表作とされる。

103
ヴィーチェスラフ・ネズヴァル
『パントマイム――一九二二―一九二四年詩集』
一九二四年、プラハ
インドジフ・シュティルスキー（表紙、挿絵）、カレル・タイゲ（タイポグラフィ）

Vítězslav Nezval, *Pantomima: Poesie 1922–1924*, 1924, Praha, Ústřední studentské knihkupectví a nakladatelství, 25.4 x 16.4cm, 140pp., Jindřich Štyrský (Cover, Illustrations) & Karel Teige (Typography)

限定千部本。ネズヴァルの著作の体裁をとっているが、実際には、タイゲやホンズルなど、デヴィエトスィルのメンバーが参加しており、チェコ・アヴァンギャルドのマニフェスト的な意味をもっている。本文のレイアウトを担当したタイゲは、詩の内容に応じて、各種の活字を使い分けている。また、フォトモンタージュによるシュティルスキーの表紙も「絵画詩」の代表例として知られる。

102

101

103

104

105

104
ルイ・デリュック
『映画ドラマ』
一九二五年、プラハ、ラジスラフ・クンツィーシュ、ジェーン翻訳
カレル・タイゲ（表紙、タイポグラフィ）
Louis Delluc, *Filmová dramata*, 1925, Praha, Ladislav Kuncíř, Authorised translation by Jane, 19.8 x 12.0cm, 77, (1) pp., Karel Teige (Cover, Typography)

表紙には女優エヴァ・フランシスの写真が使われており、同じ写真が扉に貼り込まれている。正面を凝視する顔は、モホイ＝ナジのコラージュや、ロドチェンコによる、マヤコフスキー詩集『これについて』（一九二三年）の表紙など、いくつかの類例が知られており、タイゲもまた、時代の動向に応えている。写真のトリミングの妙もあり、一分の隙もない、見事な表紙構成となっている。

105
ウラジミール・マヤコフスキー
ボフミル・マテジウス訳革命叙事詩『一億五千万』アトム叢書一六
一九二五年、プラハ、ヴァーツラフ・ペトル、アトム
ヴァーツラフ・マシェク（表紙、全頁大木版画挿絵）
Vladimir Majakovskij, *150,000,000: Revoluční epos*, překl Boh. Mathesius, Edice Atom 16, 1925, Praha, Václav Petr, Edice Atom, 21.9 x 13.5cm, 113, (2)pp., Václav Mašek (Cover, 7 full-page illustrations)

一九二五年二月プラハのヴィノフラディ劇場では、二月革命を記念して「新しいロシアの詩」の夕べが開催され、マヤコフスキーの革命叙事詩『一億五千万』が披露されている。マシェクの大胆な構成は、対角線構図を好むロシア・アヴァンギャルドに学んだものであり、マヤコフスキー詩集のトレードマークとなった。本書には二種の色違い本が存在する。一九四五年には、プラハのメラントリフから、マシェクのオリジナル石版九点を含む第二版が四つ折り判で出版されている。

106
ヤロスラフ・サイフェルト
『無線電信の波の上で』、ホスト叢書一
一九二五年、プラハ、ヴァーツラフ・ペトル
カレル・タイゲ（表紙、タイポグラフィ）
Jaroslav Seifert, *Na vlnách T (elegraphie) S (ans) F (il)*, Edice Hosta 1, 1925, Praha,

107

106

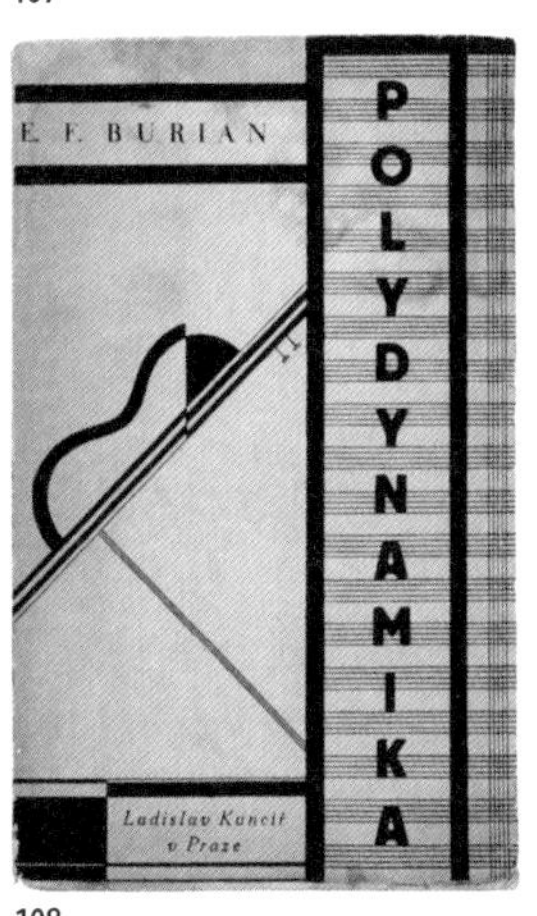

108

Václav Petr, 22.5 x 17.1cm, 68, (2)pp., Karel Teige (Cover, Typography)

タイゲによるダダ的なタイポグラフィの試みが注目される。「無線電信」に都会生活の新時代の到来を見ようとしたのはイタリア未来派であり、この詩集も、それを踏まえたものである。

107

エミル・フランチシェク・ブリアン
学習入門書『現代ロシア音楽』小型版
一九二六年、プラハ、オデオン
イジー・フリムル（表紙）

Emil František Burian, *O moderní ruské hudbě: Populární úvod ke studiu, Malá edice*, 1926, Praha, Odeon, 17.8 x 11.0cm, 30, (2)pp., Jiří Friml (Cover)

フリムルはロシア構成主義を思わせるデザインを特徴とした。

108

エミル・フランチシェク・ブリアン
『ポリディナミカ』
一九二六年、プラハ、ラディスラフ・クンツィーシュ
ヴィート・オブルテル（表紙、タイポグラフィ）

Emil František Burian, *Polydynamika*, 1926, Praha, Ladislav Kuncíř, 20.1 x 12.4cm, 72, (4)pp., Vít Obrtel (Cover, Typography)

縦に長い判型、七十二頁の薄い束、アンカット仮綴じ本、各種の線を多用した構築的なカヴァーなど、すべての点で、チェコ・アヴァンギャルド本の特徴を備えている。

M

jasná hvězdo chiromantie
Úspěch se s hlavní čarou kříží
Život a srdce dvě mocné linie
ve smrti dlaň tvou navždy k spánku sklíží

30

RRRRR

Bubínky daly se na pochod
přes sedm mostů přes devět vod
RRR komedianti z Devětsilu
rozbili stánek na březích božského Nilu

38

109 ヴィーチェスラフ・ネズヴァル『アベツェダ（アルファベット）——ミルチァ・マイエロヴァーの舞踏構成』

109

一九二六年、プラハ、J・オット
カレル・タイゲ（表紙、タイポグラフィ、フォトモンタージュ二五点）

Vítězslav Nezval, *Abeceda: Taneční komposice Milči Mayerové*, 1926, Praha, J. Otto, 29.7 x 23.1cm, 57pp., Karel Teige (Cover, Typography, 25 Photomontages)

限定二千部本。チェコ・アヴァンギャルドの文芸出版物としては異例の大判である。文学、ダンス、舞台演出、写真、グラフィック・デザイン、タイポグラフィを総合し、現代生活に見合った表現形式を実現してみせたという意味で、本書はまさにチェコ・アヴァンギャルドの出版物の金字塔といってよい。

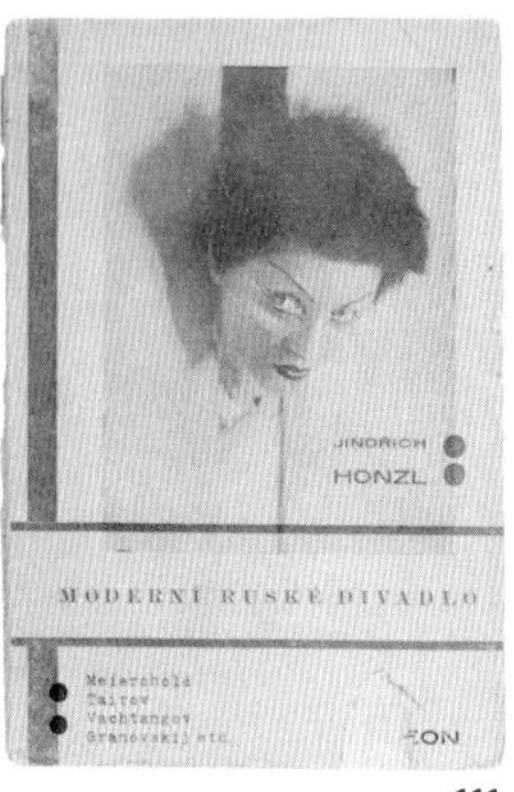

110

110
A・C・ノル
『酔譚集』
一九二六年、プラハ、ヴァーツラフ・ペトル
アントニーン・ヘイトゥム（表紙）、ヴァーツラフ・マシェク（口絵）
A.C. Nor, *Opilé povídky*, 1926, Praha, Václav Petr, 19.5 x 12.6cm, 92, (4)pp., Antonín Heythum (Cover) & Václav Mašek (Frontispiece)
限定二千二十五部木。乾いた色遣いが印象的である。ヘイトゥムの作例はごくわずかしかない。

111
インドジフ・ホンズル
『現代ロシア演劇――メイエルホリド、タイロフ、ヴフタンゴフ、グラノフスキイ他』
一九二八年、プラハ、オデオン
カレル・タイゲ（表紙、写真、タイポグラフィ）
Jindřich Honzl, *Moderní ruské divadlo: Meierhold, Tairov, Vachtangov, Granovskij aj.*, 1928, Praha, Odeon, 19.7 x 13.8cm, Karel Teige (Cover, Photo & Typography)

112
カレル・スムルシュ
『そもそも映画はいかにして作るか？』
一九二八年、プラハ、ショルツ&シマーチェク
オタカル・ムルクヴィチカ（表紙、挿絵）

113

112

114

Karel Smrž, *Jak se vlastně dělá film?*, 1928, Praha, Šolc a Šimáček, 17.5 x 12.0cm, 119, (4)pp., Otakar Mrkvička (Cover, Illustrations)

113
エミル・フランチシェク・ブリアン
『黒人舞踏』レド絵入り文庫一
一九二九年、プラハ、オデオン
カレル・タイゲ（表紙、タイポグラフィ）
Emil František Burian, *Černošské tance*, Obrazová knihovna Redu sv. 1, 1929, Praha, Odeon,18.0 x 11.9cm, 16pp. + 34 figs., Karel Teige (Cover, Typography)

タイゲを中心とする『ReD』編集部が、文庫版叢書として企画出版したものである。しかし、このシリーズは本書の刊行のみにとどまった。

114
アドルフ・ホフマイステル
詩集『愛のＡＢＣ』新鋭作家叢書一四
無刊記、プラハ、Ｆ・スヴォボダ
アドルフ・ホフマイステル（表紙、タイポグラフィ）
Adolf Hoffmeister, *Abeceda lásky: Verše*, s.d., Praha, F. Svoboda, 14.7 x 10.7cm, 90, (2)pp., Adolf Hoffmeister (Cover, Typography)

贅沢で、しかも愛らしい、まさに掌中の玉のような小詩集である。

115

básně
vítězslav nezval
PĚT PRSTŮ

116

115
コンスタンチン・ビーブル
『天国、地獄、極楽』「薔薇園」叢書二
一九三一年（第二版）、プラハ、スフィンクス、ボフミル・ヤンダ
カレル・タイゲ（表紙、タイポグラフィ）
Konstantin Biebl, *Nebe Peklo Ráj*, 2 svazek Sbirky Růžová zahrada, 1931 (2. vydání), Praha, Sfinx Bohumil Janda, 21.2 x 15.0cm, 54, (2)pp., Karel Teige (Cover, Typography)
一九三〇年に百五十部限定で初版された一九二九—三〇年詩集の改訂第二版。

116
ヴィーチェスラフ・ネズヴァル
詩集『五本指』
一九三二年、プラハ、ムニェスィーツ
Vítězslav Nezval, *Pět prstů: Básně*, 1932, Praha, Měsíc, 25.3 x 17.8cm

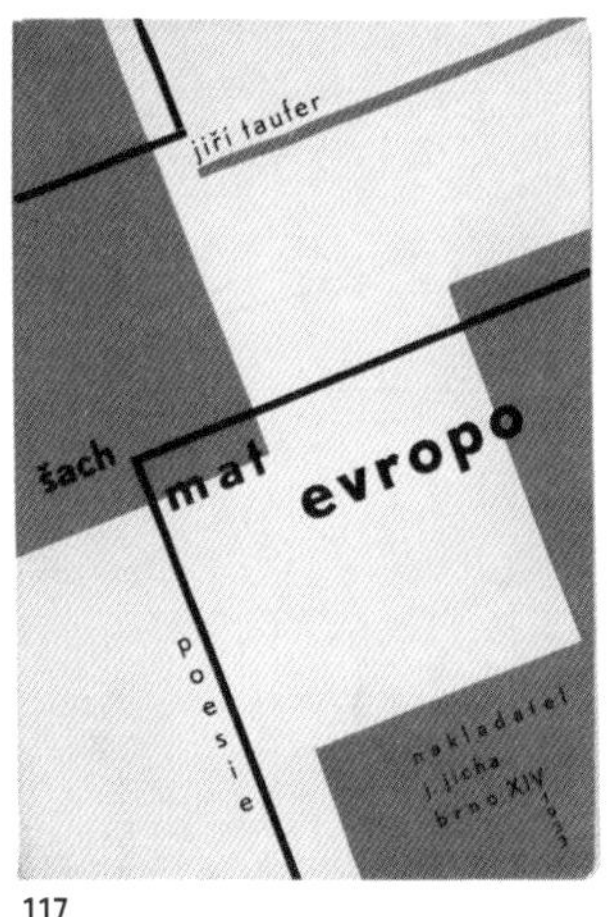

117

117 イジー・タウフェル
『ヨーロッパ王手』
一九三三年、ブルノ、J・イーハ
Jiří Taufer, *Šach mat, Evropo: Poesie*, 1933, Brno, J. Jícha, 21.0 x 14.7cm, 66, (4) pp.

118

119

118
フランチシェク・ネフヴァータル
『パレットの上の灼熱』
一九三五年、プラハ、ヴァーツラフ・ペトル
ズデニェク・ロスマン（表紙）
František Nechvátal, *Vedro na paletě*, 1935, Praha, Václav Petr, 21.2 x 13.0cm, 110, (6)pp., Zdeněk Rossmann (Cover)
限定五百部。

119
カレル・コンラート
『地中海の鏡』
一九三五年、プラハ、ザーポトチニー
ヴォイチェフ・ティテルバッハ（表紙、口絵）
Karel Konrád, *Středozemní zrcadlo*, 1935, Praha, Zápotočný, 19.3 x 14.3cm, 104, (4) pp., Vojtěch Tittelbach (Cover, Frontispiece)
限定二千二百部本。ティテルバッハは一九三〇年代のシュルレアリスム傾向を代表するフォトモンタージュ作品を残している。

120

121

120
ヴィンツィ・シュヴァルツ（収集・構成）
『詩人の一年――一九三六年の風刺とアイロニー集』
一九三六年、プラハ、ドゥルシュステヴニー・プラーツェ
フランチシェク・ビドゥラ（表紙）、ラジスラフ・ストナル（レイアウト）
Vincy Schwarz, *Básníkův rok: Sborníček satiry a ironie na rok 1936*, 1936, Praha, Družstevní práce, 20.2 x 12.6cm, 62, (2)pp., František Bidla (Cover)

121
ヴィンツィ・シュヴァルツ（収集・構成）
『壁の詩集――一九三七年の風刺とアイロニー』
一九三七年、プラハ、ドゥルシュステヴニー・プラーツェ
フランチシェク・ビドゥラ（表紙）、ラジスラフ・ストナル（レイアウト）
Vincy Schwarz, *Verše na zeď.: Sborníček satiry a ironie na rok 1937*, 1937, Praha, Družstevní práce, 20.2 x 12.6cm, 70, (2)pp., František Bidla (Cover)

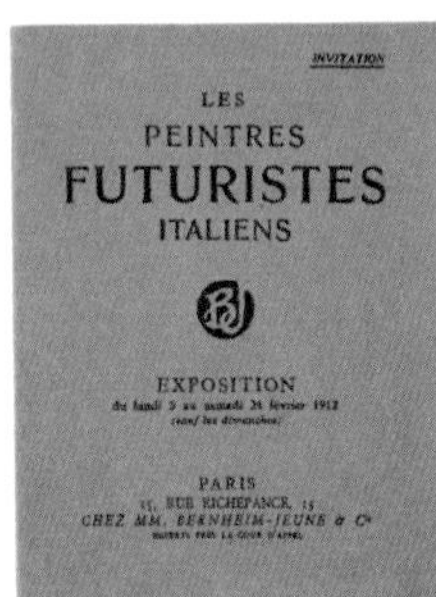

123

122

124

■参考図版

122
『イタリア未来派画家作品』展目録
一九一二年、ロンドン、有限会社サックヴィル画廊
Exibition of Works by the Italian Futurist Painters, 1912, London The Sackville Gallery. Ltd.

123
『イタリア未来派画家』展目録
一九一二年、パリ、有限会社ベルネーム＝ジューヌ画廊
Les Peintres Futuristes Italiens, 1912, Paris, Bernheim-Jeune & Cie.

124
ヘアヴァルト・ヴァルデン編集
『未来派——ウンベルト・ボッチョーニ、カルロ・カッラ、ルイジ・ルッソロ、ジーノ・セヴェリーニ』展目録
一九一二年、ベルリン、現代美術促進会
Herwarth Walden, *Die Futuristen: Umberto Boccioni, Carlo D. Carrà, Luigi Russolo, Gino Severini*, 1912, Berlin, Gesellschaft für Forderung moderner Kunst

126

125

127

125
ハンス・ゴルツ編集
『デア・ブラウエ・ライター――黒と白』展目録
一九一二年、ミュンヘン、ハンス・ゴルツ
Hans Goltz, *Der Blaue Reiter: Schwarz-weiss*, 1912, München, Hans Goltz

126
ヘアヴァルト・ヴァルデン編集
第一回『ドイツ秋季サロン』展目録
一九一三年、ベルリン、デア・シュトゥルム書店
Herwarth Walden, *Erster Deutscher Herbestsalon*, 1913, Berlin, Der Sturm

127
ハンス・ゴルツ編集
第一〇回ミュンヘン『ノイエ・クンスト（新美術）――水彩・版画・素描』展目録
一九一二年、ミュンヘン、ハンス・ゴルツ
Hans Goltz, *Zehn Jahre Neue Kunst in München: Aquarelle, Zeichnunge u. Graphik*, 1912, München, Hans Goltz

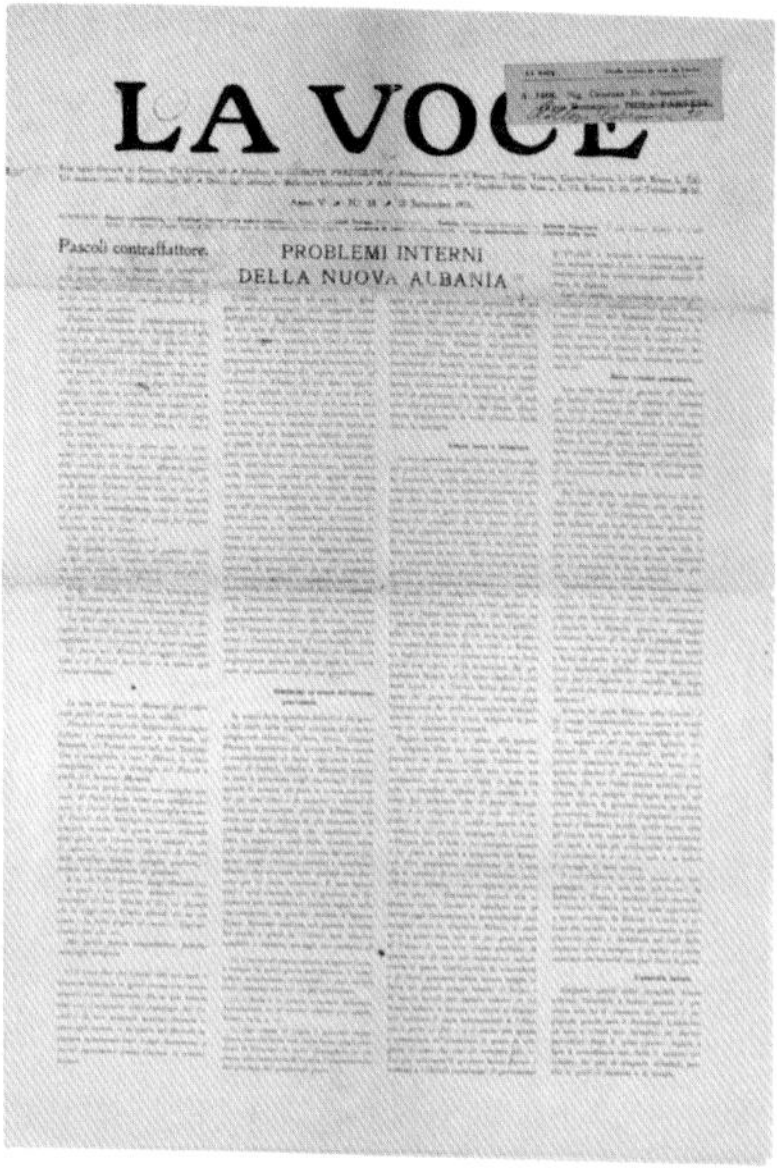

LA VOCE

Pascoli contraffattore.

PROBLEMI INTERNI
DELLA NUOVA ALBANIA

128

128
ジョヴァンニ・パピーニ、アルデンゴ・ソッフィチ編
『ラ・ヴォーチェ（声）』第五年三八号
一九一三年九月一八日、フィレンツェ
Giovanni Papini & Aldengo Soffici, *La Voce*, no.38, 18 settembre 1913, Anno V, Firenze

129
ヘアヴァルト・ヴァルデン編集
『デア・シュトゥルム（嵐）』予告号、附購読申込書
一九一〇年、ベルリン、デア・シュトゥルム書店
Herwarth Walden, *Der Sturm: Wochenschrift für Kultur und die Kunste*, 1910, Berlin, Verlag Der Sturm

130
ヘアヴァルト・ヴァルデン編集
『デア・シュトゥルム（嵐）』
一九一〇年一〇月六日、ベルリン、デア・シュトゥルム書店
オスカー・ココシュカ（表紙石版）
Herwarth Walden, *Der Sturm: Wochenschrift für Kultur und die Kunste*, 6 Oktober 1910, Berlin, Verlag Der Sturm, Osker Kokoschka (Cover)

131
フランツ・プフェムフェルト編集
週刊政治・文芸・美術誌『ディ・アクツィオーン（行動）』第八巻二五／二六号
一九一八年、ベルリン／ヴィルマールスドルフ、ディ・アクツィオーン書店
スタニスラフ・ブビキ（表紙石版）
Franz Pfemfert, *Die Aktion: Wochenschrift für Politik, Literatur, Kunst*, VIII-25/26, 1918, Berlin/Wilmersdorf, Die Aktion Verlag, St. Bubicki (Cover)

132
フランツ・プフェムフェルト編集
週刊政治・文芸・美術誌『ディ・アクツィオーン（行動）』第八巻三五／三六号
一九一八年、ベルリン／ヴィルマールスドルフ、ディ・アクツィオーン書店
ジェルジィ・ヒュルウィッツ（表紙木版）
Franz Pfemfert, *Die Aktion: Wochenschrift für Politik, Literatur, Kunst*, VIII-35/36, 1918, Berlin/

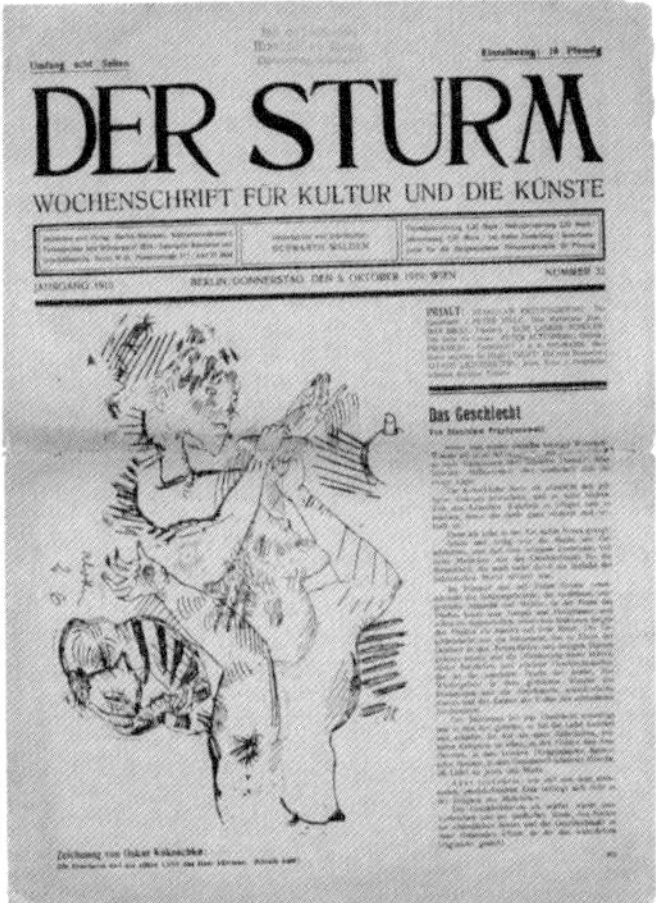
DER STURM
WOCHENSCHRIFT FÜR KULTUR UND DIE KÜNSTE
Das Geschlecht

130

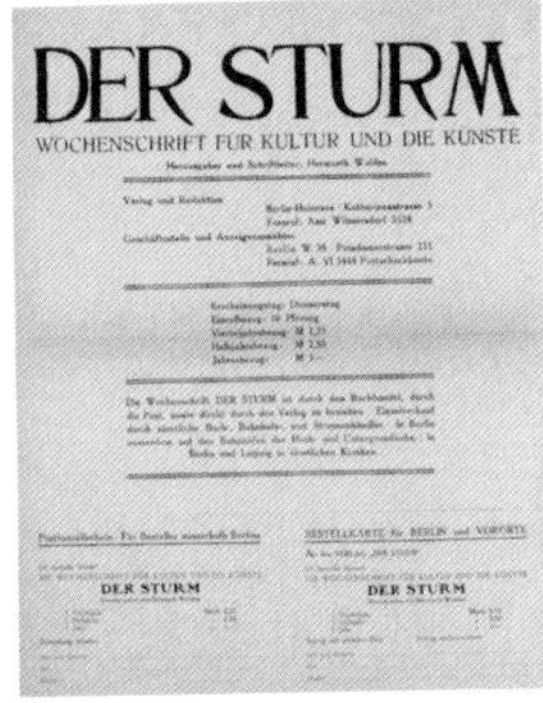
DER STURM
WOCHENSCHRIFT FÜR KULTUR UND DIE KÜNSTE
DER STURM
DER STURM

129

Die Aktion
WOCHENSCHRIFT FÜR POLITIK, LITERATUR, KUNST
VIII. JAHR HERAUSGEGEBEN VON FRANZ PFEMFERT NR.
SONDERHEFT JERZY V. HULEWICZ
VERLAG · DIE AKTION · BERLIN-WILMERSDORF
HEFT 80 PFG.

132

Die Aktion
WOCHENSCHRIFT FÜR POLITIK, LITERATUR, KUNST
VIII. JAHR HERAUSGEGEBEN VON FRANZ PFEMFERT NR.
VERLAG · DIE AKTION · BERLIN-WILMERSDORF
HEFT 80 PFG.

131

Wilmersdorf, Die Aktion Verlag, Jerzy V. Hulewicz (Cover)

133

134

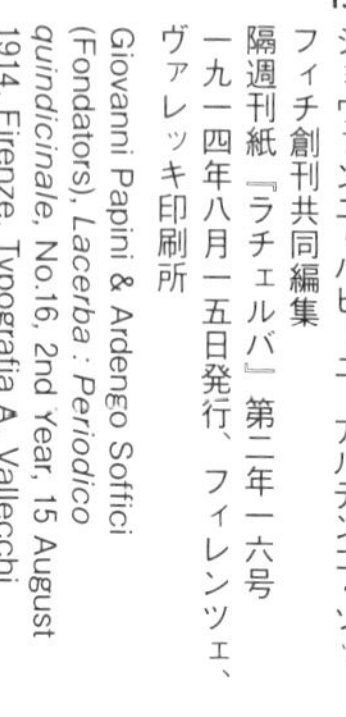

133 ジョヴァンニ・パピーニ、アルデンゴ・ソッフィチ創刊共同編集
隔週刊紙『ラチェルバ』第二年一六号
一九一四年八月一五日発行、フィレンツェ、ヴァレッキ印刷所
Giovanni Papini & Ardengo Soffici (Fondators), *Lacerba : Periodico quindicinale*, No.16, 2nd Year, 15 August 1914, Firenze, Typografia A. Vallecchi

134 ラウル・ハウスマン編集
『デア・ダダ』第一号
一九一八年、スティーグリッツ・ツィンマーマン
Raul Hausmann, *Der Dada*, no.1, 1920, Steiglitz Zimmermann

135 ヴィーラント・ヘルツフェルデ、ジョン・ハートフィールド編集
週刊新聞『ノイエ・ユーゲント（新青年）』第二期
一九一七年、ベルリン、マリク書店
Wieland Herzfelde & John Heartfield, *Neue Jugend: Monatsschrift/ Wochenausgabe*, 2ème série, 1917, Berlin, Malik Verlag

IM JUNI 1917

NEUE JUGEND

PREIS 20 PF.

PROSPEKT

CHRONIK Friedrich Adler ist zum Tode verurteilt, Stockholm-Getöne gegen internationale Teuerung - das Leben weiterhin billiger, Lebensmittel bleiben in Cornerstimmung. Nach Reuter verhungern in Ovamboland die Ovambos, keine Kaffern - in den European Dominions niemand! Verhungert doch - Steigerung!! Spinoza ist eingestampft für Bedarf diplomatischer Sendschreiben - Liberia, Pseudoliberia - Molière verrieselt in Sternheim (Zukunft vom 26. 5. 1917), Umfassungsmanöver gegen Wallner in Wien, Durst! - das Aktionsbuch ist erschienen. Frühlingswende fiebert Sexualität, Heufieber. Liebeich la l'au! Sich hinzu-schmeissen! Lichtmord!! — unsere Seelen sind so wund. **Amokläufer** . . . . Die Messer raus!!!

Man muß Kautschukmann sein!

Die Sekte 1917

Die Sekte Neunzehn Siebzehn wächst aus dem Intellekt der umstehenden Zuhörer empor und zwingt ihre Mitglieder gegen den Block der Überzeugten. Die ohnmächtige Wut unsererLeser verpflichtet, einen bereits in Schwingung umgesetzten Glauben wieder zu fixieren, um mit den Gläubigen von neuem dagegen loszugehen. Die Leute wollen halt nichts alleine tun.

Sekten. Mehr Sekten. Noch mehr Sekten.

Das Wunder der Christian Science ist über unseren kürzlich veranstalteten **Werbe Abend** gerauscht und schüttet Glück aus über diejenigen, die uns lieben, um uns hinterrücks zu erdolchen.

Darum muss Einer seine Stimme erheben: Nicht mehr glauben, überhaupt nicht glauben. Sich selbst. (Sich und selbst) Beten.

Wenngleich jeder schuldig ist an der Unfähigkeit der andern, Feind zu sein, sondern schlotternder Neidhammel, soll keiner an dieser Schuld sich selbst beruhigt genug sein lassen. Nicht das Peinliche dieser Schuld schmatzend zu fressen, soll es ankommen, sondern Genuss auch noch auszukotzen — und wiederum zu fressen und wiederum!

Es ist in jeder Sekunde, die ein hundertmalverfluchtesLebenschenkt (unsägliche Wonne durstend das galizische Petroleumgebiet zu durchfahren, die Gestänge der Bohrtürme verrusst!) so unendlich vieles zu tun.

Betet mit dem Schädel gegen die Wand!!

Wir — aha! — wir treten gegen die Menschen nicht auf. Wir treten geduldig noch mit den Menschen auf. Die Sekte Neunzehn Siebzehn schlägt gegeneinander, Sturmflut aus unseren Gebeten, die aus der Ohnmacht der Gläubigen emporgewachsen sind. Unsere Mitglieder verrecken, weil die Sekte sie nicht mehr locker lässt. Betet aus unseren Gebeten zu diesem Ende. Damit ihr endlich in die Schlinge kommt. Es ist ein so ungleiches Spiel mit diesen Sanften, Zappelnden. Der Magen der **Neunzehn Siebzehn** will das alles nicht mehr verdauen, immer wieder dasselbe, die Ohnmacht der Gläubigen, der Block der Ueberzeugten, das Einfangen, Verarbeiten, Auskotzen, Fressen,

REKLAMEBERATUNG

988 TELEPHON

das Ich triumphierend über Puntas Arenas, Michigan See, Sachalin bis Sorau. Dort wurde der Dichter Heinrich Steinhausen geboren, steht in der Zeitung.

Halt dich, Junge.

Die Frist ist um. Her die neue Ladung. Sektierer, los! Wieviel zappeln schon wieder?

Die Arbeit Arbeit Arbeit Arbeit: Triumph der Christian Science.

Das Wunder der Sekte Neunzehn Siebzehn.

1917.

SCHREIT!!

Kannst du radfahren?

Aber kannst Du radfahren?

Ladies and gentlemen!

Dieses Blatt ist der

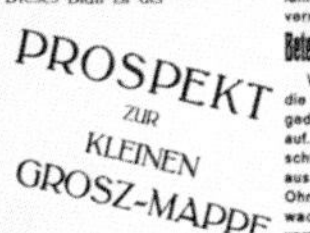

136

137

136 ラウル・ハウスマン、ジョージ・グロッス、ジョン・ハートフィールド編集
『デア・ダダ』第三号
一九二〇年、ベルリン、マリク書店
ジョン・ハートフィールド（表紙フォトモンタージュ）

Raul Hausmann , George Grosz & John Heartfield, *Der Dada*, no.3, 1920, Berlin, Malik Verlag, John Heartfield (Cover)

137 リヒャルト・ヒュルゼンベック
『ダダ・アルマナック』
一九二〇年、ベルリン、エーリッヒ・ライス書店

Richard Huelsenbeck, *Dada Almanach*, 1920, Berlin, Erich Reiss Verlag

138 アルフレッド・ザウアーマン
『ダダ＝オシリス――エンツュクロペディ』第一号
一九一九年、ベルリン、グロテスク美術書店

Alfred Sauermann, *Dada-Osiris: Enzyklopädie*, I.Tomus, 1919, Berlin, Verlag Groteske Kunst

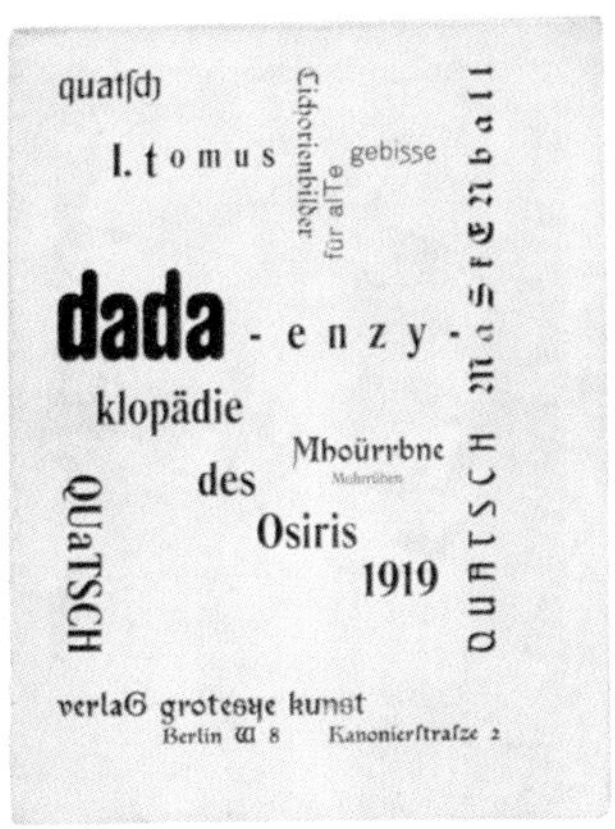

138

139

140

139
アルフレッド・ザウアーマン
『ダダ＝オシリス――エンツュクロペディ』第二号
一九二〇年、ベルリン、グロテスク美術書店
Alfred Sauermann, *Dada-Osiris: Enzyklopädie*, 2. Band, 1920, Berlin, Verlag Groteske Kunst

140
アルフレッド・ザウアーマン
『ダダ＝トラジェディ』
一九二〇年、ベルリン、グロテスク美術書店
Alfred Sauermann, *Dada-Tragödie*, 1920, Berlin, Verlag Groteske Kunst

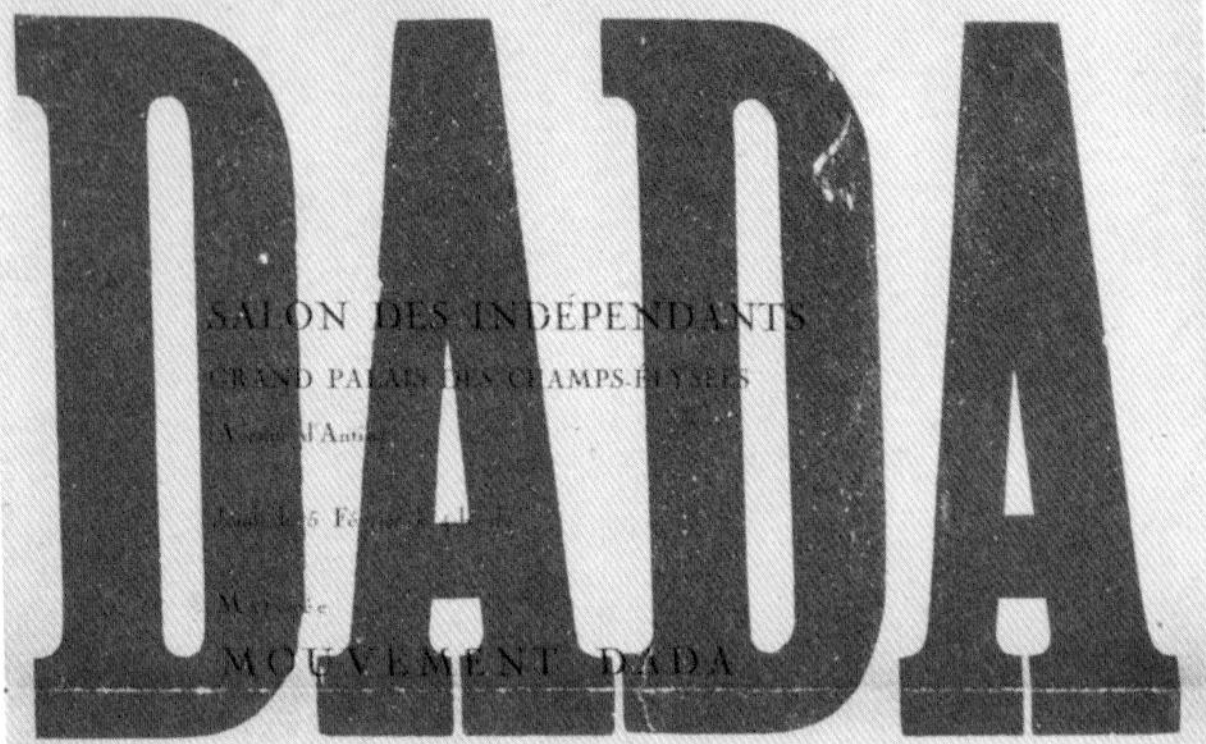

BULLETIN

DADA

SALON DES INDÉPENDANTS

GRAND PALAIS DES CHAMPS-ÉLYSÉES

MOUVEMENT DADA

FRANCIS PICABIA

manifeste lu par 10 personnes

GEORGES RIBEMONT-DESSAIGNES

manifeste lu par 9 personnes

ANDRÉ BRETON

manifeste lu par 8 personnes

PAUL DERMÉE

manifeste lu par 7 personnes

PAUL ELUARD

manifeste lu par 6 personnes

LOUIS ARAGON

manifeste lu par 5 personnes

TRISTAN TZARA

manifeste lu par 4 personnes et un journaliste

N° 6

Prix : 2 fr.

écrire à tristan tzara 32, Avenue Charles Floquet Paris (VIIe)

PROGRAMME de la MATINÉE DU Mouvement Dada le 5 février 1920

Toutes les femmes sont décorées de la Légion d'honneur les hommes portent cet insigne à leur boutonnière.

Francis Picabia le loustic.

143

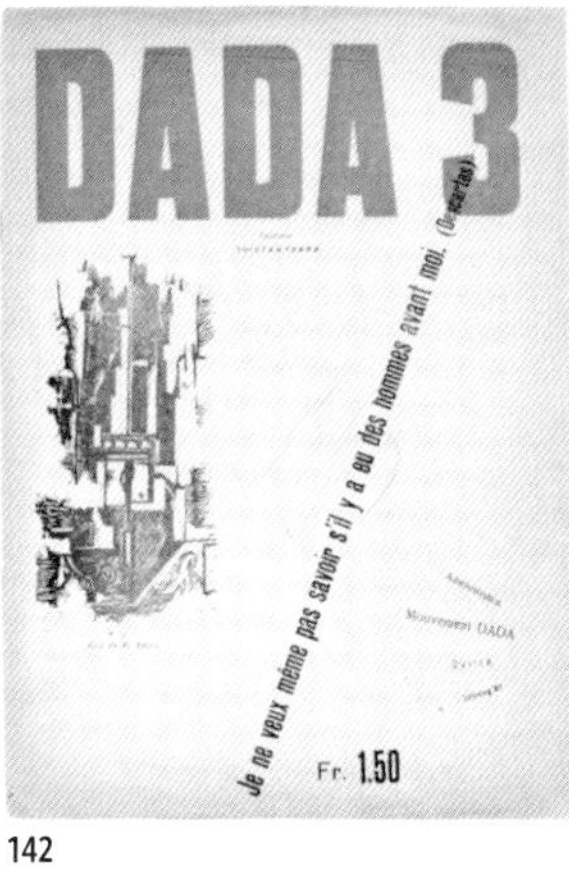

142

141
トリスタン・ツァラ編集
文芸・美術誌『ダダ』六号
一九二〇年二月、パリ
Tristan Tzara, *Dada : Bulletin Dada*, 6, Feb. 1920, no.6, Paris

142
トリスタン・ツァラ編集
文芸・美術誌『ダダ』三号
一九一八年一二月、チューリッヒ
Tristan Tzara, *Dada*, 3, Déc. 1918, no.3, Zürich

143
トリスタン・ツァラ編集
文芸・美術誌『ダダ——詞華集』四／五合併号
一九一九年五月、チューリッヒ
Tristan Tzara, *Dada : Anthologie Dada*, 4/5, Mai 1919, Zürich

144
クルト・シュヴィッタース
『アンナ・ブルーメ詩抄』
一九一九年、ハノーファー、パウル・シュテーゲマン書店
クルト・シュヴィッタース（表紙石版）
Kurt Schwitters, *Anna Blume Dichtungen*, 1919, Hannover, Paul Steegemann Verlag, Kurt Schwitters (Cover)

144

145

145 クルト・メルツ・シュヴィッタース
『ブルーメ・アンナ』
一九二二年、ベルリン、デア・シュトゥルム書店
Kurt Merz Schwitters, *Die Blume Anna: Die neue Anna Blume*, 1922, Berlin, Verlag Der Sturm

146 メルキオール・フィッシャー
『脳天を貫く一秒』
一九二〇年、ライプツィヒ／ウィーン／チューリッヒ、パウル・シュテーゲマン書店（ハノーファー）
クルト・シュヴィッタース（表紙石版）
Melchior Vischer, *Sekunde Durch Hirn: Ein unheimlich schnell rotierender Roman*, 1920, Leipzig/Wien/Zürich, Paul Steegemann Verlag Hannover, Kurt Schwitters (Cover)

147 リヒャルト・ヒュルゼンベック
『前へ！　ダダ――ダダイズムの歴史』
一九二〇年、ライプツィヒ／ウィーン／チューリッヒ、パウル・シュテーゲマン書店（ハノーファー）
Richard Huelsenbeck, *En avant dada: Die Geschichte des Dadaismus*, 1920, Leipzig/Wien/Zürich, Paul Steegemann Verlag Hannover

148 ヴァルター・ゼルナー
『最後の弛緩――ダダ宣言』
一九二〇年、ライプツィヒ／ウィーン／チューリッヒ、パウル・シュテーゲマン書店（ハノーファー）
Walter Serner, *Letzte Lockerung: manifest dada*, 1920, Leipzig/Wien/Zürich, Paul Steegemann Verlag Hannover

149 ハンス・アルプ
『雲のポンプ』
一九二〇年、ハノーファー、パウル・シュテーゲマン書店
ハンス・アルプ（表紙石版）
Hans Arp, *Die Wolkenpumpe*, 1920, Hannover, Paul Steegemann, Hans Arp (Cover)

147

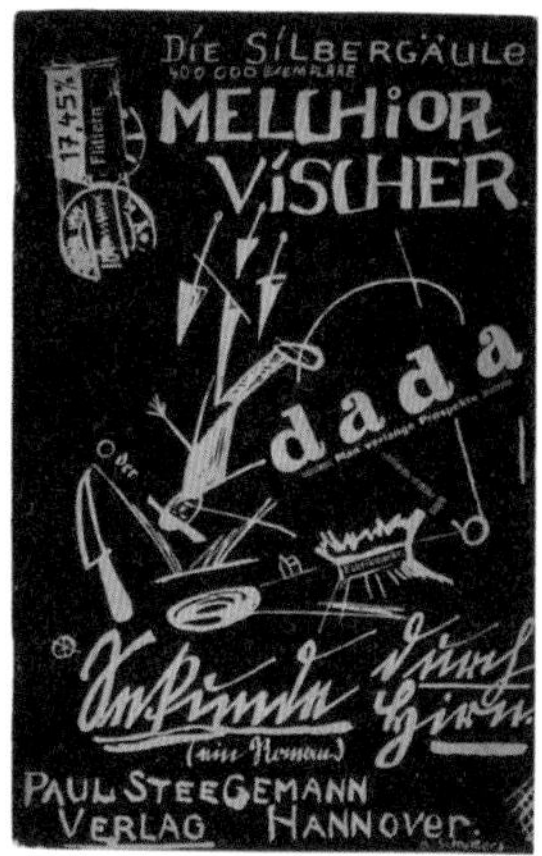

146

149

148

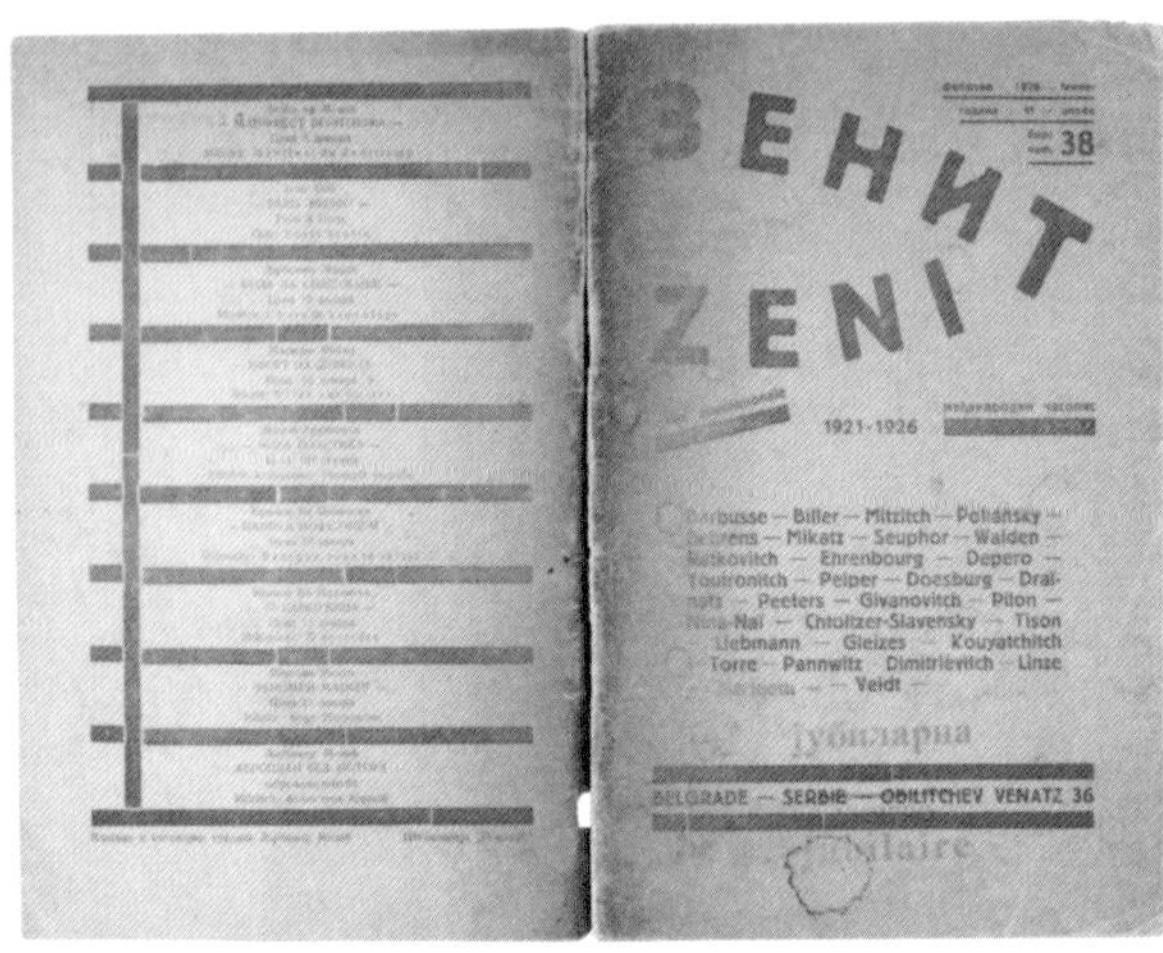

150

150
リュボミール・ミシチ編集
国際雑誌『ゼニット（天頂）』第三八号
一九二六年、ベオグラード
Lioubomir Micic, *Zenit : Mejdunarodni chasopis/Revue internationale*, no.38, 1926, Belgrade

151
テオ・ファン・ドースブルク編集
『デ・ステイル（様式）』第三年一〇号
一九二〇年、ハーグ
Theo van Doesburg, *De Stijl: Maandblad gewijd an de moderne beeldende vakken en kultuur*, 3e jaargang, no.10, 1920, Haag

152

151

152
テオ・ファン・ドースブルク編集
『デ・ステイル（様式）』第六年三・四号
一九二三年五・六月、ワイマール／ハーグ／
アントヴェルペン／パリ／ローマ
Theo van Doesburg, *De Stijl/Le Style/Der Stil/The Style : Maandblad gewijd an de moderne beeldende vakken en kultuur/Maanblad voor nieuwe kunst, wetenschap en kultuur*, 1923, Zesde Jaargang 1923, Weimar/Haag/Antwerpen/Parijs/Rome

MERZ est le journal le plus sot du monde. Aus dem Inhalt:
MERZ
4
UNTER——TAILLE.
BANALITÄTEN
TRISTAN TZARA
JULI 1923
REDAKTION DES MERZVERLAGES:
KURT SCHWITTERS, HANNOVER, WALDHAUSENSTR. 5II

154

M—É—C—A—N—O
4
5
1923
HOLLAND'S
BANKROET
DOOR DADA
Protestation
(Tristan Tzara)
Evola
Bonset

155

MERZ
7
MERZ ist Form. Formen heißt entformeln.
Aus dem Inhalt:
Januar 1924
Redaktion des Merzverlages:
Kurt Schwitters, Hannover, Waldhausenstr. 5II

153

156

153 クルト・シュヴィッタース編集
『メルツ七号』
一九二三年、第二巻七号、ハノーファー、メルツ書店
Kurt Schwitters, *Merz 7*, 1923, Band 2, nr.7, Hannover, Merzverlags

154 クルト・シュヴィッタース編集
『メルツ四号——陳腐』
一九二三年、ハノーファー、メルツ書店
Kurt Schwitters, *Merz 4: Banalitaten*, 1923, Hannover, Merzverlags

155 I・K・ボンセット（テオ・ファン・ドースブルク）編集
『メカノ——オランダ・ダダ』第五号
一九二三年、ライデン
I.K. Bonset (Theo van Doesburg), *Mecano: Holland's Bankroet Door Dada*, no.5, 1923, Leiden

156 エル・リシツキー、イリヤ・エレンブルグ編集
『ヴェーシチ・ゲーゲンシュタント・オブジェ（事物）』第一／二号
一九二二年、ベルリン
エル・リシツキー（表紙構成）
El Lissitzky & Il'ja Erenburg, *Veshch-Gegenstand-Objet*, no.1/2, 1922, Berlin, El Lissitzky (Cover)

159

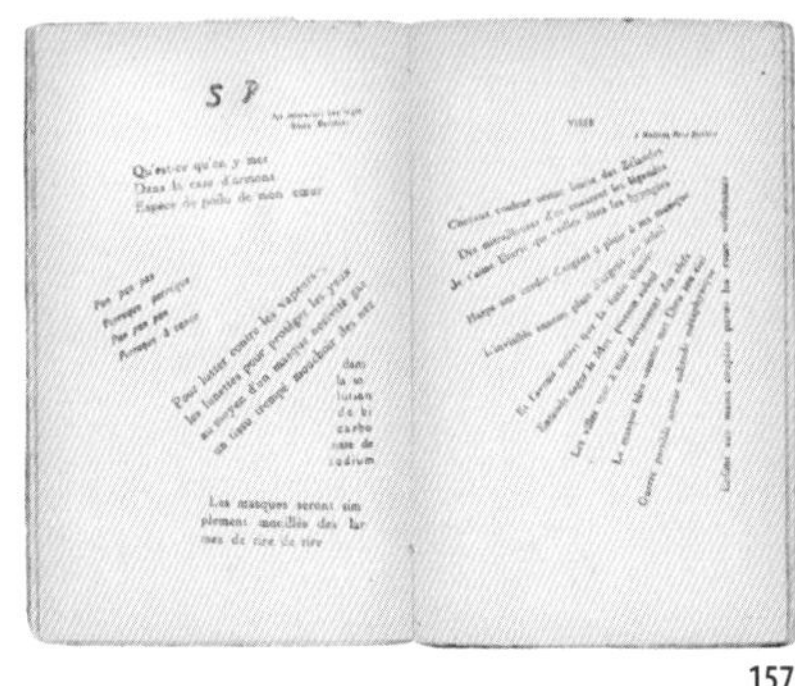

157

158

157
ギヨーム・アポリネール
『カリグラム』
一九一八年、パリ、メルキュール・ド・フランス（一九二五年、第二版、ヌーヴェル・ルヴュ・フランセーズ）
Guillaume Apollinaire, *Calligrammes*, 1918, Paris, Mercure de France (1925, 2e. Éd., NRF)

158
フィリッポ＝トマーゾ・マリネッティ
『ザング・トゥム・トゥム――アドリアノポリ、一九一二年一〇月』
一九一四年、ミラノ、「ポエジーア」未来派出版
Filippo Tommaso Marinetti, *Zang Tumb Tumb: Adrianopoli Ottotre 1912*, 1914, Milano, Edizioni Futuriste di "Poesia"

159
フィリッポ＝トマーゾ・マリネッティ
『未来派自由語』
一九一九年、ミラノ、「ポエジーア」未来派出版
Filoppo Tommaso Marinetti, *Les mots en liberté futuristes*, 1919, Milano, Edizioni Futuriste di "Poesia"

160
フィリッポ＝トマーゾ・マリネッティ
『自由語』宣言
一九一五年、ミラノ、未来派運動指導部
Filippo Tommaso Marinett, *Parole in Libertà*, 1915, Milano, Direzione del Movimento Futurista

PAROLE CONSONANTI VOCALI NUMERI IN LIBERTÀ
Dal volume, di prossima pubblicazione: "I PAROLIBERI FUTURISTI":
(AURO D'ALBA, BALLA, BETUDA, BOCCIONI, BUZZI, CAMPIGLI, CANGIULLO, CARRÀ, CAVALLI, BRUNO CORRA D. CORRENTI, M. DEL GUERRA, DELLA FLORESTA, L. FOLGORE, A. FRANCHI, C. GOVONI, GUIZZIDORO, ITTAR, JANNELLI, MARINETTI, ARMANDO MAZZA, PRESENZINI-MATTOLI, RADIANTE, SETTIMELLI, TODINI, ecc.)
FRANCE
VIVE LA FRAANCE
MORT AUX BOCHES
LÉGER
LOURD
Mon AMIiiii
BEL LE
MaAA
VICTOIRE
AAapetite
GUERRE
PRUSSIENS
TOUMB TOUM
Verbalisation dynamique de la route
mocastrinar fralingaren donl
donl donl × × + × vronkap
vronkap × × × × × angolò
angoll angolà angolin vronkap
+ diraor diranku falasò fala-
sòhh falasò picpic viaAAAR
viamelokranu bimbim
nu ranu = = = = + =
rarumà viar viar viar
MARINETTI, parolibero. — Montagne + Vallate + Strade × Joffre

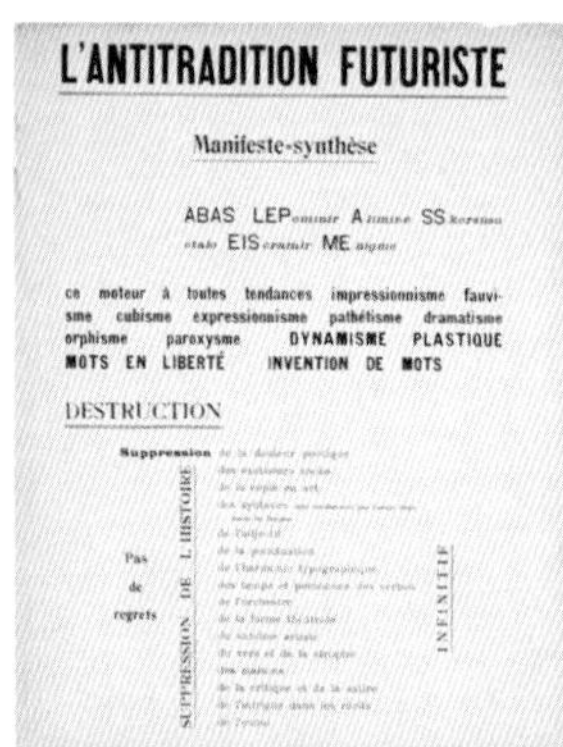
L'ANTITRADITION FUTURISTE

Manifeste-synthèse

ABAS LEP A SS
EIS ME

ce moteur à toutes tendances impressionnisme fauvisme cubisme expressionnisme pathétisme dramatisme orphisme paroxysme DYNAMISME PLASTIQUE MOTS EN LIBERTÉ INVENTION DE MOTS

DESTRUCTION

Suppression

Pas de regrets

SUPPRESSION DE L'HISTOIRE

INFINITIF

161

162

161
ギヨーム・アポリネール
『未来派反伝統宣言――宣言・統合』
一九一三年、ミラノ、未来派運動指導部
Guillaume Apollinaire, *L'Antitradition futuriste: Manifeste-synthèse*, 1913, Milan, Direction du Mouvement futuriste

162
パオロ・ビュッツィ
『パオロ・ビュッツィ未来派詩抄』
一九二〇年、ベルリン＝ヴィルマースドルフ、アルフレッド・リヒャルト・メーヤー書店
カルロ・カッラ（表紙石版）
Paolo Buzzi, *Ein Futuristisches Diptychon von Paolo Buzzi*, 1920, Berlin-Wilmersdorf, Alfred Richard Meyer, Carlo Carra (Cover)

163
ルッジェーロ・ヴァザーリ編集
月刊誌『デア・フトゥリスムス（未来派）』
第二期七／八号
一九二二年、ベルリン
アルキペンコ（表紙図版）
Ruggero Vasari, *Der Futurismus: Monatsschrift*, II serie, 7/8, 1922, Berlin, Archipenko (Cover)

164
フィリッポ＝トマーゾ・マリネッティ監修
統合グラフ雑誌『未来派』第九号「世界未来派」
一九二四年、ミラノ、未来派運動指導部
Filippo Tommaso Marinetti, *Le Futurisme: Revue synthétique illustrée*, no.9: Le Futurisme mondial, 1924, Milano, Direction du Mouvement futurist

11 JANVIER 1924

LE FUTURISME

REVUE SYNTHETIQUE ILLUSTRÉE

Directeur: F. T. MARINETTI

LE FUTURISME MONDIAL

MANIFESTE À PARIS

164

DER FUTURISMUS

Monatsschrift Herausgeber: Vasari

Skulptur und Raum von Belling

163

IL MOVIMENTO FUTURISTA DIRETTO DA MARINETTI PUBBLICA

NOI

RIVISTA D'ARTE FUTURISTA

DIRETTORE: ENRICO PRAMPOLINI

DIREZIONE ED AMMINISTRAZIONE: VIA TRONTO, 89 - ROMA (36)

REDAZIONE: VIA TREVISO, 19-a - ROMA (50)

5

IN QUESTO NUMERO CONCORSO FUTURISTA A PREMI

ANNO I - AGOSTO 1923 - II SERIE - Conto corrente postale - LIRE 3

165

165
エンリコ・プランポリーニ編集
未来派美術雑誌『ノイ（われら）』第二期一年五号
一九二三年八月、ローマ、マリネッティ指導未来派運動
エンリコ・プランポリーニ（表紙構成）
Enrico Prampolini, *Noi : Rivista d'Arte Futurista*, II serie, anno 1, no.5, Agost 1923, Roma, Il movimento futurista diretto da Marinetti pubblica, Enrico Prampolini (Cover)

166

167

168

166 カシャーク・ラヨシュ編集
『ア・テット（行動）』第二号
一九一六年、ブダペシュト
Kassák Lajos, *A Tett*, no.II, 1916, Budapest

167 カシャーク・ラヨシュ、ウィッツ・ベーラ編集
行動主義雑誌『マ（今日）』
一九二一年四月、ブダペシュト
アルキペンコ（表紙石版）
Kassák Lajos & Uitz Béla, *MA: Aktivista müvészeti és társadalmi folyóirat,* April 1921, Budapest, Archipenko (Cover)

168 バルタ・シャーンドル
『クラリオンの手をした学生のお話』
一九二二年、ウィーン、マ出版
カシャーク・ラヨシュ（表紙構成）
Barta Sándor, *Mese a trombitakezü diákról*, 1922, Wien, Ma Kiadrásal, Kassák Lajos (Cover)

169 ヘヴェシ・イヴァーン
『未来派・表現派・立体派論叢』
一九一九年、ブダペシュト、マ出版
Hevesy Iván, *Futurista Expresszionista és Kubista Festészet*. 1919, Budapest, Ma Kiadása

170 カシャーク・ラヨシュ、モホイ＝ナジ・ラースロー編集
『新しき芸術家の書』
一九二二年、ウィーン、ユリウス・フィッシャー書店
Ludwig Kassák & Lás ó Moholy-Nagy, *Buch Neuer Künstler/Uj Müvészek Könyve*, 1922, Wien, Julius Fischer

171 カシャーク・ラヨシュ
『清純の書』
一九二六年、ブダペシュト、ホリゾント出版
カシャーク・ラヨシュ（表紙構成）
Kassák Lajos, *Tisztaság Könyve,* 1926, Budapest, Horizont Kiadása, Kassák Lajos (Cover)

170

169

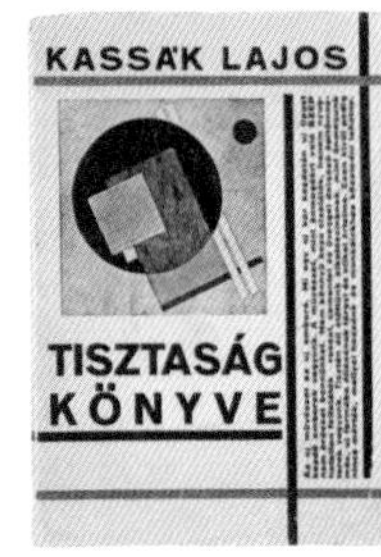

171

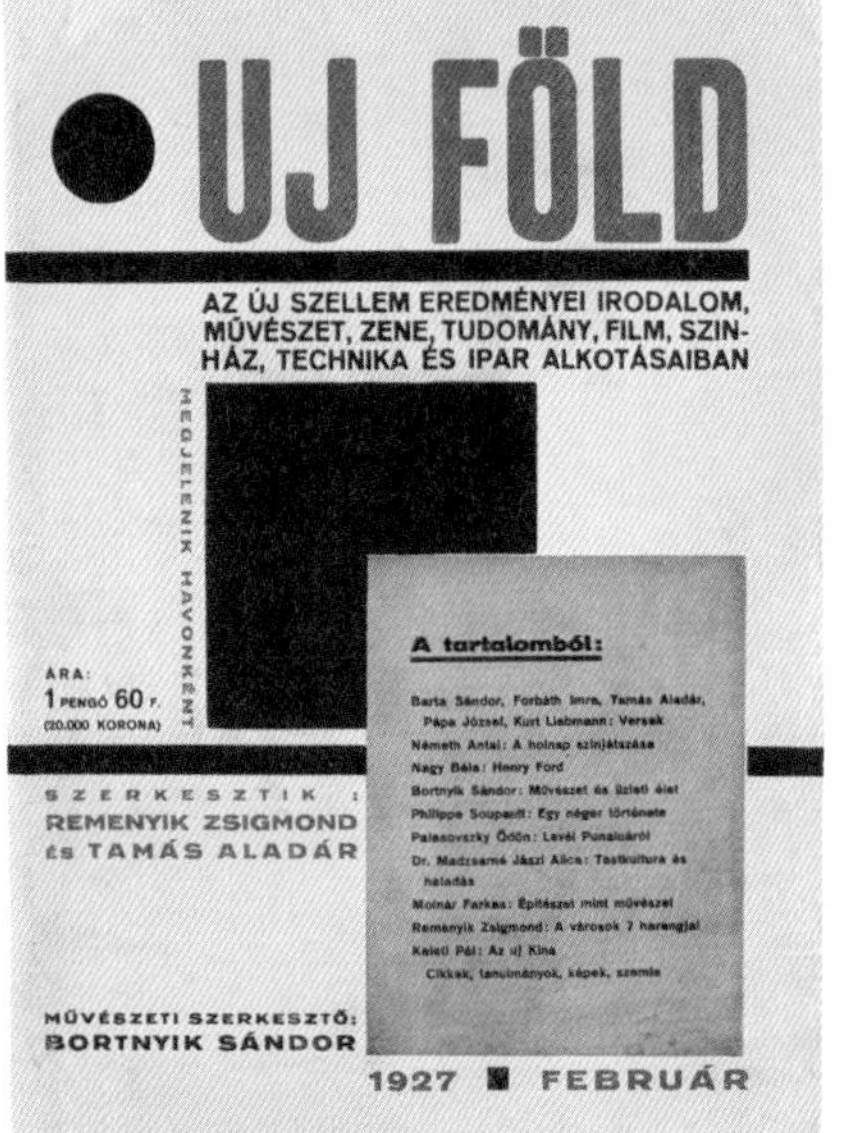

172

172 ボルトニク・シャーンドル
『新しい大地』第一号
一九二七年、ブダペシュト
ボルトニク・シャーンドル（表紙構成）
Bortnyik Sándor, *Uj Föld*, no.1, 1927, Budapest, Bortnyik Sándor (Cover)

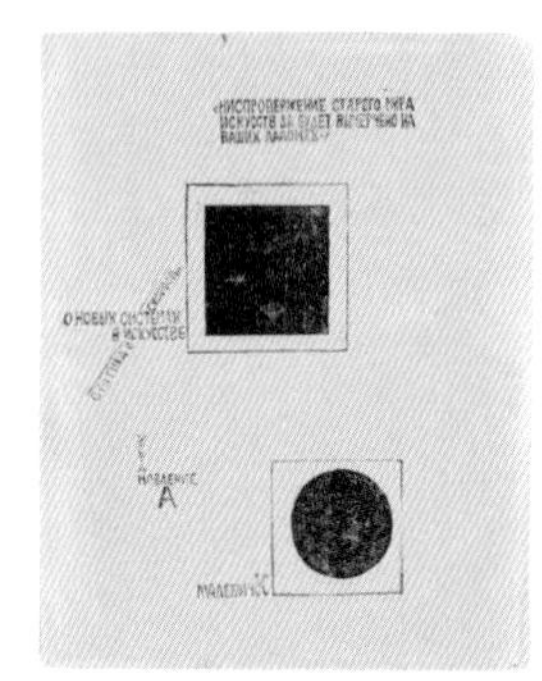

173

175

176

174

173 カジミール・マレーヴィチ
『新芸術システム』
一九一九年、ヴィテブスク、ウノヴィス（美術労働者組合）
エル・リシツキー（表紙木版）
Kasimir Malevich, *O noykh sistemakh v iskusstve*, 1919, Vitebsk, Unovis, El Lissitzky (Cover)

174 イリヤ・エレンブルク
『されど地球は廻っている』
一九二二年、モスクワ／ベルリン、ゲリコン
フェルナン・レジエ（表紙石版）
Il'ja Erenburg, *A vse-taki ona vertitsja*, 1922, Moskau/Berlin, Gelikon, Fernand Leger (Cover)

175 アレクセイ・ガン
『構成主義』
一九二二年、トゥヴェル
Alexei Gan, *Konstruktivizm*, 1922, Tver

176 コルネリー・ゼリンスキー編集
『文学のための国家計画——構成主義センター』
一九二五年、モスクワ／レニングラード、円出版
ニコライ・クプレシアノフ（表紙構成）
Kornelii Zelinskii, *Gosplan Literatury: Literaturnyi Tsentr Konstruktivistov*, 1925, Moskau/Leningrad, Knug, N. Kupresianov (Cover)

177

178

177
ヴェスニン、ギンズブルク編集
『現代建築』第四／五号
一九二七年、モスクワ
アレクセイ・ガン（表紙）
A.A. Vesnin & M. Ginsburg, S.A: *Sowremennaja Architektura*, no.4/5, 1927, Moskau, Alexei Gan (Cover)

178
ウラジーミル・マヤコフスキー
『エセーニンに捧ぐ』
一九二六年、モスクワ、グドック
アレクサンドル・ロドチェンコ（表紙構成）
Vladimir Majakovski, *Sergeju Jeseniny*, 1926, Moskau, Gudok, Aleksandr Rodchenko (Cover)

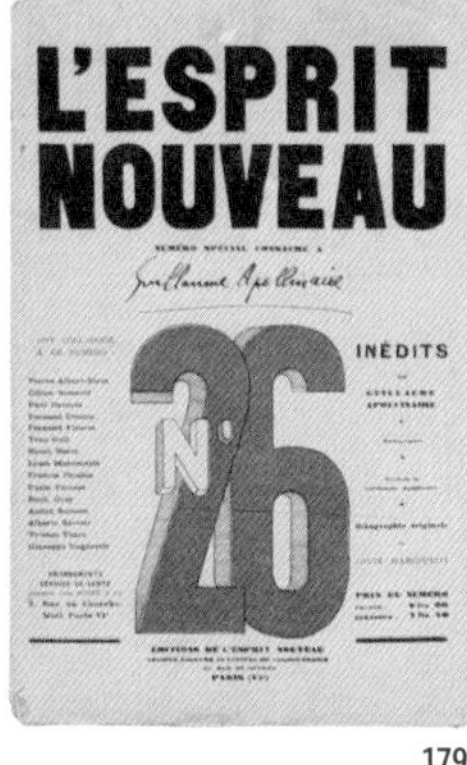

179

180

179
アメデ・オザンファン、シャルル・エデュアール・ジャンヌレ（ル・コルビュジエ）編集
国際美学雑誌『レスプリ・ヌーヴォー（新精神）』第二六号
一九二五年、パリ
Amedée Ozenfant & Charles Edouard Jeanneret (Le Corbusier), *L'Esprit Nouveau: Revue internationa'e d'esthetique/Revue internationale illustré de l'activité contemporaine...Arts, lettres, sciences,* no.26, 1925, Paris

180
アメデ・オザンファン、シャルル・エデュアール・ジャンヌレ（ル・コルビュジエ）編集
『近代建築年鑑』
一九二五年、パリ、G・クレ出版社
Amedée Ozenfant & Charles Edouard Jeanneret (Le Corbusier), *Almanach d'Architecture moderne*, 1925, Paris, Les Editions G. Crés et Cie.

181
ヴァルター・ハマー編集
『ユンゲ・メンシェン』ワイマール・バウハウス特集号第五年第八号
一九二四年、ハンブルク
Walter Hammer, *Junge Menschen: Sonderheft Weimar Bauhaus*, 5 Jahrgang, Heft.8, 1924, Hamburg

182
ヴァルター・グロピウス、モホイ＝ナジ・ラースロー編集
機関誌『バウハウス』第二年一号
一九二八年、アルバート・ランゲン書店（ミュンヘン）
ヘルベルト・バイヤー（表紙構成）

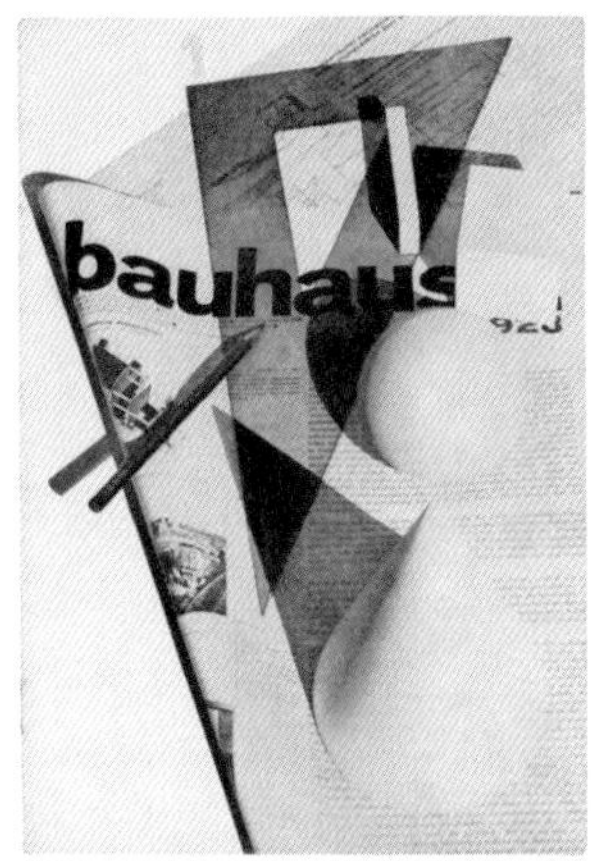

182

181

183

Walter Gropius & Lásló Moholy-Nagy, *Zeitschrift: Bauhaus*, 2 Jahr. no.1, 1928, Verlag Albert Langen, München, Herbert Bayer (Cover)

183 要覧『デッサウ・バウハウス——高等造形専門学校』刊記無（一九二七年）、アルトア・ボーデンタール専門書店 ヘルベルト・バイヤー（表紙構成）
Bauhaus Dessau: Hochschule für Gestaltung Prospekt, s.d. (1927), Fachverlag Artur Bodenthal, Herbert Bayer (Cover)

186

184

185

184
バンジャマン・ペレ、アンドレ・ブルトン、ピエール・ナヴィール編集
『ラ・レヴォリュシオン・シュルレアリスト（シュルレアリスム革命）』第一号
一九二四年、パリ、ガリマール書店
Benjamin Péret, André Breton & Pierre Naville, *La Révolution Surréaliste*, no.1, 1924, Paris, Librairie Gallimard

185
バンジャマン・ペレ、アンドレ・ブルトン、ピエール・ナヴィール編集
『ラ・レヴォリュシオン・シュルレアリスト（シュルレアリスム革命）』第一二号
一九二九年、パリ、ジョゼ・コルティ書店
Benjamin Péret, André Breton & Pierre Naville, *La Révolution Surréaliste*, no.12, 1929, Paris, Librairie Jose Corti

186
チラシ『アラゴン事件』
一九三二年、パリ、シュルレアリスム指導部
Tract: L'Affaire Aragon, 1932, Paris, Direction du Surréalisme

「構成主義＝ポエティスム」の展開——プラハ・ブルノ

一九二三年は二つの意義深い出来事が重なり、デヴィエトスィル運動の機を画する特筆すべき年となった。ひとつは、機関誌の創刊を実現できたこと。もうひとつは、協会の若手メンバーだけで画期的な展覧会を組織できたことである。いずれにおいても、主導的な役割を果たしていたのはカレル・タイゲであった。

まず、機関誌の方である。デヴィエトスィル協会には、前年の一〇月に刊行された革命論集『デヴィエトスィル』（図版1）と、その二ヶ月後に刊行された年鑑『ジヴォトII』（図版2）の二冊の出版物が、対外的な訴求力をもつ財産としてすでにあったが、いまだ定期発行の公的機関誌をもっていなかった。定期機関誌の創刊を機に、グループが、チェコスロヴァキア国内のローカルな運動体を脱却し、国際舞台へ一気に飛躍したことを考えるなら、たとえ経済的な事情から、第二号で頓挫することになったとはいえ、機関誌の創刊には大きな意味があったといわなければならない。

一一月に発行された彼らの機関誌には、『ディスク（日輪）』（図版17）の名前が与えられた。この編集にあたったのは建築家クレイツァル、詩人サイフェルト、理論家タイゲの三人である。この機関誌名について、タイゲは『モダン・タイポグラフィ』のなかでいっている。「ディスク（日輪）……とは眼にもっとも心地よい形態である」。創刊号にはシュティルスキーの宣言「作品」と、タイゲの宣言「絵と詩」が収録されており、この後者は、「絵画詩（ピクチャー・ポエム）」宣言と受け止められている。機関誌『ディスク』は、国際前衛芸術雑誌の副題をもつ。そのことからも解る通り、第一次大戦後ヨーロッパ各地に誕生した前衛芸術諸雑誌と交流を図るための媒体にしたいという思いがあったのである。

革命論集のカバーに使われた「黒い日輪」が、創刊号にも継承されている。第二号になると、その扱いは突出したものとなった。「黒い日輪」すなわち、各国の前衛芸術運動の出版物のなかで広く用いられているモティーフの起源については、一九二一年一一月にアムステルダムで発行された建築雑誌『ウェンディンヘン（転変）』第四巻一一号の表紙に使われた、リシツキーの多色石版画に求める説もある。[*1] しかし、そうと断定するだけの根拠はない。なぜなら、同年一月発行の雑誌『マ』第七巻二号に掲載されたカシャークの造形詩「夜、樹の下で」に、象徴的なかたちでそれがすでに使われているし、ヴィテブスクの「ウノヴィス」が一九一九年に出版したマレーヴィチの『新芸術システム』（図版173）の表紙を飾る、やはりリシツキーの手になる木版画にも、また一九一六年にペトログラードで出版されたマレーヴィチ著作『キュビスム、未来主義からシュプレマティスムへ――新しい絵画のリアリズム』第二版、あるいは同年にモスクワで出版された第三版にも、それがすでに登場しているからである。さらには、上記の書目に先だってマレーヴィチが描いたとされるシュプレマティスム三部作のうちの、白地カンヴァスに黒い円を描いた作品にまで、あえて出自を索めることができなくもない。

この逸失されたマレーヴィチ作品はともかくも、「黒い日輪」をともなう、これら十月革命以前の稀少出版物が、はたしてデヴィエトスィルの周辺に届いていたのかどうか。結論を先取りしていうなら、マレーヴィチ作品に起源があると考えられるモティーフは、一方で「ウノヴィス」に参加したポーランド人スッシェミンスキを介して、ワルシャワの構成主義グループへ、他方でリシツキーからベルリンの、おそらくはモホイ＝ナジを経由して、ウィーンのカシャークへもたらされ（図版170）、そこを中継点にして、プラハのデヴィエトスィル・グループ、雑誌『インテグラル』『コンタンポラヌル』『プンクト』の周辺に集ったブカレストの構成主義グループへと伝えられ、中欧諸国の前衛のあいだを、広く遊動するようになったものと考えられる。[*2]

機関誌『ディスク』には、オザンファンとル・コルビュジエの『レスプリ・ヌーヴォー』のほかに、エレンブルクとリシツキーの『ヴェーシチ・ゲーゲンシュタント・オブジェ』（図版156）、ヴァルデンの『デア・シュトゥルム』（図版129・130）、プランポリーニの『ノイ』[*3]（図版165）、シュヴィッタースの『メルツ』[*4]、ファン・ドースブルクの『デ・ステイル』（図版151・152）と『メカノ』[*5]（図版155）、一九二一年九月発行の第七号でデヴィエトスィルの作家をいち早く翻訳紹介した『ゼニット』第一号から採られた記事が転載されている。このネットワークの広がりは、年鑑『ジヴォトII』のそれに較べ、大きく拡大している。こうした前衛芸術運動間のネットワーク形成は、先述の通り、一九二二年五月のデュッセルドルフ「進歩的芸術家」国際会議、さらには同年九月のワイマール「ダダと構成主義」国際会議、これら二つの国際会議で、各国代表間の意見の食い違いが露呈することになったものの、グループ間での交流、あるいは美術家個人どうしの親交が深まり、大同団結とはいわないまでも、相互連携のきざしが見え始めてきたことの徴でもあった。思えば、両会議の実現に前後して刊行された、リシツキーとエレンブルクの『ヴェーシチ・ゲーゲンシュタント・オブジェ』、カシャークとモホイ＝ナジの『新しき芸術家の書』の眼目も、まさに各国の前衛運動の国際的な連帯を実現することにあった。それらにわずかな時差をもって続いた、デヴィエトスィルの革命論集『デヴィエトスィル』、年鑑『ジヴォトII』も、そうした同時代の国際主義に与するものであったとみることができる。あらたに創刊された機関誌『ディスク』は、前衛芸術運動組織の恒常的な交流を支える媒体となるはずであった。

一方、デヴィエトスィルの展覧会であるが、これは『現代美術のバザール』と命名され、一九二三年一一月一四日より一二月末まで、プラハの芸術家会館で開催されている。『現代美術のバザール』という展覧会名からも推察されるように、このイヴェントは先述した、一九二〇年の第一回『ダダ』国際見本市にアイデアを借りたものであった。会場には、油彩画や建築ドローイングなど、伝統的な意味で、美術品の範疇に数えられるものに加え、彼らが「絵画詩」と呼ぶところのコラージュ、舞台美術や建築図面、マン・レイの「機械的・写真的な美」、さらには「挑発的なオブジェ」として救命具、鏡、ボールベアリング、マネキン人形など、およそアートとは縁のなさそうな品々が、美術作品と一緒に、なんの脈絡もなく並べられた。美術史家ヤロスラフ・イーラが『スタヴバ』に寄せた展評には、つぎのようにある。「それは展覧会ではない。言葉の普通の意味でのアカデミックなサロン展ではない。若い美術家たちは、心してこの言葉を使わず、現代美術のバザールと呼んでいる。なるほど、バザールであり、マーケットである。現代人の多種多様な関心の、生彩溢れる俯瞰図である」。[*6]

この時期、シュティルスキー、トワイヤン、シーマ、ムルクヴィチカ、タイゲらの絵画作品は、初期のプリミティヴィスムの位相を離れ、空間のなかで対象をスタティックに構成し直す、ピュリスム的位相に突入していた。それらのかたわらに、普段の暮らしに使われる人工物が、まさに唐突なかたちで並べられたのである。このエタラージュ手法は、ダダのコラージュ手法とあい通じる。日常的な事物が美術品と並陳される。すると、実際には、なにひとつ加工されてもいないし、変形されてもいないのに、普段の姿とは違ったものに見える。それを眺めるわれわれの眼差しの方が、その場の求めに応じて、変容してしまうからである。ペトログラード大学で「オポヤズ（詩的言語研究サークル）」を組織したヴィクトル・シクロフスキーが一九一〇年代半ばに唱え始めたフォルマリズムの主張、すなわち芸術の方法としての「オストラネーニエ（異化=非日常化）」を、デヴィエトスィルのメンバーは、おそらく自覚などなかったのであろうが、実践していたことになる。誤解をおそれずにいうなら、アメリカに渡ったマルセル・デュシャンが、アートの概念を覆してみせるべく、戦略として選び取った「レディ・メイド」に近い考えが、はるか遠隔の地、プラハでも芽生えていたのである。

『現代美術のバザール』展は、翌年の一月二八日から、『新しい美術の展覧会』という名前で、ブルノのヴァルヴェッツ画廊にも巡回している。この巡回展はプラハの外にデヴィエトスィルの活動を定着させるきっかけとなった。事実、一二月一五日協会のブルノ支部が開設された。映画批評家チェルニーク、詩人ハラス、文芸評論家ヴァーツラヴェク、建築家ロスマン、画家シーマらを中心に、以後三年ほどのあいだ、出版事業をはじめとする各種の活動が、そこを拠点におこなわれようとしていた。なかで、とくに重要なのは、一九二四年三月の機関誌『パースモ』（図版19）の創刊である。この機関誌は、チェルニーク、ハラス、ヴァーツラヴェクの編集で、タブロイド判の四頁ないし六頁、各号色変わりの新聞紙に印刷されている。雑誌タイトルの頭文字「P」をデザインした紙面構成は、数多ある前衛機関誌のなかでも、出色の出来映えである。第三号には宣言「我らが土台、我らが道程――構成主義とポエティスム」が掲載されている。この出版物は、二年目に入ると発行所がプラハに移り、一九二六年まで継続する。

一九二四年七月の「ポエティスム宣言」で予告された通り、デヴィエトスィル協会の活動は、しだいに拡散する方向にあった。事実、グループの関心と活動は、文学から美術、写真、映画、ラジオ、演芸（芝居小屋でのパフォーマンス）など、さまざまな領域へと拡がろうとしていた。それらのなかで、芝居小屋での大衆演芸や、あるいは近代のテクノロジーの精華ともいえる映画についての関心は、エレンブルクが一九二二年にモスクワで出版した『されど地球は廻っている』（図版174）のなかで予言している通り、同時代の、ほかのアヴァンギャルド芸術運動と通有な現象でもあった。タイゲが『ジヴォトⅡ』収録の論文「フォト・キノ・フィルム」でも取り上げているが、フェアバンクス、チャップリン、ロイドなど、喜劇役者が銀幕の上で演じるドタバタ・コメディは、既存の体制への異議申し立てとして、盛んにもてはやされることになった。

しかしそれよりなにより、国際アヴァンギャルド運動への寄与として大きいのは、言葉とイメージを組み合わせた「活版詩」あるいは「絵画詩」の分野での、方法的な探求であった。前者については、たしかに、ステファーヌ・マラルメから、ギヨーム・アポリネール、ピエール・アルベール＝ビロ、さらにはイタリア未来派からダダへと受け渡された「自由語」の流れに与するものといえなくもない。しかし、後者の、断片化された写真と活字を融合させ、詩的なイメージを喚起する平面造形は、デヴィエトスィル独自のものであった。タイゲはいう、「現代の絵は、詩と同じ機能を持っており、詩として読むことができる」。逆もまた真なり、「詩は現代の絵として読まれる」[*7]。「絵画詩」のグラフィック手法は、書物の装釘の分野に、視覚詩あるいは無言詩（文字を使わない詩）という、独自の精華を花開かせることになった。

「絵画詩」の作例として知られるのは、一九二三年のサイフェルト第二詩集『ひたすらの愛』（図版102）、翌年のネズヴァル詩集『パントマイム』（図版103）、一九二五年のアヴェンティヌム書店のウラジミール・リディンの『潮風』（図版62）、オデオン叢書のヴラジスラフ・ヴァンチュラの『パン焼き職人ヤン・マルホウル』（図版67）、エミール・ヴェルハーレン原作の『黎明』（図版65）、共産党出版局のジミー・ダラーの『レニングラードのアメリカ人メンド嬢』のブック・カバーである。定期刊行物では、雑誌『パースモ』の誌面が、アントニーン・ヘイトゥム、ヴォスコヴェツ、タイゲ、シュティルスキーらの「絵画詩」の公表の場となった。これらの仕事では、いずれも、断片化されたフォト・イメージが用いられている。しかし、それらの組立（モンタージュ）は「ベルリン・ダダ」のフォトモンタージュ手法とかなり違っている。ハンナ・ヘッヒのフォトモンタージュのように、写真の断片で空間を充填し尽くそうとしているわけでもなければ、ハートフィールドのそれのように、職人的な画像加工技術をもってはじめて可能となる、イリュージョニスティックな空間演出にこだわっているわけでもないからである。

デヴィエトスィルの「絵画詩」は、むしろ、思わせぶりなフォト・イメージを空間のなかに並置し、それらの緩やかな結合や対比のなかから、詩的な抒情性や、社会的なメッセージを喚起しようとしている。こうした「絵画詩」の系譜は、一九三〇年代にタイゲとシュティルスキーの装釘でボロヴィー書店が出版した、一連のネズヴァル詩集に受け継がれることになった。もっとも、ボロヴィー書店がネズヴァルの出版を始めようとする時代になると、シュルレアリスムからの影響、なかでもマックス・エルンストの挿絵本からのそれが、打ち消しがたいものとなった。十九世紀の博物図譜や百科事典など、古い印刷物から恣意的に図像を採り出し、それらを現代の断片的なフォト・イメージと組み合わせる。すると、視覚的要素は図像も写真も、本来の文脈を離れ、元来の意味を失う。結果として、イメージと文字との結びつきが弱まり、構成が明確化する。が、全体として、凡庸なコラージュに堕する危険も、なくはない。

一九二三年にはまた、デヴィエトスィル主催の夕べ、国際集会、展覧会が、これまでになく盛んになった。四月にはアルキペンコの巡回展があり、タイゲがグループの出版局から、「黒い日輪」を表紙に掲げた小冊子を刊行している。秋の「バザール」の折りには、エレンブルクの講演会が実現した。翌年になると、タイゲの個人的な交友関係に頼ることが多かったのではあるが、グループの本拠地プラハ、あるいは建築・出版部門の設けられたブルノ支部を訪れる人が、目立って増えてくる。ここではブルノ支部が、あるいは「プラハ建築家クラブ」が、一九二四年から二八年にかけて講演に招聘した外国人美術家の名前を列挙するだけにとどめることにする。テオ・ファン・ドースブルク、ヴァルター・グロピウス、ル・コルビュジエ、オザンファン、ヤコブス・ヨハネス・ピーテル・アウト、アドルフ・ロース、モホイ＝ナジ、ハンス・リヒター、マン・レイ、シュヴィッタース、マヤコフスキー、フィリップ・スーポー、ヨゼフ・アルバースら、錚々たる前衛がプラハで、あるいはブルノで、ときに詩の夕べを、ときに講演会を、ときに展覧会をおこなっていたのである。

一九二五年、前衛劇団の主宰者としても知られる作曲家エミル・フランチシェク・ブリアンが、建築家オブルテル、詩人ネズヴァルとともに、音楽雑誌『タム・タム――音楽ビラ』を創刊した。チェコ語の「tam」はドイツ語の「そこ」（da）の意であり、「tam tam」は、したがってドイツ語で「dada」となる。五月発行の創刊号の巻頭には、ブリアンの論文「美学――以前の、醜い美の科学、現在の、美しい醜の科学」が掲げられており、ツティボル・ブラットニーもまた、論文「ヴァイオリンとアコーディオン」のなかで、ラジスラフ・クリーマに言及しながら「グロテスクの美学」の必要性を強調している。この雑誌には、上記三人のほかにブラットニー、インドジフ・ヒブレルらが参加している。インドジフ・トマンの調査によると、雑誌のなかに「ダダ」という言葉は出てこないという。しかし、チェコにおける、というよりも音楽の分野における、稀少なダダ雑誌であることは間違いない。この雑誌は翌年の一九二六年初頭までに通巻六号の発行を終えて、終刊した。

音楽の世界におけるダダの動きは演劇や芝居にも波及している。フレイカとホンズルがデヴィエトスィルの演劇部門として「自由劇場」を創設し、一九二六年九月九日にこけら落としのパフォーマンスを演出した。この劇場は、イジー・ヴォスコヴェッツとヤン・ヴェリフという、まだ二十歳になったばかりの二人の若手役者に率いられ、以後三年間に、アポリネールの『ティレシアスの乳房』(図版98)、アルフレッド・ジャリの『ユビュ王』、ジャン・コクトーの『オルフェ』、マリネッティの『恋の虜』、ジョルジュ・リブモン＝デセーニュの『放り出された歌姫』、ブルトンとスーポーの『お気に召すなら』を上演している。

自由劇場の活動のなかで特筆すべきは、シュヴィッタースとのかかわりである。一九二一年九月ハウスマンとともにダダ・メルツ巡業でプラハを訪れたシュヴィッタースは、一九二六年三月、自由劇場の招きで、ふたたびプラハを訪れることになった。二〇日とその翌日の二日間、プラハの学術会館で「グロテスクの夕べ」を開催することになったからである。この「夕べ」の舞台で、シュヴィッタースは『原ソナタ』の抜粋を含む、自作の詩の朗読をおこなっている。映画批評家チェルニークの評によると、「彼は至高なる合理性と馬鹿馬鹿しくも娯楽的なナンセンスを結びつける方法を心得ている。言葉で働きかけるだけでなく、ただの音声でも働きかけるのだ。そのため、たとえば、プラハでの夕べの第一日目、彼が典型的な有声『ソナタ』を演じているあいだ、その自由なリズム、抑制をきかせたプレゼンテーションは、観客の笑いを誘い、喝采を浴びることになった。とどのつまりが、ダダとは生活の泡に過ぎないのだ。毎日の生活の中身で挑発し、人を笑いに誘おうとする——しばしのあいだ、日頃の憂さを忘れさせてくれるのだ」。[*8] この三月の「夕べ」で成功を収めたシュヴィッタースは、その勢いに乗って『メルツ』の展覧会を開催している。会場に並べられたコラージュ作品を、ある種の造形的な「詩（ポエム）」として高く評価する声が、ハラスらデヴィエトスィル・メンバーのなかに上がった。

一九二七年春、演出家のフレイカが自由劇場を去った。彼はブリアンを誘い、「ダダ劇場」を創設することになった。自由劇場でシュヴィッタースの『影絵芝居』の準備を進めていたこともあって、ダダ劇場のこけら落としは、そのままシュヴィッタースの出し物となった。ダダ劇場では、その後、ジャン・コクトーの『エッフェル塔の花嫁』、ピエール・ルヴェルディの『巡礼』が、演目として取り上げられてはいる。しかし、それらは真にダダ的というより、社会風刺や文学的なパロディによって観衆に笑いを誘う、といった類のものであった。

もっとも、精神としてのダダでなく、方法としてのダダは、「笑い」と無縁のものではなかった。既成の権力や体制を、紋切り型の身振りや、風刺的な言葉で戯画化し、笑いとばす。芝居小屋の道化のパフォーマンスには、ダダの猥雑さ、ダダの非合理さ、ダダの過激さが満ちていた。というよりもむしろ、ダダが「笑い」の不条理さを、方法的に活用したというべきか。周囲の状況が危機的であり、思考が硬直化してくればくるほど、「笑い」の異化効果は力を発揮する。ロシア革命は、たしかに一方で政治権力闘争という、抜き差しならない側面をもっていたが、同時に「哄笑」のシンボルに満ちた祝祭空間でもあった。白い歯を見せながら高らかに笑う労農プロレタリアートの顔ほど、革命のイコンとして相応しいものは、ほかに見あたらなかったのである。

プラハの学生編集出版連合が、一九二四年から一九三三年まで、九年間にわたって出版を続けた政治風刺雑誌『トゥルン（棘）』（図版20）も、そうした過激な「笑い」に満ちている。この雑誌は、安価なため用紙の質が悪く、傷みやすいという欠点はあったが、「プラハ・ダダ」の折衷主義的な性格をよく証している。各頁ごとにカットやカリカチュアが挿入されており、時代の雰囲気、わけてもプラハにおける「笑い」のあり方をよく伝えている。他方、広告のなかに、デヴィエトスィル協会の、とくに雑誌『パースモ』に関するものがあり、こちらは構成主義に通じる。さらに、グロッス風の政治風刺カットがあるかと思えば、ハートフィールド風のフォトモンタージュもある。これらは「ベルリン・ダダ」の影響の残存である。ひときわ眼を惹くのは、タイポグラフィの可能性を最大限に生かした表紙のデザインである。ここには一九二〇年代前半のタイゲのタイポグラフィ技術が生かされている。要するに、「プラハ・ダダ」はごった煮の世界だったのである。

バウハウスとの協働——ワイマール・プラハ・ブルノ

デヴィエトスィル協会は国外から多くの来訪者を迎え入れたが、逆に、国内から外に向かって出かけていくこともあった。まずドイツであるが、一九二三年八月一五日から九月三〇日にかけてワイマールで開かれた初の大規模な『バウハウス』展に、フォイエルシュタイン、ホンズィーク、クレイツァル、ホホル、フラグネル、リンハルト、オブルテル、クールが招かれている。一九二九年五月、ドイツ工作連盟がシュッットガルトで開催した『映画と写真』国際展には、グループとして参加している。この展覧会は、日本を含む世界各地を巡回しており、デヴィエトスィル協会の存在を広く知らしめることになった。つぎに新生ロシアとのかかわりであるが、一九二五年に「対新ロシア経済文化接近」推進協会派遣使節団の一員として、タイゲ、サイフェルト、ホンズルの三人が、モスクワとレニングラードを視察している。一九二七年には、クレイツァル、クロハら、ブルノ派を中心とする建築家が、モスクワのブフテマス（国立高等美術工芸工房）で開催された『建築』国際展に参加している。これは新建築家協会と雑誌『現代建築』（図版177）の共催になる展覧会であった。もちろん、フランスとも恒常的な関係を保っており、一九二五年にシーマ、シュティルスキー、トワイヤンが、ポズナンスキーの音頭取りで実現にこぎ着けた、パリの『今日の美術』展に参加している。これがシュルレアリスム運動との共闘の端緒となったことは、後述の通りである。

一九二五年秋、ヤン・フロメクがオデオン書店を創業することになった。書店の商標を作ったのはタイゲであった。最初の本はヴァンチュラの著作で、装釘もまたタイゲであった。タイゲは、自らの著作の出版はもちろん、本の装釘、翻訳、企画など、あらゆる面で協力をおこなっている。この書店は創業するや、たちまちにして、デヴィエトスィルの出版活動のプラットフォームとなった。フロメクとの協働の成果は、デヴィエトスィルの第二機関誌『ReD（デヴィエトスィル雑誌）』（図版26）の発行につながった。この雑誌はタイゲの編集で一九二七年一〇月に創刊され、一九三一年まで発行が続いている。創刊号にはシュティルスキーとトワイヤンによる「アルティフィシアリスム（人工主義）」宣言が掲げられた。[*1] 一九二八年発行の第一巻九号には、タイゲの第二の「ポエティスム宣言」が掲載されている。この長文の論考のなかでタイゲは、マリネッティの唱えた「触覚主義」の理論に依拠しつつ、「詩（ポエム）」の概念を、視覚、聴覚、嗅覚、味覚、触覚の五感覚、さらには物理的、空間的な感覚にまで敷衍し、最終的にそれらを「ひとつのアート」に逢着せしめる統合理論を展開している。[*2]

オデオン書店にはまた、『オデオン文学早便』という定期刊行物もあった。こちらはシュティルスキーの編集になる。この書店は、創業から一九三一年にかけて、わずか六年間の活動ではあったが、ネズヴァル、サイフェルト、ハラス、ビーブルなど、デヴィエトスィルのメンバーの、あるいは彼らの周辺の国外作家、なかでもアポリネール、ジュール・ロマン、サンドラール、ランボー、プルーストといったフランス文学、さらにはエレンブルクの著作など、総計百三十タイトル以上を出版しており、一九二〇年代後半のチェコを代表する書店とされている。

一九二七年、タイゲはプラハ活版印刷協会の発行する印刷技術雑誌『ティポグラフィア（活版）』（図版42）第三四号に、チェコ語とドイツ語で「モダン・タイポグラフィ宣言」を発表している。本のカバーと表紙は書籍のポスターである。タイゲはそのように考え、本の外装の重要性をあらためて説いている。タイポグラフィの構成にフォト・イメージを組み合わせることで、カバーには自律的な機能が付与される。著者名、タイトル、出版社に関する法定的な書誌情報は、本の内容についての芸術的な印象と組み合わされる。イメージ（＝写真）は言葉（＝タイポグラフィ）の補助的な手段にすぎない、そうした考えがあたりまえとされる時代に、タイゲ、シュティルスキー、トワイヤン、ムルクヴィチカらは、その逆をおこなった。言葉を換えると、タイポグラフィが写真を先導する、新しい視覚形式を打ち出したのである。これすなわち、タイゲが「モダン・タイポグラフィ宣言」のなかでいう、「タイポフォト」の実践にほかならなかった。そこでは出版社のロゴも、刊記も、書名も、どれも同等に扱われる。タイゲの手になる本の表紙やカバーは、活字、映像、幾何学的要素からなる、ひとつの造形詩である。モホイ＝ナジがバウハウスで説いた、タイポグラフィとフォトグラフィを相互補完的に組み合わせるグラフィック技術が、そこには生かされている。

当時のバウハウスの出版物には大文字が使われていない。人間の発する言葉に大文字はないし、大文字と小文字を一元化した方が、資材と時間の節約にもなると考えられていたからである。この徹底した合理主義、タイゲもそれに倣っている。グループが出版を企てていた国際現代活動年鑑に、その精神がそのまま反映されることになった。事実、プラハ・グループのあと押しによって、一九二七年にブルノ支部から出版された年鑑『フロンタ』（図版4）は、チェコ・アヴァンギャルドの数多ある出版物のなかで、もっともバウハウス的な合理精神を感じさせる出版物になっている。[*3] 同時代の建築雑誌を思わせる大判の年報は、カシャークの『新しき芸術家の書』（図版170）に範を仰いだもので、それ自体が珍しい。またロスマンのデザインになる表紙はもちろんのこと、おそらくはタイゲの助言もあったのだろうが、中身の誌面構成から巻末の広告頁まで、タイポグラフィは揺るぎない。

この年鑑では、固有名詞を含むすべての文字が、小文字で処理されている。とはすなわち、それだけ用いられた活字の種類がすくないということ。明晰さや経済効率を追求すべし、というタイゲの主張に適っている。もっとも、チェコ語、ドイツ語、フランス語の三ヶ国語併記が煩雑な印象を与えなくもないのだが。これは国際主義の建前上、致し方のないことであった。もちろん、内容的にも充実している。デヴィエトスィル協会に集う美術家のほとんどが、顔を揃えているからである。それればかりでなく、カシャーク、リヒター、シュヴィッタース、ヴァルデン、リブモン＝デセーニュ、エッゲリング、オザンファン、ファン・ドースブルク、モホイ＝ナジ、グロピウスが記事を寄せ、さらにはアルバース、アルプ、ピカビア、プニー、タトリンの作品図版が収録されるなど、国外の前衛美術家、論客の主だった面々が紙上に勢揃いしている。[*4]

一九二三年のワイマールでの『バウハウス』展を機に注目されるようになった「ノイエ・ティポグラフィ」は、オランダの「デ・ステイル」とロシアの構成主義の接点に生まれた、新しいタイポグラフィ技術であった。非対称的な構成、ベタ組やケイ線の効果的な使用には、組版上の現代性(モデルニテ)があらわれている。とはいえタイゲは、バウハウスのタイプフェースを、そのまま受け容れたわけではなかった。ヘルベルト・バイヤーが一九二五年から翌年にかけて考案したモダン・ユニバーサル・タイプフェースのなかの四文字に改良を加え、より機能主義的で、簡素なタイプフェース・セットを提案しているからである。事実、一九二九年四月に発行されたデヴィエトスィル第三機関誌『ReD』の第二巻八号の「写真、映画、印刷特集号」のなかで、タイゲはバイヤーの「a」「g」「k」「x」の四文字から、線の肥痩のわずかな装飾性をも容赦しない、新たな修正案を公にしている。この主張はチェコ国内だけでなく、西ヨーロッパ諸国や、ソヴィエトでも受け容れられた。タイゲは一九二九年と一九三〇年、二度にわたってデッサウ・バウハウスに招かれ、タイポグラフィに関する講演をおこなっている。そのかいもあって、彼の提唱する修正案はバウハウスの教程に組み込まれることになった（図版182・183）。

タイゲは、明晰性と機能性に秀でたタイプフェース・セットの完成という基底的な探求と並行して、実践面でも多産な活動を繰り広げている。事実、タイゲは一九二〇年代デヴィエトスィル周辺で発行された定期刊行物の、ほとんどすべてに絡んでいる。その存在がつねにグループの中核にあったことを考えれば、これは当然のことかもしれない。しかし、かかわりをもった雑誌のタイトル数と、絶対量は、やはり尋常でない。タイゲは自分の考えを幅広い公衆に伝えることに人一倍熱心であり、印刷媒体をそのためのもっとも有力な手段と考えていたからである。

重要なものだけに限ってみても、一九二三年に創刊されたデヴィエトスィルの第一機関誌『ディスク』(図版17)の第一号と第二号、建築雑誌『スタヴバ』の一九二三年から一九三一年にかけての各号、『パースモ』(図版19)の創刊号から第二年五号までの各号、さらには月刊文芸誌『ホスト』(図版15)の第四年目以降の各号、一九二七年から一九三一年にかけて、通巻三〇号二十九冊が刊行された国際文化月刊誌『ReD』(図版26)の各号、一九二九年から三年間にわたってオデオン書店が出版した国際現代建築年鑑『MSA』(図版32)三冊、一九三四年にヤン・フロメク書店が創刊した総合生活雑誌『ドバ(今日)』(図版41)の各号というように、ほとんど間断なく雑誌の編集に携わっている。それらの仕事のかたわらで、プラハの芸術家連盟造形部会の雑誌『ジヴォト』(図版16)、学生編集出版連合の社会風刺雑誌『トゥルン』(図版20)、サイフェルトの編集になる演劇評論雑誌『ノヴァー・スツェーナ（新舞台）』（図版33）、ネズヴァル編集のシュルレアリスム雑誌『ズヴェロクルフ（黄道十二宮）』（図版35）、ブルノ派の現代建築雑誌『ホリゾント（地平）』（図版37）、さらには各年一冊発行の『チェコ写真年鑑』（図版38）の諸号でも、デザインやタイポグラフィの面で寄与していたのである。

もちろん、タイゲは自著はもとより、詩、批評、小説、理論書など、単行本の装釘も数多くこなしている。装釘に対する彼の考えは、まことにもって揺るぎない。「（扉は）本のポスターでもある。本扉のコンポジション、視覚構成、活字や色の選択は、謂うならば文学的内容の、視覚的な、イメージによる置き換えなのだ。奥付は書誌的な観点からして、きわめて重要な要素であり、文字通り、本の出生証明でなくてはならない。だからこそ、見出しは明快でなくてはならないのだ。そこでは、手書きだろうが、印刷だろうが、アステリスクやプラスマークなど、余分な飾りをいっさい排除せねばならない。本文頁は活字の配列に則ってレイアウトされるが、このレイアウトを、線や矢印によって、さらには表現力溢れる幾何学的形態、すなわち適切な色彩対比によって強調することができる」。

当然のことであるが、装釘の構成要素である書店商標や叢書ロゴにも、タイゲのデザインになるものが多く残されている。アヴェンティヌム書店の「アヴェンティヌム人民文庫」（図版56—58）と「今日の本」叢書（図版59）、オデオン書店の「オデオン叢書」（図版62—74）と「愛書家叢書」（図版75—77）、ボロヴィー書店のネズヴァル詩集（図版78—85）など、本の装釘、そして書店商標や叢書ロゴは、いずれもタイゲの仕事である。フレーマンス書店の一九九六年の目録の記載によると、タイゲの装釘になる単行本は、一九二一年のサイフェルト処女詩集『涙の街』（図版96）から、一九四八年のマヤコフスキー著作『ヴェルレーヌからセザンヌまで』まで、百五十冊近くを数える。[*5]

シュルレアリスムとの共闘

――パリ・プラハ・モスクワ

前衛美術家集団がどのような経緯から、どの時点でその組織の体を解くにいたったのか、その理由や時期を特定するのは容易なことではない。メンバーの各々が個人として活動するようになり、結果としてグループ活動が消滅する、という道筋を辿るのが普通であろう。この点で、デヴィエトスィル協会も例外ではなかった。従来の研究によると、グループ解散の年を、第二機関誌『ReD』の最終号が発行された一九三一年とする説、メンバーのなかからシュルレアリスム・グループが形成された一九三四年とする説、さらにはナチス・ドイツがプラハに侵攻した一九三九年とする説など、いくつかあって一概に決めがたい。はっきりしているのは、いずれの年であるにせよ、コミュニズム、シュルレアリスム、ファシズムをめぐる、国内外の情勢がグループ内に亀裂を生じさせ、それが緒となり、組織解体を余儀なくされた、ということである。

以前からグループ内に論争の火種のようなものがないわけではなかった。発端は、上述した一九二五年秋のタイゲ、ホンズル、サイフェルトの、モスクワ、レニングラードの視察訪問にあった。「芸術の革命」と「革命の芸術」を、たとえ一時期であったにせよ両立させたソヴィエト・ロシアの社会状況に憧憬を抱いていた三人が、映画におけるエイゼンシュタイン、演劇におけるメイエルホリド、建築におけるメリニコフ、写真デザインにおけるロドチェンコなど、ネップ以降、生産主義と折り合いをつけつつ活動する構成主義者たちの仕事ぶりをまのあたりにして、心動かされぬわけがなかった。帰国したタイゲとホンズルの二人は、すぐに映画と演劇の分野で、アジ・プロ活動に乗り出すことになった。事実、タイゲの編集する雑誌『ReD』(図版26)は、第一年二号でボリシェヴィキ革命十周年、同年八号でモスクワのメーデーをそれぞれ特集しており、ほかにもソヴィエトに関する記事を、多く掲載するようになった。一九二八年にオデオン書店から出版された二冊の本すなわち、タイゲの『ソヴィエト文化』とホンズルの『現代ロシア演劇』(図版111)も、そうした活動の一環であった。これらの両書の刊行もそうであるが、タイゲとホンズルは、もはやソヴィエト寄りの立場を公にして憚らなくなった。もちろん、他方にはスターリン政権の進める社会主義国家建設への過度の傾きを危惧する人々もおり、メンバーのあいだに、すこしずつ緊張感が高まりつつあった。

一九二九年一〇月一八日、プラハで美術家と建築家からなる「レヴァ・フロンタ(左翼前線)」が結成されることになった。議長に選ばれたのは、もちろんタイゲである。この団体に参加したのは、文芸批評家のシャルダ、建築家のホホル、著作家のヴァンチュラ、詩人のネズヴァル、ザーヴァダ、ハラス、サイフェルト、画家のシュティルスキーとトワイヤンであり、チェコスロヴァキア共産党もすぐに支援を表明した。創立宣言は翌月の『ReD』第三巻二号に発表されている。「左翼前線は文化的左翼を結集し、動員したいと考える。現代的な創造のセンターとなり、新しい文化的な諸条件を創出し、世界を再建することに、力を合わせたいと考える。このセンターが、新しい、合理的な、社会経済的・文明的な均衡を達成するのは、現代的なエネルギーの生産的な共同体においてであり、その共同体は、関係を維持し、協同をなす、すべての文化的活動エリアからの知的労働者を結集させる運動によって、組織されることになる。また同時に、左翼前線は、職能的専門性という、狭隘な、分断された枠組みを打破したいと考える。独りそうした仕事だけが、一般的な文化的価値を有する、狭い専門性のなかに封じ込められずにある、現代的なものと見なしうる、そう信ずるからである」[*1]。

タイゲの率いる急進左翼グループは、自分たちの組織を、多様な創造の母胎として位置づけ、そこに各種の職能人を結集させ、新しい社会の建設に必要な現代的生産に携わらせることを目標に掲げていた。彼らは社会における芸術家の政治的な役割すなわち、「合理的な、社会経済的文明的な均衡」を達成し、新しい世界を再建することの必要性を強調する反面、『大恐慌』を資本主義の失敗の証左とし、これは社会主義が勝利することのきざしである、とする見方に立っていた。グループはいまやまぎれもない汎職能的で党派的な政治団体であった。一九三〇年九月三〇日、共産党詩人コストカ・ノイマンが第三代議長に選出されるや、たちまちにしてチェコスロヴァキア共産党と、ソ連邦の文化政策推進政治団体に変質してしまったのである[*2]。

「レヴァ・フロンタ」の綱領と展望はあまりにナイーヴすぎないであろうか、そこに参加した仲間に対する懐疑論が、デヴィエトスィル・グループのなかに生まれたのは当然である。

「レヴァ・フロンタ」結成の翌年、内部論争が激しさを増した。ドイツではいままさに、ヒトラー率いるナチス国家社会主義が政権を奪取しようとしていた。前衛芸術運動に対し「頽廃芸術」の烙印を押し、それらを弾圧するだけでなく、地上から抹殺し去ろうとする目論見が現実のものになろうとしていたのである。ソヴィエト連邦でも、ドイツに負けず劣らず深刻な事態が起ころうとしていた。スターリンがモダニズム運動を全面否定し、社会主義リアリズムを国家公認の唯一の綱領と決めつける日が、間近に迫っていたからである。

事態をさらに複雑化させたのはシュルレアリスムの浸透であった。[*3] より正確に言えば、人間の精神の全的な解放と、労働者階級の社会的な解放の、いずれを優先すべきか、それをめぐってのシュルレアリストとコミュニストのあいだの論争が、グループ内部にまで波及してきたのである。デヴィエトスィルとシュルレアリスムのかかわりは、キュビスムの流れを汲む作品を制作していたシュティルスキーとトワイヤン、そして一九二一年からパリに移り住んでいた抽象画家のシーマの三人が、一九二五年のパリにおける『今日の美術』展に参加したことがきっかけとなって始まった。

一九二八年、タイゲとネズヴァルは第二の「ポエティスム宣言」を雑誌『ReD』第一年八号に発表し、ポエティスムをシュルレアリスムとかかわりのない、自律的なシステムであるとしながらも、精神分析理論への関心から、シュルレアリスムへの接近を図っていた。タイゲによると、詩（ポエム）とはあらゆるものから解き放たれた創造的活動である。したがって、「絵画詩」、フォトグラム、フォトモンタージュ、ライトアート、抽象映画、イーゼル絵画など、多様な形態がありえる。言葉を換えると、これらはどれも、色彩をもった詩、五官に働きかける詩である。こうした考えに立つタイゲは、詩（ポエム）に現代の先端技術や新素材を持ち込むことに、人一倍熱心であり、ラジオや映像を、光、彫刻、建築、音楽と組み合わせる試みにも関心を抱いていた。

シュティルスキーとトワイヤンは、絵画的ポエティスムの一位相として、「アルティフィシアリスム」の理論を唱えていた。無意識世界の表出に関心を抱いていた二人は、一九二八年と三〇年にアヴァンティヌム・ガレットで二人展をおこなっている。一九三〇年一〇月には、『エロティカ雑誌』の出版経営にも乗り出そうとしていた。[*4] 一方、一九二七年五月にパリのジョゼフ・ビリエ画廊で作品展を開いたシーマは、シュルレアリスム絵画に傾倒し、ユング的な意味での心理的原型を模索する、より神秘主義的な方向へと、表現を深化させていた。[*5] ここでは詳細を省くが、ブルトン派から離れざるをえなくなったのはそのためである。バンジャマン・ペレに接近し、彼とともに、一九二八年夏、雑誌『グラン・ジュ（大博打）』の創刊に加わった。[*6]

一九二九年一二月のブルトンの「第二宣言」は、シュルレアリスムの運動に大きな転機をもたらすことになった。掲載紙は機関誌『シュルレアリスム革命』第一二号であった。そこにいたるまでの背景は複雑である。発端は一九二五年に起こったモロッコ事件である。この事件に対し、ブルトン・グループは、アンリ・バルビュスの率いる共産党系クラルテ・グループと連帯し、以後、両派は政治的な局面で、ことあるごとに共同歩調をとってきた。しかし、バルビュスのグループは、シュルレアリスム運動を、現実から遊離した観念論的な神秘主義と決めつけるようになり、批判をあらわにするようになった。さらに追い打ちをかけるような出来事があった。公式機関誌『シュルレアリスム革命』(図版184)の編者の立場にあったピエール・ナヴィールが、ブルトン批判を始めたからである。[*7] ナヴィールは、一九二七年に『シュルレアリスムはなにをなし得るか』を発表し、反ブルトンの立場をあきらかにする。共産党グループからの批判に加え、運動内部にも足並みの乱れが生じ始めていたのである。そのことに危機感を抱いたブルトンが、運動の立て直しを図るべく、あえて公表に踏みきったのが「第二宣言」であった。したがって、一九二四年の「第一宣言」を文学的な方法に関するものとするなら、「第二宣言」は同時代の社会的・政治的状況との対峙の仕方を、難解ではあるが、しかし正面きって論じたものということができる。それは、結果的に、国内外のシュルレアリスム運動の行く末を決するものとなった。

プラハのデヴィエトスィル協会にとってもそうである。タイゲらデヴィエトスィルのメンバーは、労働者の抱える切実な問題に対して具体的な解決策を提示できていない、ということで、シュルレアリスム運動を批判する立場にあった。しかし、この「第二宣言」では、労働者を階級的な抑圧から解放する方途として、マルクス主義とフロイト学説の協同という、具体的な提案がなされていた。そのことを評価したデヴィエトスィルのメンバーは、一転して、ブルトンの主張を受け容れることになり、シュルレアリスムとの公的な連携を模索し始めた。タイゲもそうである。一九二九年頃からシュティルスキーとの反目が目立つようになっており、シュルレアリスム運動を趣味的な集まりと決めつけていたタイゲは、すぐには参加の意志を示さなかった。しかし「第二宣言」で意を翻し、グループへの支持を表明することになったのである。シュルレアリスム雑誌の創刊は、その第一歩であった。このことすなわち、政治的、党派的な運動体としてのシュルレアリスムを自らの裡に抱き込むことになり、デヴィエトスィル協会もまた、分裂を余儀なくされ、組織的活動の停止に追い込まれる。

一九三〇年一一月、ネズヴァルはビーブル、シュティルスキー、トワイヤンらと図り、国際現代文芸雑誌『ズヴェロクルフ』の創刊にこぎ着けた。たしかに、翌月発行の第二号で終わる、短命な雑誌ではあった。しかし、それはチェコスロヴァキアにおけるシュルレアリスム運動機関誌の嚆矢となった。記念すべき第一号には、シュルレアリスムと心理分析についての、ネズヴァルの関心がよくあらわれている。フロイトとユングが、正面きって論じられているからである。ブルトンが一九二八年に発表した『ナジャ』の抜粋もある。エリュアール、アラゴン、メザンスのテキストも収録されている。第二号の眼目は、ブルトンの『シュルレアリスム第二宣言』の紹介にあった。もちろん、全文が掲載されている。第一号がネズヴァルの個人的な関心を強く反映していたのに対し、この第二号ではシュルレアリスムとポエティスムの、より一般的な共通項が探られている。シュルレアリスムと共闘するため、理論的な整理が必要とされたからである。

一九三二年一一月二七日マーネス造形芸術家連盟の建物で『詩学・一九三二年』国際展が開催されることになった。この展覧会は、「レヴァ・フロンタ」に対する心理的、政治的な反発から企画されたものであった。主体となったのは、デヴィエトスィルのメンバーのなかで「レヴァ・フロンタ」に参加しなかった者すなわち、シュルレアリスム運動に加担した仲間たちであった。この国際展には、フランスからアルプ、ダリ、エルンスト、ジャコメッティ、マッソン、ミロ、タンギー、イタリアからデ・キリコ、サヴィーニオ、チェコスロヴァキアからフィラ、ホフマイステル、ヤヌーツェク、マコフスキー、ムズィカ、シーマ、シュティルスキー、トワイヤン、ワフスマンなど、各国のシュルレアリスム絵画が一堂に会した。

この頃になると、プラハでは書物の装釘にも、シュルレアリスム風のものが目立つようになる。ボロヴィー書店から刊行されていたネズヴァル詩集（図版78―85）が、その代表である。それらを手がけたのは、タイゲ、ムルクヴィチカ、シュティルスキーの三人であった。彼らの制作したエルンスト風のコラージュは、ボヘミアにおけるシュルレアリスム運動の浸透ぶりをよく示している。

一九三三年五月には、ネズヴァルとホンズルがパリのブルトンを訪い、ブルトン派との絆がいっそう強固なものとなった。ネズヴァルはチェコスロヴァキアのシュルレアリスム・グループを代表するかたちで、パリのブルトンに宛てて、一通の手紙を出している。五月一〇日の日付のあるその書簡で、ネズヴァルはデヴィエトスィルとパリのシュルレアリスムの思想的な親近性について触れている。この書簡は機関誌『革命に奉仕するシュルレアリスム』に収録されている。[*8]

共産党から「反動的」の烙印を押されたことで、フランスのシュルレアリスム運動は方向転換を余儀なくされた。海外に連携のための拠点を築き、それらとともに国際運動化を推進することが必要とされるようになったのである。そうしたなかで、一九三四年の三月二一日、プラハでもようやくにしてシュルレアリスム・グループが、正式な旗揚げにこぎ着けた。理論的な支柱、グループのスポークスマンは、やはりタイゲであった。即日、『チェコスロヴァキアにおけるシュルレアリスム』という、四頁からなるマニフェストも発行されている。そこには、上述のブルトン宛書簡のほか、一九三四年三月一九日付でチェコスロヴァキア共産党アギトプロップ（情宣）局に宛てた書簡、ネズヴァルが起草したシュルレアリスム宣言が掲載されている。これは、共産党の綱領であるマルクス゠レーニン主義と、ブルトン派の唱える全的人間解放理論を架橋しようとする、「チェコスロヴァキア・シュルレアリスム・グループ」の最後の切り札といえるものであった。

この宣言書に署名しているのは、詩人のネズヴァル、ビーブル、イムレ・フォルバート、カティ・キング、ヨゼフ・クンシュタート、リビュツェ・イーホヴァー、画家のシュティルスキーとトワイヤン、彫刻家のマコフスキー、演出家のホンズル、作曲家のヤロスラフ・イェジェク、心理学者のボフスラフ・ブロウクの十二人である。このグループの誕生をもって、デヴィエトスィル協会はシュルレアリスム国際運動に吸収されたことになり、事実上、解体したとみることができる。なお、上記の宣言書には、同名の雑誌の創刊が謳われ、予約購読申込書まで添付されていたが、結局、それは発行されずに終わった。プラハのシュルレアリスム・グループは、参加者こそ多くなかったが、展覧会の企画、討論会の開催、アンソロジーや詩集の出版など、多方面で活発な活動を繰り広げている。なかでも、「プラハ言語学サークル」のヤコブソン、ムカジョフスキーとの共同研究、さらには「新劇場」の創設は、彼らの功績として、特筆に値する。

一九三五年四月には、ようやくにしてブルトン、エリュアール、シーマのプラハ、ブルノ招聘が実現した。「シュルレアリスム国際会議」が開催され、その報告書として、同年四月九日にプラハ・グループの名前で『シュルレアリスム国際公報』の第一号が発行された。[*9] ブルトンを中心とするシュルレアリスム運動は、スターリニズムの評価をめぐって、激しい内部抗争を抱え込み、分裂の危機に晒されていた。そこに、アラゴンの共産党入党という衝撃的な事件、俗にいう「アラゴン事件」（図版186）が起こり、それが直接的な引き金となって、決定的な分裂にいたった。それと同様、一九三六年、チェコスロヴァキア・シュルレアリスム・グループの中核にいたネズヴァルとタイゲの二人が、反スターリン主義の立場から、ソヴィエト連邦の文化政策に迎合した国際シュルレアリスム運動を批判する側にまわり、組織としての「チェコスロヴァキア・シュルレアリスム・グループ」もまた解体のやむなきにいたった。同年一月に一号雑誌『シュルレアリスム』が発行されているが、それがグループの名でなく、ネズヴァル個人の名で発行されているという事実が、組織的運動体としてのシュルレアリスムとの決別の、最終的な意思表示と承け取られたのである。

一九三九年五月ヒトラーの軍隊がプラハに侵攻し、ナチスの占領時代が始まった。それに続くドイツのポーランド侵攻をもって、ヨーロッパは二度目の全面戦争に突入する。以後、半世紀以上にわたって、チェコスロヴァキアの前衛美術家は、デヴィエトスィル協会のメンバーであるなしにかかわらず、誰もがみな、等しく死の恐怖に晒され、まったき沈黙を余儀なくされることになったのである。

日本における「チェコ・アヴァンギャルド」

最後になったが、日本とのかかわりについても触れておかねばならない。チェコスロヴァキアの文化遺産というと、たしかに、ミュシャの女性像や、ボヘミアン・ガラスの工芸品を想起する人はいる。しかし、「チェコ・アヴァンギャルド」から具体的な美術家や文芸家の名前を挙げられる人は、そう多くないのではないか。ならば、「チャペック」といったらどうか。ヨゼフとカレルの兄弟の区別はつかなくとも、子犬ダーシェンカのお話や、童話『ながいながいお医者さんの話』なら、思いあたる人もすくなくないのではないだろうか。

最近、兄ヨゼフの短編の翻訳があいついで出版されるなど、「チャペック」の名前がすこしずつ復権しつつあるようであるが、戦前の日本では、現在よりはるかによく、チャペック兄弟の、というよりも弟カレルの名前が知られていた。近代チェコ文学を代表するカレル・チャペックについては、早くから、すくなからぬ情報が国内にもたらされていたからである。事実、一九二〇年(大正九年)秋に出版された第二戯曲『ロッサムのユニヴァーサル・ロボット』がニューヨークのシアター・ギルドの舞台に上ったことを紹介する記事が、一九二三年(大正一二年)一月二一日発行の『週刊朝日』に掲載されている。記事を寄せたのは、ニューヨーク在住の英米文学者、長沼重雄であった。この記事には舞台の写真とチャペック兄弟の紹介があわせて掲載されている。神奈川県立近代美術館学芸員の籾山昌夫氏によると、ロボットに「人造人間」の訳語を充てたのは、その記事が最初であったという。[*1]

長沼の記事に続いたのは、三ヶ月後の『東京朝日新聞』の連載であった。四月八日から一三日まで、都合五回にわたって鈴木善太郎が「カペックの戯曲——労働者製造会社」を連載している。七月には、春秋社から『人造人間』が出版されている。翻訳者は宇賀伊都緒であった。宇賀は前年一二月に、ニューヨークのギャリック劇場で、シアター・ギルドの制作になる舞台『ロッサムのユニヴァーサル・ロボット』を観ている。演出はフィリップ・メラー、装置と衣装はリー・シモンソンであった。すでに世界各地で話題を撒いた芝居であることもあり、なにか感じるところがあったのだろう、その出版権をダブルディ社から取得した宇賀は、すぐに翻訳にとりかかった。[*2] 九月一日の関東大震災の前に本が出版されていることから、出版に手間取ることもなかったようである。翌年の七月には、創設間もない築地小劇場が、第五回公演(一二日—一六日)と第七回公演(二六日—三〇日)の二度にわたって、宇賀版台本を、土方與志演出、宮田政雄装置で舞台化している。また、これらの公演にともない、築地の演出台本を編んだ先駆芸術叢書第二巻『ロボット(人造人間)』が、金星堂から「鈴木善太郎訳」として出版されている。

チャペック作品の舞台上演は、それだけに終わらなかった。翌年四月にも、戯曲『虫の生活』が北村喜八訳の台本を基に、築地の第二六回公演として、土方與志演出、吉田謙吉装置で演じられたからである。[*3] 定期機関誌『築地小劇場』の第二年第四号には、この公演に関する記事があり、北村喜八によるプラハの演劇事情、高橋邦太郎によるチャペックの紹介、チャペック兄弟の連名になる小文「我々が『昆虫劇』を書くに至った経路」の三編を読むことができる。

第一書房がイプセン生誕百周年を記念して刊行に踏みきった大叢書『近代劇全集』の「中欧篇」(第三八巻)には、『虫の生活』が『マクロポーロス家の秘法』(三幕)とともに収録されており、同『全集』の別冊として刊行された『舞台写真帖』一五七図には、ニューヨークの五九番街劇場において、リー・シモンソン装置で上演された『虫の生活』の舞台写真が、二点紹介されている。吉田の装置は舞台の左右に広く展開しているのに対し、シモンソンのそれは、垂直性を極端なまでに強調したものとなっており、ここでは両者の対照性が際立っている。

『虫の生活』の初演から一年後、一九二六年の五月の第九回マチネ公演(五日、六日、一二日、一三日、一九日、二〇日、二六日、二七日)で、ふたたび『人造人間』が舞台にかけられた。演出の土方は初演時と同じであるが、装置は吉田謙吉に委ねられた。このときの舞台の装置は、丸太組によって全体を構成するという、当時としては大胆なものであった。このマチネ公演では、築地の記録写真を手がけていた写真家、堀野正雄が舞台技術陣に加わっている。堀野は舞台下手のソデから、五百燭光のデブライ映写機で、舞台背景に人影を投影してみせた。吉田謙吉は『舞台装置者の手帖』のなかで「幼稚な利用の例」と述懐しているが、当時の堀野の考えは、あるいはまた違うところにあった。実際のところ、それは役者が演技をしている舞台の背景に、あるいは映像を投影したり、あるいは役者のシルエットを映し出したりすることで舞台を盛り上げる、そうした演出法の実験であった。[*4] 堀野正雄にいわせると、この演出は映画と演劇の融合を図る最初の試みであった。「映画が本格的に演劇の一部を構成したのは築地小劇場に於けるカレル・チャペックの『人造人間』第二回演出のさいであったと思います。……一九二六年六月でありました」。[*5] マチネ公演翌月に発行された機関誌『築地小劇場』第三巻七号のコラム「観客席より」には、「序曲の回転する諸機械その他によつて新時代を空想させ screen によつて工場内の光景を示したところもよかつた」との三橋生の評が掲げられている。

一九二七年（昭和二年）には、近代社から『世界戯曲全集』の「中欧篇」（第二二巻）が出版され、書中にチャペックの戯曲三編が収録されている。また、一九二九年（昭和四年）に新潮社から出版された『世界文学全集』の「新興文学集」（第三八巻）にも、新居格の訳で、『虫の生活』が収録されている。ともあれ、これら昭和初頭の出版物でチャペックの名前が流布される以前に、築地小劇場での舞台上演や舞台台本の紹介など、一連の実績があったというわけである。これらのことから、すくなくとも戦前の日本では、カレル・チャペックが、同時代の戯曲作家として、かなりよく知られていたことがわかる。

上掲の高橋邦太郎の記事によれば、『ロッサムのユニヴァーサル・ロボット』は、発表されるとすぐに評判となり、一九二二年の英訳台本を皮切りに、同年中にドイツ語、一九二四年にフランス語と日本語、さらにロシア語、ポーランド語、スペイン語の翻訳出版があい次ぎ、母国のプラハはもとより、ベルリン、ワルシャワ、ロンドン、ニューヨーク、ストックホルム、アーヒェン、パリ、モスクワの各地で舞台化され、原作者チャペックは、たちまちにして「世界の先駆作家の一人」になったという。[*6] 宇賀版台本は、一九二三年に出版された英訳台本を底本にしたものであり、そこに複製されている舞台写真を見る限り、築地の初演がニューヨークの舞台を手本にしていたことは疑いない。それに対して、籾山昌夫氏も指摘している通り、一九二六年（大正一五年）の再演時には、吉田が丸太の骨組みに大きな円盤や歯車を組み合わせ、それらの後方に用意された背景に、堀野が強力なライトで人物の影を浮かび上がらせるという、かつてない構成主義的な舞台が実現している。

とはいえ、当時の日本では、築地をはじめとするプロレタリア演劇の多くが、マックス・ラインハルトや、エルヴィン・ピスカトールの民衆演劇に範を仰いでいた。したがって、ドイツ演劇の影響がまったくなかったといいきれるかどうか。現に、演出家の土方は、ベルリンでゲオルク・カイザー、エルンスト・トラー、カレル・チャペックの原作に拠るドイツ表現主義演劇の洗礼を受け、日本に帰朝したばかりであった。[*7]

また、プラハにおけるダダ演劇の担い手のひとりでもあったヤロスラフ・ハシェクが、一九一九年に起稿し、未完のまま残した長編風刺物語『勇敢なる兵卒シュヴェイクの冒険』も、チェコ語版の原著と同様、ヨゼフ・ラダの挿絵付で、一九三〇年（昭和五年）に辻恒彦の訳で衆人社から刊行されている。一九三四年（昭和九年）には、昭和書房から秦一郎の翻訳になる『だあしえんか――子犬の生ひたち』が続いた。これは、原書がプラハで出版された翌年のことであり、その反応の早さに驚かされる。同じことは、ドイツから帰朝した村山知義が仲間とともに一九二四年（大正一三年）に創刊した雑誌『マヴォ』についてもいえる。その第二、第六、第七の各号には、チェコスロヴァキアの近代建築雑誌『スタヴバ』と、創刊されたばかりの国際前衛美術雑誌『ディスク』の名前が登場する。後者については、その編集主幹として「Karl teige」の名前が掲げられている。

この「カレル・タイゲ」に関する最初の具体的な言及は、村山と同じくドイツに渡り、ワイマール・バウハウスを訪うて、一九二四年五月に帰朝した仲田定之助へ帰せられる。一九二六年（大正一五年）五月、浜田増治が中心となって「日本商業美術家協会」が結成されている。翌年、同協会は第二回展覧会を開催し、その作品集として、『商業美術一九二七年』を出版することになった。この図録の巻末には、一九二七年（昭和二年）五月一二日に読売講堂で開催された、仲田の講演「構成主義のポスター」が収録されており、そのなかで仲田は、「チェコスロヴァキアの構成主義者」としてタイゲの名前を出し、「ポスターは近代的な、フレスコであり、大規模な広告芸術である」という、有名な言葉を引用していたのである。

一九二七年（昭和二年）八月発行と翌月発行の『中央美術』には、外山卯三郎の二回にわたる連載記事「現代チェック・スロヴァキア美術観」がある。外山は一九一二年に出版されたイェリネックの『チェコ現代文学』(仏語版)と一九二四年に出版されたマテェイチェクの『チェコ近現代美術』をネタ本として、十九世紀美術とマーネス造形芸術家連盟の画家たちを紹介している。[*8]なかでも興味深いのは、もっとも新しい動向として「八科」(「八人組(オスマ)」の意)の動きが紹介されていることである。その「精神的案内者」であるエミル・フィラは、「表現派と立体派の中間道程を進んで」おり、ヴィンツェンツ・ベネシュは前者から後者に「変つて行つた」。カレル・チャペックとともに戯曲『虫の生活』を発表したヨゼフ・チャペックは、「形式に挑み、而も彼の芸術の方法を変へるのを恐れて」おり、ヤン・ズルザヴィーは「近代派を嫌い、古い伝統に近接するものを描いてゐる」としている。ヨゼフの一九二〇年の『自画像』をはじめとする図版を通じて、「八人組」の仕事が紹介されたのは、おそらくこれが最初のことであったろう。

美術作品についての本格的な紹介とはいえないが、一九二九年(昭和四年)四月に蔵原惟人、杉本良吉の共訳で聚英閣から刊行されたマーツァ・ヤーノシュ著『現代欧州の芸術』には、チェコスロヴァキアの文芸運動についての纏まった紹介記事を見出すことができる。著者のマーツァはカシャークとともにウィーンに亡命したのちロシアに渡ったマジャール人で、彼の参加した行動主義グループがプラハのモダニズム運動とかかわりをもっていたことから、ボヘミアの動向について知悉していたのであろう。マーツァは著作のなかで、チェコの新しい文学運動を、歴史地理的な基盤の上にたつ民族派、政治イデオロギー的色彩の強い社民派、そしてドイツ文化圏から育った人間主義的な国際派の三派に分類し、この最後のグループの、「没落しつつあるブルジョワ文学の絶頂」を代表する作家が、カレル・チャペックであるとしている。[*9] また、「チェルウェン（ママ）」（六月）なるグループを結成した若手たちが、プロレタリア革命の拠点として、「革命劇場」の建設を目論んだものの、結局、失敗に終わったこと、さらに、一九二一年に若いプロレタリア知識人たちが、機関誌『プロレトクリュト』を創刊し、そこにサイフェルト、ピーシャ、ホラ、ヴォルケルらが結集したことなどに触れている。また、これら「台頭しつつある革命的な文学を代表する詩人」としてサイフェルトの名前を挙げ、彼の詩二編すなわち、「最も謙譲な歌」「貧しき人」の紹介もおこなっている。これは日本におけるサイフェルトの詩の最初の紹介であった。

マーツァの本の翌年には、吉村辰吉と輿石武の共著作として、建築工業社から出版された『新建築起源』が、チェコスロヴァキアの最新の建築動向に頁をさいている。同じ年に平凡社から出版された『世界美術全集』（第三五巻）の「欧米現代（下）・支那及日本現代（下）」では、中原実が、現代西洋絵画総説として、チェコスロヴァキアの動向を紹介している。マーネス造形芸術家連盟から、ピュリスムを信奉する若手国際派が登場し、一九二〇年に「頑固派」のヨゼフ・チャペック、ホフマン、シュパーラ、ズルザヴィー「外十六名の新人が新たに「ドウヴェスチル」という会を起した。新人とはタイゲ、ヴァクスマン、（中略）……で芸術革新によつて、生活を革命せんとし文学講演会を開き機関誌『オルフォイス』を発刊し、或は又展覧会をプラーグに開いた」とある。一部事実関係に誤りがあるとはいえ、戦前におけるチェコ・アヴァンギャルドの紹介としては、貴重な資料となっている。

戦前の出版物として、海外のシュルレアリスム運動をいち早く国内に紹介した山中散生の『エシャンジュ・シュルレアリスト』も忘れることはできない。この本は一九三五年（昭和一〇年）に出版の準備が始められ、翌年、東京のボン書店から刊行された先駆的な出版物である。「二人のチェコの画家スティルスキーとトイエンを紹介できることも喜ばしい」と後記にある通り、パリのシュルレアリスム運動に参加したチェコスロヴァキアの画家二人の作品が、ここではじめて日本の読者に紹介されている。[*10] 同様の趣旨で翌年五月に春鳥会から『みづゑ』の臨時増刊号として発行された「アルバム・シュルレアリスム」にも、二人の作品が図版で紹介されている。

写真界でも、チェコスロヴァキアとのつながりを見て取ることができる。一九二〇年代から三〇年代にかけて活躍したヤロミール・フンケ、フランチシェク・ドロチコル、ヨゼフ・スデックの写真は、一九二七年（昭和二年）から、全日本写真連盟が東京朝日新聞社の支援を得て始めた「国際写真サロン」への出品を通じて、さらには一九三一年（昭和六年）一月に日本巡回が実現したドイツ工作連盟主催『映画と写真』展（国内名称は『独逸国際移動写真』展）を通じて、国内の新興写真運動に大きな影響を及ぼしていたからである。

もちろん、チェコスロヴァキアとのあいだには、人を介した直接交流もあった。国内におけるチェコ文学研究の草分けである故千野栄一先生によると、大阪にガスを敷設したのはチェコ人建築家ホラであったという。[*11] その同僚のヤン・レッツルは、周知の通り、広島の原爆ドームの建設者であった。また前衛芸術家集団デヴィエトスィルの創立メンバーのひとりであった建築家ベドジフ・フォイエルシュタインは、一九二六年に来日し、フランク・ロイド＝ライトの弟子であったチェコ人建築家アントニーン・レイモンドの東京事務所で働き、ライジングサン石油横浜支店とソヴィエト大使館の設計と施工、聖路加国際病院の原設計、さらには日本人建築家土浦亀城とともに「地下鉄ビル」の競技設計をおこなっている。[*12] 北村喜八はフォイエルシュタインを「舞台装置家」としているが、そのことからもわかる通り、彼は一九二一年一月二五日にプラハの国民劇場で上演された『ロッサムのユニヴァーサル・ロボット』の舞台設計を手がけており、確証こそないものの、築地小劇場での『人造人間』再演と、なんらかのかたちで、かかわっていた公算が大きい。現に、一九三一年（昭和六年）に世紀社から刊行された北村喜八の『世界戯曲舞台写真』には、フォイエルシュタインによる、『人造人間』の舞台装置画が図版で紹介されている。

また、二〇〇二年の展覧会『極東ロシアのモダニズム一九一六―一九二六――ロシア・アヴァンギャルドと出会った日本』であきらかにされた通り、一九一九年にウラジオストックで、自称「ロシア未来派の父」ダヴィド・ブルリュークとともに、雑誌『ドヴォルチェストヴォ(創造)』の編集、発行に携わったチェコ人美術家ヴァーツラフ・フィアラは、ブルリュークの妹マリアンナを娶り、彼女を連れて一九二〇年一一月から翌年八月にかけ日本に滞在し、帰国後、日本を題材とする絵を描いている。[*13] デヴィエトスィル・グループの中核にいた美術家アドルフ・ホフマイステルも、その晩年、国際ペン・クラブ大会に参加するため来日し、短いながらも、日本滞在を経験している。付言するなら、戦前に来日した喜劇王チャールズ・チャップリンも、また戦後に来日した言語学者ロマン・ヤコブソンも、やはりデヴィエトスィル協会のメンバーであった。

このように、すくなくとも第二次世界大戦以前には、チェコスロヴァキアと日本とのあいだで、散発的ではあるが、たしかな文化交流が実現していた。ばかりか、両国文化の近接は、いずれの事例をとっても、大正末期から昭和前期にかけての文学、演劇、美術、建築、写真など、各種新興芸術運動の重要なモメントと深くかかわっており、けっして黙過できるようなものではなかったのである。

註

序

＊1——John Vloemans & Cora van de Beek, *Czech avant-garde books 1922–1938: Devětsil-Poetism-Constructivism-Surréalism*, Vloemans Antiquarian Books, The Hague, 1994.

＊2——各種展覧会図録については、巻末の文献一覧を参照のこと。

＊3——*Lajos Kassák y la vanguardia hungara*, Valencia, IVAM Centre Julio Gonzalez, 1999; *Constructivism in Poland 1923–1936: BLOK, Praesens, a.r.*, Museum Folkwang Essen/Rijksmuseum Kröller-Müller, Otterlo, 1973; Krisztina Passuth, *Les Avantgarde de l'Europe Centrale 1907–1927*, Paris, 1988; Susanne Anna (Herausgegeben von), *Das Bauhaus im Osten: Slowakische und Tschechische Avantgarde 1928–1939*, Ostfildern-Ruit, Hatje, 1997; Michael Ilk, *Brancusi, Tzara und Rumänische Avantgarde*, Museum Bochum + Kunsthal Rotterdam, 1997; *L'Avant-garde Hongroise 1915–1925*, BBL, Bruxelles, 1999/2000.

＊4——Gerald Janecek & Toshiharu Omuka (ed. by), *Crisis and the Arts: the History of DADA, The Eastern DADA Orbit: Russia, Georgia, Ukraine, Central Europe, and Japan*, New York, G.K. Hall & Co., 1996.

＊5——Timothy O. Benson (org. by), *Central European avant-gardes: exchange and transformation, 1910–*

1930, Los Angeles, Los Angeles County Museum of Art/Cambridge(MA), MIT Press, 2002.

立体表現主義の誕生――パリ・ベルリン・プラハ

＊1――ドイツ表現主義と文芸出版については、Paul Raabe, *Die Zeitschriften und Sammlungen des literarischen Expressionismus*, Stuttgart, Metzler, 1964; Lothar Lang, *Expressionist Book Illustration in Germany*, 1907-1927, London, Thames & Hudson, 1976; *Paris-Berlin, Rapports et contrastes France-Allemagne 1900-1933*, Paris, Centre National d'Art et de Culture Georges Pompidou, 1978; Franz Pfemfert (Herausgegeben von), *Die Aktion 1911-1918*, Eine Auswahl von Thomas Rietzschel, Du Mont Buchverlag, Köln, 1987; Ralph Jentsch, *Illustrierte Bücher des deutschen Expressionismus*, Stuttgart, Edition Cantz, 1989を参照。

＊2――フィレンツェの作家ジョヴァンニ・パピーニが、一九〇八年一二月二〇日、政治・文化・道徳の刷新を目的に創刊した。画家のアルデンゴ・ソッフィチが協力し、大出版者アッティーリオ・ヴァレッキが発行元を引き受けた。当初はタブロイド判の新聞、のちに八つ折り判の冊子となる。ソッフィチは、一九〇〇年から一九〇三年夏にかけてパリに滞在し、一九〇一年と一九〇二年の『サロン・デ・ザンデパンダン』展に出品するなど、画家として活動していた。一時帰国するものの、一九〇四年からふたたびパリに居を構え、フランスのフォーヴィスムの動向や、一九〇七年のキュビスムの台頭をまのあたりにした。ピカソやマックス・ジャコブとの交流、さらには一九一一年に始まるアポリネールとの親しい交流は、キュビスムに関するいくつかの著作に結実し、イタリア画壇に大きな影響を与えることになった。帰国後、フィレンツェ近郊の田舎町に戻った

ソッフィチは、パピーニの誘いで、『ラ・ヴォーチェ』(*La Voce*)（図版128）の出版事業に加わることになった。ソッフィチはイタリアにおけるキュビスムの伝道者を自らもって任じ、一九一一年一〇月の『ラ・ヴォーチェ』に最初のキュビスム論を発表している。美術や文学をも射程に入れた総合雑誌『ラ・ヴォーチェ』が、政治的・社会運動的な方向に傾き始めたのもそれと同じ頃のことである。この年にはパピーニの盟友プレッツォーリの働きかけもあって、ムッソリーニのニーチェ論が誌面を飾っている。これは「文学者ムッソリーニ」の処女論文として知られる。また、同年六月一五日発売号に掲載されたソッフィチの展評「自由な芸術と未来派の絵画」は、大きな騒動の誘因となった。ミラノのリコルディ宮殿で開かれた未来派絵画展を酷評したところ、マリネッティがミラノ未来派メンバーからなる「懲罰隊」を引き連れてフィレンツェに押しかけ、警察ざたになったからである。幸いにして、すぐに両者の和解が成立し、これが未来派との絆を固める契機となった。しかし、出版事業は次第に政治化し始め、そのことに嫌気がさしたパピーニとソッフィチは、『ラ・ヴォーチェ』からの撤退を決意する。二人はふたたびヴァレッキに頼み、新しい定期刊行物を創刊することになる。これが一九一三年一月創刊の隔週刊誌『ラチェルバ』(*Lacerba*)（図版133）である。

＊3――『デア・シュトゥルム』は、二十一年間で通巻二一巻四一三号三百三十八冊を数える。第九巻までは八頁、ないし十六頁のタブロイド判ないしフォリオ判で発行され、以後は四つ折りに小型化され、最後には八つ折り判となる。「文芸週刊紙」と銘打って「ジャーナリズムと文芸欄主義に取って代わる」ものとして創刊されたが、すぐに美術への傾斜を強め、「ノイエ・ゼツェスィオーン」(Neue Sezession)、「ブリュッケ」、「ブラウエ・ライター」など、ドイツ表現主義の新思

潮の旗振り役を務めることになった。フランスのキュビスム、チェコの立体表現主義、イタリアとロシアの未来派、ロシアとハンガリーとルーマニアの構成主義など、第一次大戦に前後して台頭する前衛芸術運動の紹介において比類のない役割を担った。ヴァルデンは画家のキルヒナー、ペヒシュタン、カンディンスキー、クレー、彫刻家のオットー・フロイントリヒ、詩人のシュトラム、ラスカー＝シューラーを高く評価していた。一九三一年に結核治療法雑誌『デア・ドゥルヒブルック（突破）』と合併し、廃刊となった。

＊4――Werner J. Schweiger, *Oskar Kokoschka: Der Sturm: Die Berliner Jahre 1910-1916, Eine Dokumentation*, Wien/München, Pöchlarn, Oskar-Kokoschuka-Dokumentation, 1986.

＊5――ロンドンでの『イタリア未来派画家作品』（Works by the Italian Futurist Painters）展（図版122）の反響は、フランスの場合より、はるかに大きかった。三月にサックヴィル画廊で巡回展が開かれると、それにあわせてマリネッティが招かれ、五月九日ベヒスタイン・ホールで「文学と芸術における未来派」と題する講演をおこなっている。一九一三年四月初めには、マールボロ画廊で『未来派画家セヴェリーニ』個展が、同年一〇月にはドレ画廊で批評家フランク・ラッターの企画になる『ポスト印象派と未来派』展が、さらには翌年の四月にも同じ画廊で『イタリア未来派絵画彫刻作品』展が開催されるなど、美術運動としてのイタリア未来派のブームが頂点に達している。エズラ・パウンドの主導の下で画家ヴィンダム・ルイスが「ヴォーティシズム（渦巻派）」の雑誌『ブラスト（爆風）』（*Blast*）（通巻三号二冊）を創刊した一九一四年七月にも、マリネッティがふたたびロンドンを訪れ、コロシアムで講演をおこない、サックヴィル画廊が「未来派宣言」（Manifeste du Futurisme）ほかの資料の英語版を出版し、さらにドレ画廊でも第二回『イ

タリア未来派』展が開催されている。この時期に未来派を取り上げたジャーナリズムの記事は、四百点を超えるという（cf. *Pour un Temps/Wyndham Lewis*, Centre Georges Pompidou/Pandora Editions, Paris, 1982）。

＊6——展覧会は五月と六月にブリュッセルのジョルジュ・ジルー画廊へ巡回している。一九一三年二月には、ローマのコンスタンツィ劇場のガレリア・ジオシで、第一回『未来派絵画』展が開かれている。さらに五月と六月には、ロッテルダムのクンストクリングに巡回し、一一月から翌年一月にかけてフィレンツェのガレリア・ゴッネッリでラチェルバ主催『未来派絵画』展、続いて二月にかけてライプツィヒのデル・ヴェッキオ画廊での展覧会と、慌ただしい日程が続く。イタリア未来派の動き、なかでもドイツ、ボヘミアにおけるそれについては、Pontus Hulten, *Futurismo & Futurismi*, (Milano), Bompiani, 1986; Claudia Salaris, *Bibliografia del Futurismo 1909-1944*, (Roma), Biblioteca del Vascello, 1988; Serge Fauchereau, *Les artistes italiens et les revues occidentales, Art Italiens: 1900-1945* (sous la direction de Pontus Hulten & Germano Celante), Editions Liana Lévi, Paris, 1989, pp.113-119; Claudia Salaris, *Storia del Futurismo*, Roma, Editori Riuniti, 1992; Gérard-Georges Lemaire, *Futurisme*, Paris, 1995を参照。

＊7——Herwarth Walden (ed.by), *Die Futuristen*, Berlin, n.d. (1912).

＊8——「未来派創立宣言」は、筆名「ジャン＝ジャック」ことハンス・ヤーコプによってドイツ語訳され、展覧会に合わせて発行された『デア・シュトゥルム』第一〇三号に掲載されている。以後、雑誌『デア・シュトゥルム』では、都合四つの未来派宣言が誌面を飾ることになった。

＊9——Claudia Salaris, *op.cit.*, 1992, p.144.

*10——小冊子『マリネッティ未来派詩選』（*Futuristische Dichtungen von F. T. Marinetti*）の表紙を飾ったのは、カルロ・カッラの作品『未来派領袖マリネッティ像』である。版元のメイヤー書店は『ディ・アクツィオーン』第六年七・八合併号に初出したマリネッティ詩片を纏め、一九二〇年に同じデザインで『パオロ・ビュッツィ未来派詩抄』（*Ein Futuristisches Diptychon von Paolo Buzzi*）（図版162）を出版している。

*11——Karl Vossler, *Italianische Literatur der Gegenwart, von der Romantik zum Futurismus*, Heidelberg, Winter, 1914; Herwarth Walden, *Einblick in Kunst: Expressionismus Kubismus Futurismus*, Berlin, Verlag Der Sturm, 1917; Paul Fechter, *Expressionismus Kubismus Futurismus*, Monaco, 1918.

*12——Giovanni Lista, *Marinetti et le Futurisme*, L'Age d'Homme, Lausanne, 1977, pp.65-66.

*13——引用文は巌和峯訳。『表現主義の理論と運動』ドイツ表現主義（五）、河出書房新社、一九七二年、四四頁より。「内的必然性」は、一九一二年にカンディンスキーがミュンヘンのピーパー書店から出版した『芸術における精神的なるもの』で説かれている。

*14——チェコ・キュビスムの動向については、*Czech Modernism 1900-1945*, The Museum of Fine Arts Huston, Boston/Toronto/London, Bullfinch Press, 1990; Jiří Svestka & Tomáš Vlček(sous la direction de), *1909-1925 Kubismus in Prag*, Düsseldorf, Kunstverein für Rheinlande und Westfalen, 1991; *Cesky kubismus, architektura a design 1910-1925*, Praha, 1991; Jaroslav Slavík & Jiří Opelík, *Josef Čapek*, Praha, Torst, 1996; *Prague 1900-1938: Capital secret des avant-gardes*, Musée des Beaux-Arts de Dijon, 1997 を参照。

＊15——*The art of the avant-garde in Czechoslovakia 1918-1938*, Valencia, IVAM (Centro Julio Gonzalez), 1993, p.453.

＊16——Otto Gutfreund, Národní Galerie v Praze: sbírka moderního umění, Veletržní palác, 1995-96.

＊17——Václav Vilém Štech, *Introduction to the second Skupina Exhibition Catalogue*, Autumn, 1912, Timothy O. Benson & Éva Frogács, *op.cit.*, vol.2, p.99.

＊18——*The art of the avant-garde in Czechoslovakia 1918-1938*, *op.cit.*, 1993, p.451.

＊19——「ドゥルシュステヴニー・プラーツェ（共同組合制作）」（DP Družstevní práce）もまた「アルテル協同組合」（Artěl: Ateliér pro výtvarnou práci v Praze）を前身とする（cf. *ibid.*, p.449）。これは一九二〇年代にモダン・デザインの拠点となった。

＊20——Julius Meyer-Gräfe, *Entwicklungsgeschichte der Modernen Kunst*, Stuttgart, 1904.

＊21——この展覧会（Neue Sezession）には、ミュンヘンの青騎手グループと並び、クビシュタ、ベネシュ、フィラ、グートフロイント、フィーグルが作品を展示している。

＊22——Herwalth Walden (Herausgegeben von), *Erster Deutscher Herbstsalon*, Berlin, Der Sturm, 1913.

イタリア未来派の受容——ミラノ・パリ・プラハ

＊1——同じ年の一〇月第三週発行の『デア・シュトゥルム』第一三三号には、「ジャン＝ジャック」ことハンス・ヤーコプの訳で「未来派文学技術宣言」（Filippo Tommaso Marinetti, *Manifesto tecnico della letteratura futurista*, Milano, Direzione del Movimento Futurista, 11 maggio 1912）のドイツ語訳が掲載されている。これをきっかけにして、本文で触れた、デーブリンの記事そのほか、未

来派言語実験をめぐる議論が戦わされることになり、アクツィオーン・グループとの対立の原因にもなった。

＊2——Pontus Hulten, *op.cit.*, pp.440-441.

＊3——この展覧会には、ベネシュ、フィラ、グートフロイント、プロハースカ、シュパーラ、フィーグル、ノヴァークらの絵画作品と、ゴチャール、ヤナーク、ホフマン、ホホルらの建築作品が並び、さらには美術史家クラマーシュのコレクションからピカソ、フリース、ドランのフランス絵画が、ブリュッケ・グループからヘッケル、キルヒナー、ミューラー、シュミット＝ロットルフのドイツ表現主義絵画が、それぞれ出品されている。そのため、チェコ、フランス、ドイツの三つの流れが一堂に会し、実態として国際展の趣を呈するものとなった。

＊4——Cf. *Fragments of Correspondence, Josef Čapek to Jarmila Pospíšilová*, 1913, Timothy O. Benson & Éva Frogács, *op.cit.*, vol.2, pp.103-109.

＊5——*Umělecký Mesičnik*, vol.I, no.6, May 1912, pp.174-178.

＊6——『イタリア未来派画家』（*Les Peintres Futuristes italiens*）展目録（図版123）は、全三十四頁の小型判で、当時としては標準的な体裁のものである。巻首にはボッチョーニ、カッラ、ルッソロ、バッラ、セヴェリーニの連名で「出品者から公衆へ」（Les exposants au public）という序文が掲げられており、その冒頭に「われわれは若くして、われわれの芸術は激烈に革命的である」とある。この序文は前年の一九一一年五月二九日、ローマの国際芸術サークル（Circolo Internazionale Artistico）で開かれた未来派画家会議において、ボッチョーニのおこなった講演の仏語版抄録である。序文に続いて、やはり五人の画家の連名になる「未来派画家宣言」（Manifeste des

Peintres Futuristes）が掲載されている。この宣言文は、一九一〇年二月一一日に発表された『未来派画家宣言』（*Manifesto dei Pittori futuristi*）と、同年四月一一日に発表された『未来派絵画技巧宣言』（*La Pittura Futurista: Manifesto tecnico*）を折衷したパスティシュである。こちらは「われわれは向こう十年間にわたってヌードを絵に描くことを止めるよう要求する」という、扇動的な文章で終わっている。掲載されている図版は、モノクロの写真版で、当時としては良質の複製というべきであるが、判型が小さかったため、未来派に対する誤解を生む要因にもなった。

＊7――*Umělecký měsíčník, op.cit.*, pp.266-269.

＊8――イタリア未来派からは、カッラ、ボッチョーニ、ルッソロ、セヴェリーニの作品が出品されている。義弟のウィッツ・ベーラとともに展覧会を訪れたカシャーク・ラヨシュは、後日、カッラに関する論考を雑誌に掲載することになる（K. Passuth, Les relations internationales des Huits et des Activistes, *L'Art en Hongrie 1905-1930, Art et Révolution*, Musée d'Art et d'Industrie Saint-Etienne, Musée d'Art Moderne de la Ville de Paris, Saint-Etienne, 1980, p.9）。

＊9――*Ibid.*, p.19.

＊10――Gérard-Georges Lemaire, *Futurisme*, Paris, Editions du Regard, 1995, p.174.

＊11――記事の日付は八月九日とある（cf. *ibid.*, p.175）。なお、「未来派反伝統宣言」（Guillaume Apollinaire, *L'Antitradition futuriste. Manifeste=synthèse*, Milano, Direzione del Movimento Futurista, 29 giugno 1913）は、一九一三年六月二九日に宣言書として公表されたのち、九月一五日にフィレンツェで発行された『ラチェルバ』第一年一八号に転載されている。

＊12――ヨゼフ・チャペックは、一九一八年発行の『チェルヴェン』に、「黒人彫刻」と題する論考を寄

せている。一九二〇年秋にアヴェンティヌム書店から出版された評論集『もっとも慎ましやかな美術』でも、始源美術に関する考えを展開しており、これらは後続の世代に大きな影響を与えることになる。

＊13——批評家フランツ・プフェムフェルトが、ヴァルデンの『デア・シュトゥルム』に対抗して一九一一年二月に興した左翼系文芸週刊誌。当初は「自由な政治と文学のための週刊誌」と称した。ヴァルデンは追随者プフェムフェルトのことを「ヴィルマースドルフの男」と呼んで、毛嫌いしていた。『ディ・アクツィオーン』（*Die Aktion*）については、Franz Pfemfert (Herausgegeben von), *Die Aktion 1911-1918*, Eine Auswahl von Thomas Rietzschel, Köln, Du Mont Buchverlag, 1987を参照。

＊14——一九一七年夏の『ディ・アクツィオーン』合併号は、ヨゼフ・チャペックのリノカットと素描で特集を組んでいる。Franz Pfemfert (Herausgegeben von), *op.cit.*, 1987を参照。

＊15——Stanislav K. Neumann, *A přece!, introduction to the first Tvrdošíjní exhibition catalogue*, 1918, Timothy O. Benson & Éva Frogács, op.cit., vol.2, p.197.

＊16——Václav Nebeský, *Tvrdošíjní a hosté, introduction to the third Tvrdošíjní exhibition catalogue*, 1921, Timothy O. Benson & Éva Frogács, *op.cit.*, vol.2, p.197.

＊17——アヴェンティヌム書店は世紀初頭の退廃的な象徴派文学を紹介する出版社として知られていた。創業者のオタカル・シュトルフ＝マリエンは、カレル・チャペックら「頑固派」のメンバーと世代的に近かったこともあり、彼らに対する支援を惜しまなかった。しかし、一九二〇年代に入ると、アヴェンティヌムの出版物に、デヴィエトスィルのメンバーが参集し始める。その結果、この書

店の出版事業は「頑固派」と、デヴィエトスィル・グループを架橋することになった。デヴィエトスィルの旗揚げ以降、アヴェンティヌム書店の商標は、タイゲとムルクヴィツカのデザインしたものに代えられた。書店を代表する出版物「アヴェンティヌム人民文庫」（Lidová knihouna Aventina）の構成主義的なブック・デザインも二人の手になる。一九二五年から一九三三年にかけて出版の続いた『アヴェンティヌム新報』（*Rozpravy Aventina*）は、デヴィエトスィルの活動を跡づけるうえで、資料価値が高い。

＊18——この雑纂は一九二〇年と翌年の二冊発行されている。第一号にはカレルとヨゼフのチャペック兄弟が特集され、第二号にはヴラスチスラフ・ホフマンが特集されている。後者には、タイゲの講演録「フィギュールとプレフィギュール」が収録されている。そのことからも解るように、デヴィエトスィルのメンバーの多くが、寄稿者リストに名を連ねている。

デヴィエトスィルの結成——プラハ

＊1——The Devětsil Association of Artists, *Statement, Pražské pondělí* 6, Dec. 1920, Timothy O. Benson & Éva Frogács, *op.cit.*, vol.2, p.240.

＊2——Polana Bregantovň, The Membership of Devětsil, *Devětsil: Czech Avant-garde Art: Architecture and Design of the 1920s and 30s*, Museum of Modern Art Oxford/Design Museum London, 1990, pp.106-109.

＊3——雑誌を興したカシャーク・ラヨシュは、素描、絵画、グラフィック、コラージュ、ポスター、デザイン、商業美術、タイポグラフィなど、さまざまな美術ジャンルに手を染めており、それらの

探究の成果すべてが雑誌に集約されている。一九一六年一一月、それまでの雑誌『ア・テット（行動）』（*A Tett*）（図版166）の休刊を受けて創刊された雑誌『マ』（図版167）については、一九二四年の第九巻八・九合併号まで発行を確認できる。タイトルは木活字で組まれている。本文の多くはハンガリー語であるが、後半になるとドイツ語、フランス語、イタリア語のテキストも混じる。オリジナル版画も数多く含まれている。たとえば、一九二一年一一月発行の第七巻一号には、カシャークが同じ年に五十部限定で出版した版画集『ビルトアーキテクチャー（絵画＝建築）』（*Bildarchitektur*）の七点のリノカット版画のうち、四点が再録されている（「ビルトアーキテクチャー」は、カシャークの造語であり、直訳すると「絵画建築」となる。しかし、これでは建築を描いた絵画の意にも汲めるし、また建築による絵画の意にも汲める。ために、この訳語ではカシャークの意図が伝わりにくい。実際にカシャークが残した作品は、建築的な構造をもった絵画作品であることから、ここでは「絵画＝建築」とした）。一九二二年発行の第七巻四号にはアルプの全頁大木版画二点が、また『マ』のなかでもっとも美しく、贅沢であるとされる同上巻五・六合併号には、モホイ＝ナジの多色のオリジナル・リノカット、ハウスマンのオリジナル多色石版、カシャークの二色の図版「ティポグラフィア」、二頁見開きでアンドール・シュガールの「活字詩（ティポ・ポエム）」、モホリ＝ナジ、バウマイスター、マン・レイ、モンドリアン、ファン・ドースブルク、エル・リシツキー、アウト、シュレンマーの図版が含まれる。一九二三年発行の第一〇巻一号は、十周年記念特別号となった。ツァラ、ピカビア、コクトー、アポリネール、エリュアール、ランボー、ルヴェルディ、ジャコブの訳詩のほかに、カシャーク、レヴィのテキスト、マルセル・ヤンコ、モホイ＝ナジ、バウマイスターの図版を含む。

＊4――画家であり、芸術理論家であり、編集者でもあったテオ・ファン・ドースブルクがライデンで創刊した、「純粋造形」（plastique pure）、現代建築、構成主義を主体とする雑誌。通巻八八号を数える。第三巻までヴィルモス・フサールのリノカット構成を表紙に掲げた四つ折り縦判三百部程度の発行であったが、第四巻からドースブルク自身のデザインになる表題「NB」を掲げた、文字表紙の横判に変わる。紙面構成は一貫して明快である。その明快さに純粋造形を志向する、雑誌の主張が具体化されている。ファン・ドースブルクは、この雑誌を通じて純粋造形の浸透を図るとともに、親友のシュヴィッタースとの交流を通じて、さらには「ボンセット」の筆名でもって自ら起こした個人雑誌『メカノ』（図版155）を通じて、ダダと純粋造形の接点を模索した。チューリッヒに興ったダダにも、アルプやゾフィ＝トエバー、オットー・ファン・リースなど、純粋造形の主張に首肯する者がいたからである。シュヴィッタースの『メルツ』とファン・ドースブルクの『メカノ』の共通要素は、一九二二年八月にワイマールで開催された「ダダと構成主義」国際会議で明白なものとなった。この雑誌では、現代建築、都市計画、住宅設計、家具デザイン、印刷タイポグラフィについて、ファン・ドースブルク、モンドリアン、ファントンゲルロー、バート・ファン・デル・レック、フサールらの記事が紹介されている。モンドリアンはこの雑誌を通じて、色彩と空間の理論を打ち立て、リートフェルトは三次元における純粋造形美術という、デ・ステイル流の理論を、その家具デザインや建築設計に転換してみせた。文学に関する宣言には、ファン・ドースブルク、モンドリアン、アントニー・コックの三人が署名している。イタリア未来派のセヴェリーニ、トゥール・ドナスキー、雑誌『レフォール・モデルヌ』（*L'Effort moderne*）を興す画商レオンス・ローザンベールらの寄稿を容れた点にも、この雑誌の幅広い国

際性があらわれている。図版も多く、一部は貼り込みとなっている。第七年からは「七二・七四」、「七五・七六」、「七七」、「七八」など、通巻番号が附されるようになる。一九一七年の「七九―八四」は「デ・スティルの十年」の特集号となり、百十二頁の大冊となった。これは、この雑誌のなかでもっとも珍しく、また重要な号のひとつである。一九三二年にファン・ドースブルクが没すると、未亡人、モンドリアン、シュヴィッタースらが中心となって特別追悼号が発行され、それがこの雑誌の終刊号となった。なお、第五年一〇・一一合併号として発行された「二つの正方形の物語」には、リシツキーの署名の入った五十部豪華限定版が存在する。この雑誌は西ヨーロッパのみならず、旧東欧諸国に対しても、カシャーク・ラヨシュの前衛雑誌『マ』と同様の影響力を発揮しており、その意味でも特筆に値する。

＊5――全二八号で二十七冊を数える。四つ折り判。一九二〇年一〇月にピュリスムの機関誌として創刊された。ポール・デルメ、アメデ・オザンファン、ル・コルビュジエの編集になる。デルメが編集部にいた期間は短い。第一七号までは上質紙を用いた帙入り豪華版が存在する。詩人たちを寄稿者に迎えていることから、二十世紀の視覚詩の誕生に加担しているだけでなく、因習的な詩形式の打破を目指していたことはあきらかである。内容はかなりラディカルである。事実、号によっては、美術雑誌というより、思想雑誌の色彩が強いものもある。オザンファンとル・コルビュジエの編集になる号は、当時の美術雑誌の常識を覆すものとなった。現に、第一六号にはフロイトに関する記事、アインシュタインとベルクソンに関する記事、フォーヴィスム、戦後の経済問題、建築、ギリシアの壺、アイルランド系移民文学、スポーツに関する記事があり、裏表紙には「エスプリ・ヌーヴォーは選良の雑誌である」との惹句が見られる。「国際美学雑誌」という副題

はすぐに「現代的な活動に彩られた国際雑誌」に替えられた。ル・コルビュジエの初期の代表的な論考の多くが、デザイン哲学についての基本的な宣言とともに、この雑誌に初出している。「建築を目指して」「今日の装飾芸術」「都市計画」がそうである。ル・コルビュジエとオザンファンの共同執筆論文「ピュリスム」「直角」「キュビスム」もまた同様である。

＊6――Claude Leclanche-Boulé, *Typographies et photomontages constructivistes en U.R.S.S.*, Paris, Editions Papyrus, 1984 (*Le Constructivisme russe: Typographies & photomontages*, Paris, Flammarion, 1991).

＊7――『デア・ダダ』（*Der Dada*）は「ベルリン・ダダ」の機関誌。「チューリッヒ・ダダ」の中心にいたヒュルゼンベックがベルリンに戻り、一九一八年に表現派・未来派・立体派批判の講演をおこない、「ダダイズム宣言」を公表した。この宣言には、マリク書店に集ったグロッス、フランツ・ユングが署名している。

＊8――一九一六年ヴィーラント・ヘルツフェルデとジョン・ハートフィールドの兄弟は、既存月刊誌『ノイエ・ユーゲント（新青年）』（*Neue Jugend*）の編集権を買収し、反戦と自由思想の拠点とすることにした。兄弟の手になる巻号は、したがって一九一六年一〇月の第一年七号から始まり、以後の全五冊で第一期を終える。この間は小型の四つ折り判で中綴じ。詩や評論など、表現主義の文芸が中心であったが、第五冊目からはグロッスの挿画の比重が高まる。一九一七年二・三月合併号が発禁処分を受け、発行名義人バーガーが編集権を取り戻そうとしたため、兄ヘルツフェルデはエルゼ・ラスカー゠シューラーの連載小説の題名に名を借りた出版社「マリク書店」を興し、同年六月に第二期として新聞紙判四頁の週刊紙を発行することになった。第二期一号は金朱と墨の二色刷り。タイポグラフィはハートフィールドによる。この号はニーチェの超人思想にかぶれ

たヒュルゼンベックのダダ散文詩宣言「新しき人間」（*Der Neue Mensch*）のゆえに、特筆に値する。同二号は片面緑色を加えた三色刷り。もう片面は青・赤の二色刷り。グロッスの版画集『小画帖』の予告号と銘打たれており、コラージュ、タイポグラフィ、色遣いなど、数多ある前衛出版物のなかで、もっとも大胆にして、モニュメンタルな印刷物となった。ヒュルゼンベック、グロッス、フランツ・ユング、マックス＝ヘルマンが寄稿している。

＊9――Karel Teige, Poetismus, *Host*, vol.III, nos.9/10, July 1924, Timothy O. Benson & Éva Frogács, *op.cit.*, vol.2, p.579. Cf. Dreams and Desillusion: Karel Teige and the Czech Avant-Garde, *Grey Gazette*, vol.4, no.2, Grey Art Gallery, New York University, Summer 2001, pp.1-15.

＊10――Karel Teige, *ibid.*, Timothy O. Benson & Éva Frogács, *op.cit.*, vol.2, pp.580-581.

＊11――この言葉は批評家フランツ・ローが一九二五年に出版した美術書『ポスト表現主義』（*Nach-Expressionismus*）の副題に初出し、以来、第一次世界大戦後のドイツ美術について用いられるようになった。ローの著作と同じ年にマンハイム美術館で開催された展覧会で、館長のハルトラウプが同時期のドイツの新傾向絵画について「ノイエ＝ザッハリッヒカイト（新即物主義）」の言葉を使ったことから、今日ではこちらの用語が定着している（G.F. Hartlaub, *Ausstellung Neue Sachlichkeit: Deutsche Malerei seit dem Expressionismus*, Mannhaim, 1925）。

＊12――「ゼニティズム」の機関誌として、一九二一年二月から一九二六年一二月まで、通巻四三号を数える。ゼニット出版局から『ダダ・ジョク』（*Dada-Jok*）を発行した雑誌創刊者リュボミール・ミシチと、その弟であり共同創刊者でもあったブランコ・ヴェ・ポリャンスキー、さらにはヴァルデン、ゲオ・ミレフ、アンリ・バルビュス、フランツ・リヒャルト・ベーレンス、ミシェル・

スフォール、イリヤ・エレンブルク、デペロ、ピーパー、ファン・ドースブルク、ヨゼフ・ペータース、アルベール・グレーズ、マリネッティらが寄稿している。テキストは大半がセルビア語であるが、フランス語との併記号もある。ミシチの雑誌は、ほとんど神秘主義的ともいえる芸術的・政治的な心情の吐露であり、バルカン諸国家の、とりわけバルカン・アヴァンギャルドの精神的・文化的な新時代を予見させるものであった。一九二六年二月の第三八号は五周年記念号である。マリネッティ、ヴェ・ポリャンスキー、ベーレンスの「しかし、ゼニットの五年。毎日のゼニット」(ich bin schwer krank/aber 5 Jahre Zenit/mais 5 ans de Zenit/but 5 years of Zenit/Zenit jeden tag/Zenit tous les jours/Zenit day by day!)、スフォール、ヴァルデン、エレンブルク、デペロ、ファン・ドースブルク、ペータース、ファン・エステルレン、クルト・リーブマン、グレーズ、ガルシア・デ・トーレが寄稿している。さらには編者ミシチの、咆哮に始まる、「すべての大陸にある精神、思想の野蛮児に向けた宣言」(Manifeste aux barbares d'esprit et de la pensée sur tous les continents)(セルビア語とフランス語併記)が収載されている。全体としては反西ヨーロッパ的なものに映りはするが、構成主義を歓迎している。その反面、ダダに対しては、それを退廃的で、不毛な表現と決めつけ、一線を画しており、最終的にはそれと決別することになる。これがアンチ・ダダの見出しの許に置かれるのは、その姿勢それ自体がダダ的だからである。この雑誌の重要性は、それが長命であったということにも因る。なお、同じゼニット出版局から「国際ゼニティズム叢書」が刊行されている。

＊13——František Smejkal, Devětsil: An Introduction, *Devětsil, op.cit*, 1990, p.12.

＊14——雑誌『オルフェウス』(図版13)は、一九二〇年四月にアヴェンティヌム書店から『ムザイオン』

が創刊されたのを承けて、六月に創刊されている。一九二一年までの通巻二号に終わった。ヴラディカとタイゲの編集になり、どちらかといえば、若手美術家向けの雑誌であった。

＊15——Karel Teige, *Nejmenší byt*, Praha, Vaclav Petr, 1932.

＊16——Karel Teige, Poetismus, *Host*, III, no.9/10, July 1924, pp.197-204.

ダダの闖入——ベルリン・プラハ・ザーグレブ

＊1——プラハへのダダの流入については、Jindřich Toman, Now you see it, Now you don't: Dada in Czechoslovakia, with notes on High and Low, Gerald Janeček & Toshiharu Omuka, *op.cit.*, 1996, pp.11-40を参照。

＊2——第一号の『ダダ』一号（*Dada* 1）は、チューリッヒで一九一七年七月に発行されている。八つ折り判で十六頁に二頁の差込。表紙はオレンジ紙にエレナ・ドゥ・ルベの木版画。アルプ、ヤンコ、リュティ、プランポリーニによる挿絵八点。「芸術ノート（一八）」「カカドゥの唄」、マルセル・ヤンコについてのツァラのテキスト。第二号の『ダダ』二号（*Dada* 2）は、チューリッヒで一九一七年一二月に発行されている。八つ折り判で十六頁に六頁の差込。表紙はオレンジ紙にエレナ・ドゥ・ルベの木版画。オットー・ファン・リース、アルプ、ロベール・ドローネー、プランポリーニ、カンディンスキー、ヘルビッヒ、ヤンコ、デ・キリコの挿図八点。ツァラの「芸術ノート（二）——ハンス・アルプ」「春」、翻訳「ニグロの詩」二編のほか、ピエール・アルベール＝ビロの「メカニックなひげ剃り」、カンタレッリ、ダレッツォ、ドゥ・ヴォールシエの「宮殿のなかの感情」、サン・ミニアテッリのテキスト。この号までは比較的穏便な内容である。第

三号の『ダダ』三号（*Dada* 3）は、チューリッヒで一九一八年一二月に発行されている。大型四つ折り判で十六頁。定価一フラン五〇サンチーム。表紙はヤンコの木版画。これには手彩色のあるものと、ないものの二種がある。アルプ、ヤンコ、リヒター、セガール、プランポリーニ、ピカビアの挿図に、ヤンコの全頁大オリジナル木版画一点をあわせた二十点。テキストはツァラの「ダダ宣言一九一八年」、ルヴェルディ、ピカビア、アルベール＝ビロ、デルメ、ヒュルゼンベック、ユイドブロ、ツァラの詩、さらにはアルプに関するヒュルゼンベックの小品、亡くなったアポリネールに関するツァラとピカビアの小品。創刊から第二号まではサイズもレイアウトも、一号雑誌『キャバレー・ヴォルテール』（*Cabaret Voltaire*）の精神に染まっていたが、この第三号になってはじめてテキストと挿絵が一体化し、タイポグラフィもまたダダ的な色彩を帯びてくる。この号は「ダダ宣言一九一八年」のゆえに、ブルトンと雑誌『リテラテュール（文学）』（*Littérature*）の同人たちに強い影響を与え、ダダの出発点となった。第四・五合併号の『ダダ——詞華集』（*Dada : Anthologie Dada* 4/5）（図版143）は、チューリッヒで一九一九年五月一五日に発行されている。四つ折り判で三十六頁。ピンク、赤、白、青の各種の紙を混用する。四フラン。テキストはフランス語とドイツ語。『ダダ』誌のなかでもっとも重要な号とされており、ダダのグラフィック・デザインの頂点を示す。九点のオリジナル木版画が含まれており、表紙のそれを含む五点のアルプ、二点のハウスマン、リヒターとヤンコが各一点。ヴィキング・エッゲリングの全頁大オリジナル石版画二点。この号からブルトン、アラゴン、スーポーが参加する。第六号の『ビュルタン・ダダ』（*Dada 6 : Bulletin Dada*）は、パリで一九二〇年二月五日に発行されている。タブロイド判紙の二つ折りで四頁。二フラン。表紙には金朱色で「ダダ」の巨大な文字が刷られている。シャンゼリゼの「サロン・デ・ザンデパンダンでのダダ運動の夕べ、一九二〇年二月五日」のプログラムについての告知がある。その形状のゆえに、『ダダ』誌のなかでもっとも脆弱な号である。この号では文学的なテキストが姿を消し、タイポグラフィの遊戯場という性格が強まる。ピカビアの挿画二点。第七号の『ダダフォーン』(*Dadaphone*)は、パリで一九二〇年三月に発行されている。表紙は墨一色。リブモン＝デセーニュが主幹となり、オ・サン・パレイユ書店から、定価一フラン五十サンチームで出版されている。ピカビアの「淑女」が表紙を飾る。クリスチャン・シャッドの「シャドグラフ」(Schadograph)と、スーポー、ツァラ、デルメ、アラゴン、コクトー、ユリウス・エヴォーラ、ゼルナー、エズラ・パウンドなど、九名の肖像写真が掲げられている。ピカビアの居宅が発行元になっており、それ以前のものより、ピカビアの個人雑誌『三九一』(*391*)に近づいている。パリのダダイスト、なかでもリテラテュール・グループの仕事が中心となっている。第八号の「ダダ・インティロル」(*Dada Intirol : Augrandair der Sagerkrieg/Dada In Tirol Au Grand Air*)は、オーストリアのタレンツで一九二一年九月一六日に発行されている。出版元は前号と同じくパリのオ・サン・パレイユ書店である。大型の四つ折り判で四頁。『ダダ』の終刊号で「青空の下のダダ」(*Dada Au Grand Air*)の表題で知られる。チロル地方のタレンツは、アルプ、エルンスト、ツァラがヴァカンスを過ごしていた場所である。この号には定期購読申込書が附されていた。

＊3——Melchior Fischer, *Sekunde durch Hirn: Ein unheimlich schnell rotierender Roman*, Hannover, Paul Steegemann-Verlag, 1920. Cf. Jindřich Toman, *op.cit.*, 1996, p.12.

＊4——Richard Weiner, Výstraha, *Lidové noviny*, Brno, 3 March 1920. Cf. Jindřich Toman, *op.cit.*, p.18.

＊5——Richrad Weiner, Patologický případ, *Lidové noviny*, Brno, 8 June 1920. Cf. *ibid.*, p.18.

＊6——Michel Sanouillet, *Dada à Paris*, Paris, Jean-Jacques Pauvert, 1965.（ミッシェル・サヌイエ『パリのダダ』安堂信也・浜田明・大平具彦訳、白水社、一九七九年、一五七頁）。

＊7——同、一五八頁。

＊8——Richrad Weiner, Patologický případ, *Lidové noviny*, Brno, 8 June 1920. Cf. *ibid.*, p.18.

＊9——平井正『ドイツ・悲劇の誕生——ダダ／ナチ』（全三冊）、第一巻、せりか書房、一九九三年、四〇〇—四〇一頁。以下、プラハにおける「ダダの夕べ」の顛末については、同書を参照させていただいた。

＊10——同、四〇一—四〇三頁。

＊11——同、四〇七頁。また、Richard Huelsenbeck, *Courrier Dada*, nouv. éd., Paris, Editions Allia, 1992, p.82 も参照。

＊12——平井正、前掲書、四一三頁。

＊13——Richard Huelsenbeck, *Phantastische Gebete*, Berlin, Der Malik Verlag, 1920.

＊14——プラハのキャバレーで人気を集めていた役者カレル・ノルは、芝居小屋のエンターテインメントに、ダダを広めることになった。この間の事情については、上述のインドジフ・トマンの研究があるため、詳細は省くことにする。当時ノルの周辺には、「未来派」の異名をとったフェレンツェ・フトゥリスタ、エミル・フランチシェク・ブリアン、アルチュール・ローガンのほか、「チェルヴェナー・セドマ（赤色七人組）」（Červená sedma）、「レヴォリュチニー・スツェーナ（革命芝居）」（Revoluční scéna）などのグループが集った。トマンによると、この集団のなかで、

一九一九年秋には、すでにダダの最初の胎動が見られたという（cf. Jindřich Toman, *op.cit.*, PP.15-17)。

＊15――プラハにおけるユーゴ・ダダの生成と展開については、Dragan Kujundzic & Jasna Jovanov, Yugo-Dada, Gerald Janeček & Toshiharu Omuka, *op.cit.*, 1996, pp.41-62を参照。

＊16――Ljubomir Micic, Ivan Goll & Bosko Tokin, Manifest Zenitizma, *Zenit*, vol.I, no.1, 1921, Timothy O. Benson & Éva Frogács, *op.cit.*, vol.2, pp.284-291.

＊17――Branko Ve Poljanski, Dada-Nyet, Dada-Jok, *Zenit*, vol.II, no.7, 1922, Timothy O. Benson & Éva Frogács, *op.cit.*, vol.2, p.346.

＊18――Dragan Aleksic, Dadaizam, *Zenit*, no.3, April, 1921. Cf.Dragan Kujundzic & Jasna Jovanov, Yugo-Dada, Gerald Janeček & Toshiharu Omuka, *op.cit.*, 1996, p.45.

＊19――*Ibid.*, pp.44-45.

＊20――*Ibid.*, p.43.

ベルリン未来派の旋風――ベルリン・プラハ

＊1――『デア・フトゥリスムス』（*Der Futurismus*）（図版163）はタブロイド判紙の四つ折り。当初は月刊を予定していた。第四号は、プランポリーニの未来派宣言のなかで、もっとも重要なものとされる、フランス語版宣言「未来派舞台美術」（Scenograhie futuriste manifeste）を取り上げている。「舞台を改革しよう」で始まるこの宣言は、未来派の舞台美術理論の基礎とされる。これによってプランポリーニは、両大戦間の国際的な舞台美術のリーダーとなった。編者のヴァザーリは、

ベルリンにおける未来派運動の代表であり、画廊経営のかたわら、国際芸術家センターの運営にもあたった。

＊2——René Schickele, Wie Verhält es sich mit dem Expressionismus, *Die Wiesenblater*, no.3, 1920（早崎守俊訳「表現主義とはどういうものか」『表現主義の理論と運動』ドイツ表現主義（五）、前掲書、二七九頁）。

＊3——Gérard-Georges Lemaire, *op.cit.*, 1995, p.175.

＊4——Pontus Hulten, *op.cit.*, pp.543-544. この舞台の台本はシュパーラのリノカット表紙で出版されている。

＊5——Gérard-Georges Lemaire, *op.cit.*, 1995, p.176.

＊6——Filippo Tommaso Marinetti, *Les mots en liberté futuristes*, Milano, Edizioni Futuriste di Poesia, 1919.

＊7——Filippo Tommaso Marinetti, *L'immaginazione senza fili e le Parole in Libertà*, Manifesto futurista, Milano, Direzione del Movimento Futurista, 11 marzo 1913.

＊8——一九二二年一月一日にミラノの未来派運動指導部が創刊した隔週総合雑誌『ル・フュチュリスム／イル・フトゥリズモ』（*Le Futurisme/Il Futurismo*）（仏語版と伊語版の二種）は、年間購読料六リラで公称五万部。国内外への郵送用宣伝媒体として重要な意味をもった。一九三一年一月の第二二号で終刊し、その後継誌として、一九三二年五月、装いも新たに月刊新聞として再興されている。編集主幹は先行誌と同じ、建築家のミーノ・ソメンツィである。一〇月二日発行の第一〇巻四号から毎週日曜日発行となった。判型は特段に大きい。墨の基本色に、朱、緑、青、赤

の二色刷りが多く、ときに三色刷りのものもある。用紙は厚手で、しかも腰が強い。そのため、壁新聞やポスターの代わりにもなった。写真図版用の挟み込みには、アート紙が用いられている。こうした細かな配慮には、大衆向けの出版メディアにおいてさえ、独特の美学を貫こうとする未来派的感性が生きている。タイポグラフィの点でも、この週刊紙の美しさは、未来派定期刊行物のなかで、群を抜いている。

＊9――Filippo Tommaso Marinetti, *Il Tattilismo, Manifesto Futurista*, Milano, Direzione del Movimento Futurista, 11 gennario 1921.

＊10――Gérard-Georges Lemaire, *op.cit.*, 1995, p.176.

ハンガリー行動主義の流入――ブダペシュト・ウィーン・プラハ

＊1――一九一五年一一月に創刊され、一九一六年九月まで、通巻一七号を数える。カシャーク・ラヨシュが、義弟の画家ウィッツ・ベーラ、舞台美術家マーツァ・ヤーノシュらとともに、社会派作家サボー・デジェーを迎え、ベルリンの雑誌『ディ・アクツィオーン』を手本として創刊した。四つ折り判アンカットで、創刊号は五百部、第二号以降は千部の発行であった。創刊号の表紙を飾ったのは彫刻家パーツァイ・パールの石版カットで、これが第一二号まで続く。第一〇号にはカシャークが「新しい文学」のあるべき姿について纏めた十二の宣言を含む「プログラム」（Program）と題する記事が収録されている（cf. Timothy O. Benson & Éva Frogács, *op.cit.*, vol.2, pp.160–161）。一九一六年七月発行の第一五号では、マリネッティの未来派自由詩が、ハンガリー語に初訳されている。翌月発行の第一六号は「国際号」となり、ドイツ、イタリア、フランス、ベル

ギー、ロシア、イギリスの詩人の特集号となっている。九月発行の第一七号「詩選号」は、その内容が利敵行為と見なされ、発売停止の処分を受けている。これをもって雑誌は廃刊を余儀なくされた。

＊2——カシャークについては、*Lajos Kassák*, Paris, Galerie Denise René, 1960; *Lajos Kassák: Retrospective*, Paris, Galerie Denise René, 1963; Carl László, *MA-Kassák*, Basel, 1968; *Ungarische Avantgarde 1909-1930*, München, Galleria del Levante, 1971; *Ungarische konstruktive Kunst 1920-1977*, München, Kunstverein München, 1979; Ch. Dautrey & J.-C. Guerlain, *L'activisme hongrois*, Paris, Editions Goutal-Darly, 1979; *L'Art en Hongrie 1905-1950, Art et Révolution*, Musée d'Art et d'Industrie Saint-Etienne, Musée d'Art Moderne de la Ville de Paris, Paris, 1980; *The Hungarian Avant-garde. The Eight and the Activists*, London, Hayward Gallery, 1980; M. von Bartha und Carl László (ed. by), *Die ungarischen Künstler am Sturm. Berlin 1913-1932*, Basel, Editions Panderma, 1983; *The MA Circle. Budapest and Vienna 1916-1925*, Hearst Art Gallery in Saint Mary's College. Moraga, California, 1985; *The Hungarian Avant-garde 1914-1933*, Connecticut's State Art Museum, Storrs, 1987; *Kassák 1887-1967*, Arion 16, Nemzetkozi Koltoi Almanach (Almanach International de Poésie), Budapest, Corvina, 1988; *Ungarische Avantgarde*, Humburg, Galerie Levy, 1989; *Lajos Kassák y la vanguardia hungara*, Valencia, IVAM Centre Julio Gonzalez, 1999 を参照。また、国内における先駆的な研究として知られる、井口壽乃『ハンガリー・アヴァンギャルド——MAとモホイ＝ナジ』彩流社、二〇〇〇年にも、教えられる部分が多々あった。

＊3——Kassák Lajos, Activism, lecture given Feb. 20, 1919, *Ma*, vol.IV, no.4, 1919, Timothy O. Benson & Éva Frogács, *op.cit.*, vol.2, p.219.

＊4——ベネシュのリノカットは、マ・グループの創立メンバーのひとりであった批評家ヘヴェシ・イヴァーンが、一九一九年にブダペシュトのマ出版局から刊行した『未来派・表現派・立体派論叢』(Hevesy Iván, *Futurista, Expresszionista és Kubista Festészet*, Budapest, Ma-Kiadása, 1919)(図版169)にも、挿図として採用されている。

＊5——Ferenc Csaplár (A kiállítást rendezte, a katalogust szerkesztette és tervezte), *Kassák az Europai Avantgard mozgalmakban 1916-1928*, Budapest, Kassák Múzeum és Archivum, 1994, p.5.

＊6——Bibliothèque Littéraire Jacques Doucet, Paris, Tristan Tzara Collection 2,200, *ibid.*, p.18.

＊7——Bibliothèque Littéraire Jacques Doucet, Paris, Tristan Tzara Collection 2,223, *ibid.*, p.20.

＊8——カシャークとプラハとのつながりは、一九二四年にプラハで創刊された急進左翼系文芸批評誌『ダフ(雑踏)』(*Dav*)(図版21)に持ち越される。この雑誌は、当時ウィーンに支店を構えていた、ヴィーラント・ヘルツフェルデのマリク書店と提携しており、グロッスやオットー・ディックスなど、ベルリン・ダダの紹介に力を注いでいた。とはいえ、この雑誌もまた長くは続かず、翌年発行の第二号で終刊している。一九三三年一月ヒトラー政権が誕生し、三月の国会焼討事件を口実に、共産党が非合法化され、党員の一斉検挙が始まった。ヘルツフェルデは、いち早くプラハに亡命し、そこで出版の地下活動を再開する。四月には弟のハートフィールドもプラハに亡命し、後日国際問題にまで発展する、マーネス造形芸術家連盟主催の『風刺画』国際展へ参加することになる。これについては、Wieland Herzfelde, *John Heartfield: Leben und Werk*, Dresden,

1962; *Der Malik-Verlag 1916-1947*, Berlin, Deutsche Akademie der Kunste, 1967; James Fraser & Steven Heller (org. by), *The Malik-Verlag 1916-1947: Berlin, Prague, New York*, Goethe House, New York, 1984 を参照。

＊9——Passuth Krisztina, *Moholy-Nagy László*, Budapest, 1982.

＊10——Konstantin Ulmanskij, *Neue Kunst in Russland*, Potsdam, Gustav Kiepenheuer, 1920.

＊11——第一・二合併号は三十二頁、第二号は二十四頁。大型の四つ折り判。赤紙および橙紙にリシツキーの「プロウン」（Proun）のタイポグラフィ構成の表紙。テキストはロシア語、ドイツ語、フランス語。リシツキーの監修・デザインによるこの構成主義雑誌は、西ヨーロッパで出版された最初のソヴィエト寄り雑誌であった。内容としては、タトリンの「第三インターナショナル記念塔」に関するプーニンの記事をはじめ、ル・コルビュジエ、マヤコフスキー、パステルナーク、ゴル、エセーニン、グレーズ、ファン・ドースブルク、ヴィルドラック、ヘーレンス、フレーブニコフ、オザンファン、アルキペンコ、ハウスマン、タイーロフ、ヒルバースハイマー、プロコフィエフのテキストを収める。図版には、グレーズ、ファン・ドースブルク、レジエ、リプシッツ、タトリン、エッゲリング、マレーヴィチ、オザンファン、アルキペンコ、ピカソ、リヒターが使われており、蒸気機関車、メイエルホリドの舞台セット、一九二一年にモスクワで開かれた「オブモク」（Obmokhu）展の革新的な展示風景の記録写真も収録されている。なお、第一・二合併号には、「ヴェーシチの綱領」が掲載されている。その主張の第一は、新ロシアの美術家と西ヨーロッパの美術家とのあいだの交流促進、ならびにモノの交流促進を進めること。第二は、モダン・アートと科学、政治、技術、住宅における新展開の相互影響を促進すること。『ヴェーシチ』は、そ

れらをもって、新しい集団的な国際様式を確立しようとしていたのである。

＊12――カシャークの『新しき芸術家の書』（図版170）では、図版の出典が明確にされている。『マ』以外のものとしては、『デア・シュトゥルム』『レスプリ・ヌーヴォー』『デ・ステイル』『クンストブラット』『チチェローネ』『ヴェーシチ』『ダダ』『クレアシオン』の諸雑誌であり、これらに加え、マリク書店、ヴァスムス書店、ディーデリッヒ書店からもネガ原版を借用している。

＊13――Gérard-Georges Lemaire, *op.cit.*, 1995, p.179.

「構成主義＝ポエティスム」の展開――プラハ・ブルノ

＊1――一九一八年にアムステルダムで産声を上げた月刊誌『ウェンディンヘン』（*Wendingen*）は、内容においても形式においても、実験的な性格の強い雑誌である。前世紀の西欧にもたらされたジャポニスムの残存なのだろうが、判型は四つ折りの正方形。ヨーロッパでは珍しい、紙縒による和綴じが採用されている。編集長は建築家ヘンリク・テオドロス・ウェイドフェルトであった。アムステルダム派作品の発表の場となったが、外国人建築家作品も多く取り上げられている。ドイツの表現主義建築家エーリヒ・メンデルゾーン、ペルツィヒ、フィンステルリン、さらにはフランク・ロイド＝ライトの特集号もある。オランダの異色画家ヤン・トーロップやウィーンのクリムトの特集号もある。メンバーが腕を振るった表紙画は豪華であり、競合雑誌『デ・ステイル』のヴィルモシュ・フサール、リシツキーも石版の表紙画を手がけている。一九三一年の第一二巻の終刊号まで、全百十六冊の発行を数える。前衛的な美術建築雑誌として例外的に長続きした背景には、主幹ウェイドフェルトのタイポグラフィの妙味もあった。

＊2――プラハ市立美術館のカレル・スルプは、リシツキーの造本で有名なマヤコフスキー詩集『声のために』（一九二三年）に注意を喚起し、同書中で唯一日輪のみが金朱色で刷られた頁に、直接の霊感源があったとしている。なお、ファンタジーとして一蹴されることを承知の上でいうなら、それは日本にまで届いていた可能性がある。一九二五年一〇月に出版された萩原恭次郎の処女詩集『死刑宣告』の外装は、村山知義の意匠を借りて岡田龍夫が手がけたもので、大正後期の新興芸術運動を代表する装釘として知られる。この装釘は、たしかに構成主義的なデザインという点で、ほかに例を見ぬ類のものではある。しかし、真にユニークな点は、表も裏もデザインが同じだということである。しかも、中央に日輪モティーフが配され、第二版ではそれが黒色で刷り出されている。表裏同一化のコンセプトは革命論集『デヴィエトスィル』（図版1）とまったく同じである。また、恭次郎詩集を三ヶ月先んずるかたちで、一九二五年七月に発行された『マヴォ』第六号、同年八月発行の同第七号には、恭次郎の手になると称するコラージュ作品が貼り込まれているが、写真と印刷文字で空間を充塡し尽くす、その着想は、ブルノ派の雑誌『パースモ』（図版19）に見られる「絵画詩」の諸事例、たとえば、ヘイトゥムの絵画詩作品『アンダーグラウンド』と酷似している（Zdenék Primus, *Tschechische Avantgarde 1922-1940: Reflexe europäischer Kunst und Fotografie in der Buchgestaltung*, Hamburg, Kunstverein, 1990 [2nd edition, The Hague, 1992]）。村山、岡田、恭次郎ら、マヴォ・グループの周辺に突如として現れる異色の造形物の背後に、デヴィエトスィルとの関係を索めることはできないだろうか。

＊3――プランポリーニの『ノイ』（*Noi*）（図版165）については、第二期の第一年から第三年一〇・一一・一二合併号まで発行を確認できる。この最後の号は、一九二五年パリのグラン・パレで開催され

た国際装飾美術展覧会の特集号のかたちをとっており、バッラ、デペロ、プランポリーニが紹介されている。

＊4——第一号「オランダ・ダダ」は大型の八つ折り判で十六頁。シュヴィッタースのテキスト「ダダ・コンプレ」、ファン・ドースブルクの訳によるオランダ語抄録「アンナ・ブルーメ」、「メカニック・ダンス像」に関するフサールの記事、ファン・ドースブルクの「ダダイズム」第一部などが収録されている。図版はシュヴィッタース、ヘッヒ、フサール、ピカビア。第二号「i・ナンバー」は大型の八つ折り判で十六頁、図版は五点収録されている。本文紙は淡緑色の厚紙。文字「i」に関するタイポグラフィの試みがなされている。ファン・ドースブルク、シュヴィッタース、アルプ、クリストフ・スペンゲマンの署名による「プロレトクンスト宣言」(*Manifest Froletkunst*)、ファン・ドースブルクの「ダダイズム」第二部が収録されている。第四号「バナリテーテン」は八つ折りの大判で十六頁。ピンクの厚紙に印刷されている。シュヴィッタース、アルプ、リブモン＝デセーニュ、ツァラ、マレスピーヌのテキストが収録されている。第六号「イミタトーレン」もまた、八つ折りの大判で十六頁。本号は二部構成になっており、一方は天地が逆になる。ツァラ、アルプが寄稿している。モンドリアンも「新造形主義について」を寄せている。第七号は四つ折りの大判で八頁。表紙は淡緑色をしている。シュヴィッタース、スペンゲマン、バーダー、ツァラが寄稿している。図版はシュヴィッタース、リシツキー、ブラック、デクセル、グロピウス、アルプ、ヘッヒ、シャルシューヌ。第八・九合併号は四つ折り判で十八頁。表紙は青と朱の二色刷りである。リシツキー、シュヴィッタースのテキストを収める。タイポグラフィはリシツキーによる。ドイツ語とフランス語の併記。自然形態とアートの進化論的特性に関する美学的な

信条を取り上げたもので、本号はとくにリシツキーの大胆にして力動的なデザインで知られている。第一一号は四つ折りの大判で八頁。クリーム色の厚紙に朱と黒で印刷されている。インキ・メーカーとして知られるペリカン社は、一九一二年から一四年にかけスペンゲマンを宣伝担当に雇い入れ、のちにリシツキーも雇い入れている。スペンゲマンの友人シュヴィッタースの広告デザインが、この号で展開されている。第一四・一五合併号は、小型横長の四つ折り判で十二頁。表は青、裏は朱で印刷されている。三人の共同になる子供の童話「スケアクロー」の大胆なデザインは出色である。『メルツ』の第一四・一五合併号として三百部が印刷され、残りはアポッス書店版となる。第一六・一七合併号は四つ折り判で三十二頁。スタイニッツによる十八点の挿絵が収められている。シュヴィッタースの書いたお伽噺『天国のお話』（*Die Märchen vom Paradies*）を編んだもの。登場人物はシュヴィッタースの家族や友人のなぞりである。墨と朱の二色で刷られた厚紙表紙の上に、「MERZ 16/17, 1925/II」のラベルが貼り込まれている。シュヴィッタースは一九二四年に自らの叢書「アポッス」の第二巻として刊行していたが、一九二五年にラベルの貼られた残部を「メルツ」の定期購読者に対し発送した。そのさい、第一四・一五合併号と第一六・一七合併号の二冊で一九二五年に完結する旨の断り書きを差し込んでいる。第一八・一九合併号は小型の四つ折り判で三十二頁。シュヴィッタースは本号を、自ら所有するアポッス書店の出版物であると同時に、メルツの出版物でもあるとしている。ハイブリッド・ヴァージョンがいくつか存在する。なかにはメルツのタグが貼られているものもある。また、表紙の上部に「メルツ一八・一九」（Merz 18/19）とあり、下部に「メルツ書店」（Merzverlag）とあるが、扉頁では著作権の帰属先がアポッス書店とされている。第二〇号は四つ折り判で八頁。シュヴィッタースの作品の図版八点と肖像写真複製二点。長文の重要な自伝的テキストが序文としてあり、ほかに一九二七年の『メルツ』大展覧会（*Große Merz-Ausstellung*）に出品された作品百五十点のリストが附されている。この展覧会は各地を巡回した。一九二六年一一月にはデア・シュトゥルム画廊でも部分的に公開されている。第二一号は横長の四つ折り判で十二頁。朱と黒の二色刷り。メルツの散文詩と「原（ウル）ソナタ」（Ur-Sonata）を集めたもの。第二四号「原（ウル）ソナタ」は小型の四つ折り判で四十二頁。淡青色の表紙に刷られている。レイアウトはヤン・チヒョルトの手になる。千部の限定出版物で、その内の五十部には署名と番号がある。

＊5——『メカノ』（*Mecano*）（図版155）は、ファン・ドースブルクが「主筆ボンセット」の偽名を使って、一九二二年にライデンで創刊したオランダ・ダダの代表的な雑誌。「ボンセット」（I.K.Bonset）は、オランダ語の「わたしは気がふれている」（Ik ben sot）の音のなぞりである。翌年までに通巻五号四冊が発行されている。各号が黄色、青色、赤色、白色の異なる紙に刷られている。ツァラが各号に寄稿しているほか、ジャン・クロティ、エズラ・パウンド、ピカビア、ハウスマン、シャルシュヌ、モホイ＝ナジ、ガブリエル＝ビュッフェ、シュヴィッタース、マン・レイ、アルプらが参加している。

＊6——Jaroslav Jíra, Bazár moderního umění, *Stavba*, no.2, 1923, Timothy O. Benson & Éva Frogács, *op.cit.*, vol.2, p.363.

＊7——Karel Teige, Painting and Poetry, *Disk*, no.1.

＊8——Artur Černík, Večer dadaismu, *Rudé právo*, 23 May 1926. Cf. Jindřich Toman, *op.cit.*, p.29.

バウハウスとの協働――ワイマール・プラハ・ブルノ

＊1――Jindrich Štyrský & Toyen, Artificielismus, *ReD.*, vol.1, no.1, 1927, Timothy O. Benson & Éva Frogács, *op.cit.*, vol.2, pp.589-590.

＊2――Karel Teige, Manifest poetismu, *ReD.*, vol.1, no.9, 1928, Timothy O. Benson & Éva Frogács, *op.cit.*, vol.2, pp.593-601.

＊3――刊行の辞には、つぎのようにある。「われわれは歴史的転換点に生きている。われわれの脚の下で、大地はどこに裂けようとしているのか？ われわれは新しい世界に居残ろうとしているのか、あるいは古いそれとともに死のうとしているのか？ 顧みる必要がある。われわれはこう確信している、われわれの前にあるのは、唯一の可能なる未来社会すなわち、社会主義社会である。その文化はどのようなものになるのか？ 今日、アートは生活における直接的な力を表していない。生き生きとした機能性を容れがたくなっている。そのため、われわれはそこから直接的な諸目的をすべて取り除き、アートから非機能的な要素を洗い落とし、それが充足し得る機能だけに、アートを還元しなくてはならないのだ。それこそが前に進む、とはすなわち、「純粋なもの」「抽象的なもの」、絶対的な、原基的なアートを目指す、一本の道なのだ」（Předmluva ke sborníku Fronta, Brno, *Fronta*, April 1927, Timothy O. Benson & Éva Frogács, *op.cit.*, vol.2, p.676）。

＊4――もっとも、この年鑑には手本があったようである。リシツキーとアルプが一九二五年に出版した『デア・クンスティスムス（諸芸術潮流）』（*Der Kunstismus*）がそれである。なぜなら、編集長ロスマンが同年鑑所収の現代建築論のなかで、一九二四年七月発行の『マヴォ』第一号の表紙を飾る、山里永吉の立体構成『立っている男』を、誤って村山知義の作品として紹介しているが、

この誤謬の出自が、ほかでもない『クンスティスムス』に索められるからである。『マヴォ』を東京の村山から贈られたリシツキーは、誌面に見出される唯一の欧文名ムラヤマを、誤って件の作品の制作者として紹介してしまったというわけである。

＊5――*Karel Teige: Typography, Writings, Book Covers: his contribution to the avant-garde of the XX Century*, Den Hag, Vloemans Antiquarian Books, 1996.

シュルレアリスムとの共闘――パリ・プラハ・モスクワ

＊1――Leva Fronta, *ReD.*, vol.III, no.2, 1929, Timothy O. Benson & Éva Frogács, *op.cit.*, vol.2, p.678.

＊2――*The art of the avant-garde in Czechoslovakia 1918-1938*, *op.cit.*, 1993, p.452.

＊3――Jean Claverie, Du poétisme au surréalisme: *L'Art en Tchécoslovaquie, Années 30 en Europe: Le temps menaçant 1924-1939*, Paris, Flammarion, 1997, pp.97-100.

＊4――『エロティカ雑誌』（*Erotická revue*）は一九三三年まで発行が続き、その間、エロスに関する国内外のシュルレアリストのフォーラムとなった。

＊5――プラハのアヴェンティヌム書店は、一九二七年一一月二六日、タイゲとムルクヴィチカを企画顧問として迎え、ゼドヴィッツ・パレスに画廊「デスヴァン・アヴェンティヌム」（Desvan aventinum）を開設している。「アヴェンティヌム・ガレット」（Aventinum Garret）の名前で親しまれたこの画廊は、デヴィエトスィルの画家の作品発表の場として重宝がられた。一九二八年にシュティルスキーとトワイヤンが「アルティフィシアリスム」を旗揚げしたのも、この画廊であった。パリでシュルレアリスム運動に身を投じたシーマもまた、一九二八年と翌年、そこで個展をおこなっ

ている。一九二九年にはホフマイステル、一九三〇年と三一年にはムズィカが展覧会を開き、さらにはフンケ、レスレル、スデックなど、現代写真の先駆的な展覧会もこの画廊でおこなわれている（cf. *The art of the avant-garde in Czechoslovakia 1918-1938, op.cit.*, 1993, p.447）。

＊6——雑誌『グラン・ジュ（大博打）』（*Grand Jeu*）は通巻三号。第一号は一九二八年夏号、第二号は一九二九年春号、第三号は一九三〇年秋号。第二号と第三号はロジェ・ジルベール＝ルコントの単独編集になる。四つ折り判アンカットで、六十四頁から九十六頁。図版はマン・レイのレイヨグラム、シーマ、モーリス・アンリ、マッソン、アルチュール・アルフォー、マヨ、アルプなど多数。リブモン＝デセーニュ、デスノス、サン＝ポル＝ルー、サイフェルト、ルネ・ドマール、ゴメス・デ・ラ・セルナ、クラメール、ヴェイラン、ミシェル・レイリス、ルネ・クルヴェル、アンドレ・ドゥロン、カルロ・スアレス、ロジェ・ジルベール＝ルコント、ネズヴァル、ヴィトラックの寄稿。ルコント、ドマール、シーマ、ヴァイヤンらのグループは、シュルレアリスムに遅れて参加した若手組で、無意識世界の探求に独自の方法論を展開するが、旧来のシュルレアリスム運動に参加するか否かで、議論が分かれた。

＊7——機関誌『シュルレアリスム革命』（*La Révolution surréaliste*）（図版184）は、ペレ、ブルトン、ナヴィールの編集になり、一九二四年から一九二九年にかけ、パリのガリマール書店から出版されている。初期シュルレアリスムの機関誌として知られる。一二号で十一冊の発行。エリュアール、アラゴン、デ・キリコ、ブルトン、ヴィトラック、ゲラール、スーポーらが寄稿。図版はデ・キリコ、マン・レイ、エルンスト、ピカソ、マッソンなど。一九二九年一二月発行の最終号には、マグリットの著作物としてもっとも重要なテキスト「言葉とイメージ」が掲載されている。

＊8——機関誌『革命に奉仕するシュルレアリスム』（*Surréalisme à la service de la Révolution*）は通巻六号。小型の四つ折り判。腰巻きが附いていた。一九二四年から一九二九年にかけて発行されている。その前身であった機関誌『シュルレアリスム革命』の解体を機に、シュルレアリスム運動体の再編がなされ、ブルトンを中心としたグループの機関誌となった。エリュアール、ブルトン、クルヴェル、ツァラ、ダリ、アラゴン、シャール、ペレ、ポンジュ、デュシャン、ジャコメッティ、エルンスト、フロイト、アルプのテキスト。デュシャン、ブニュエル、マン・レイ、ダリ、タンギー、ミロ、ジャコメッティ、マグリットの図版。第五巻にはデュシャンの『グリーン・ボックス』（*La Boîte Verte*）のノートの抜粋がある。「シュルレアリスムの出版物のなかで、一九三〇年から一九三三年にかけて出た六冊の『革命に奉仕するシュルレアリスム』が、ほかのなによりも贅沢であるというのは、もっともバランスがよく、もっともよくできており、またもっとも生彩に溢れている、とわれわれが理解しているという意味においてである」とブルトンは一九五二年に語っている。この雑誌においては、シュルレアリスムのなんたるかが、全幅に示されている。全号がブルトンの編集になり、ヴィジュアルも豊富である。シュルレアリスムの雑誌のなかでは、政治的な色彩がもっとも強い。

＊9——シュルレアリスム運動の国際的な展開を跡づける定期刊行物。通巻で四号を数える。一九三五年四月九日にプラハから第一号が刊行される。チェコ語とフランス語の併記。表紙のコラージュはシュティルスキー。四つ折り判で十二頁、図版はシュティルスキーとトワイヤンなど四点。ネズヴァルらの宣言を収録。プラハの創刊号についで、カナリヤ諸島のサンタ・クルーズ・ド・テネリフェから一九三五年に第二号が発行されている。第三号はブリュッセルで同年八月二〇日にベ

ルギー・シュルレアリスト・グループによって発行されている。これは四つ折り判で八頁、図版はマグリット、マックス・セルヴェの三点。ベルギーのシュルレアリストならびに、一九三四年にエノーで『ルプテュール（断絶）』（*Rupture*）を創刊したローカルなシュルレアリスト・グループが署名した宣言「傷口のナイフ」が収録されている。文化防衛作家会議（Congrès des Ecrivains pour la défense de la Culture）に向けて充てられたブルトンのテキストも掲載されている。このテキストは、ブルトンが共産党への批判をつのらせ、綱領から削除されたあとであったため、ほとんど誰もいない会議場で、エリュアールが独りで配布したといわれる。さらに一九三七年、ロンドンの英国グループが第四号を発行している。これもまた四つ折り判で二十頁、図版は十一点。ハーバート・リード、ヒュー・サイケス・デーヴィスのテキスト。ブルトン、ビューラ、デーヴィス、エリュアール、ガスコイン、ジェニングス、メザンス、ヘンリー・ムーア、ローランド・ペンローズ、マン・レイ、リード、トッドによる「校閲と承認」とある。これはイギリスにおける最初のシュルレアリスム定期刊行物となった。ロンドンのツウェマー書店の協力を得て、ニュー・バーリントン・ギャラリーで開催された『シュルレアリスム』国際展（The International Surrealist Exhibition）のさい、英国のシュルレアリスム・グループによって発行されたものである。

日本における「チェコ・アヴァンギャルド」

＊1――籾山昌夫「カレル・チャペックの戯曲『R.U.R.』の日本における紹介とその初演をめぐって――築地小劇場舞台装置についての再考」『チャペック兄弟とチェコ・アヴァンギャルド』展カ

タログ、二〇〇三年、一一二―一一七頁。

*2――『世界戯曲全集編集たより』第四号、近代社、一九二七年九月、七頁。Karel Čapek, *R.U.R.* (*Rossum's Universal Robots*), translated by Paul Selver, New York, Doubleday, Page & Co., 1923.

*3――堀野正雄によると、この舞台は国内でホリゾントが用いられた最初の例であるという(堀野正雄『現代写真芸術論』新芸術論システム、天人社、一九三〇年、一六〇頁)。

*4――吉田謙吉『舞台装置者の手帖』四六書院、一九三〇年、四三頁。

*5――堀野正雄、前掲書、一四八頁。その後、この種の映像プロジェクションは、同じ堀野の手で、一九二七年七月の小山内薫演出の築地小劇場舞台『キネマトグラフ』、一九二九年四月村山知義脚色・演出の心座第一〇回公演『トラストD・E』でも繰り返されている。

*6――ベルリンに滞在していた仲田定之助は、杉山栄らとともに、一九二三年四月九日にクアフュルステンダムの劇場で『ロッサムのユニヴァーサル・ロボット(R.U.R.)』の舞台を見ている(籾山昌夫、前掲書、一一二頁)。

*7――土方與志『演出者の道』未来社、一九六九年、一一三頁。

*8――外山卯三郎「現代チェック・スロヴァキア美術観」『中央美術』第一三巻八・九号、中央美術社、一九二七年八・九月、七二―八三頁。

*9――マーツァ『現代欧州の芸術』聚英閣、一九二九年、一〇〇頁。同じ年の一一月には、普及版が叢文閣から出版されている。

*10――山中散生は一九三七年三月発行の『みづゑ』第三八五号でも「チェッコに於ける二人の画家」なる記事を寄せ、シュティルスキーとトワイヤンの紹介に努めている。

＊11——千野栄一「フォイエルシュタイン考」『ポケットのなかのチャペック』晶文社、一九七五年（一九九一年再版）、一三六—一三八頁。

＊12——*Devětsil: Czech Avant-garde Art: Architecture and Design of the 1920s and 30s*, *op.cit.*, 1990. 岡田忠一『ベドジフ・フォイエルシュタイン舞台建築』自費出版、一九二七年。佐藤雪野「日本を愛したチェコ人建築家B・フォイエルシュタイン」『SD』第二八六号、鹿島出版会、一九八八年、四四—四五頁。

＊13——Miroslav Lamač, *Cubisme Tchéque: 1910-1925*, Centre George Pompidou, Flammarion, 1992.

文献一覧

チェコ・アヴァンギャルド（ドイツ圏を含む）

Knižní obálky Josefa Čapka, Praha, Státní graficá škola, 1934.

Josef Čapek, Praha, Umělecké Besedy, 1945.

Josef Čapek a kniha, Praha, Galerie Československého spisovatele, 1950.

Vladimír Thiele, *Josef Čapek a kniha. Soupis knižní grafiky*, Praha, Nakladatelství československých výtvarných umělců, 1958.

Paul Raabe, *Die Zeitschriften und Sammlungen des literarischen Expressionismus*, Stuttgart, Metzler, 1964.

Karel Teige surrealistické koláže, 91 collages from 1935-1951, Brno, Grafický kabinet Domu umění, 1966.

Adolf Hoffmeister, Miroslav Lamač & Jaromír Zemina, *Paris-Prague, Picasso, Braque et leurs contemporains tchéques*, Paris, 1966.

Květoslav Chvatík & Zdeněk Pešat, *Poetismus*, Praha, Odeon, 1967.

Čestmír Berks (introduction), *Václav Špála: Kubistické obrazy*, Praha, 1969.

Josef Glivický & Ludvík Kundera, *Nepřicházejí vhod: Josef Čapek, Bohuslav Reynek. Dopisy. Básně. Překlady. Prósy*, Brno, Blok, 1969.

Stephen Bann (edited by), *The tradition of Constructivism*, Documents of 20th-Century Art, vol.10, New York, Viking Press, 1974.

Lothar Lang, *Expressionist Book Illustration in Germany, 1907-1927*, London, Thames & Hudson, 1976.

Paris-Berlin, Rapports et contrastes France-Allemagne 1900-1933, Paris, Centre Georges Pompidou, 1978.

Jaroslav Slavík & Jiří Opelík, *Josef Čapek*, Praha, 1979.

Joseph Šíma 1891-1971, œuvres graphiques et amitiés littéraires, Paris, Bibliothèque Nationale, 1979.

Štyrský-Toyen-Heisler, Paris, Centre Georges Pompidou, 1982.

Dessins techéques du 20 siècle, *Musée national d'art moderne*, Paris, Centre Georges Pompidou, 1983.

František Šmejkal, *František Muzika, Kresby, scénická a knižní tvorba (František Muzika. Drawings, stage- and book design)*, Praha, Odeon, 1984.

Tschechische Kunst 1878-1914, auf dem Weg in die Moderne, vol.I, Darmstadt, Mothildemhöhe, 1984-1985.

V. Trienále umělecké knižní vazby: Katalog výstavy v Památníku Národního písemnictví, Praha, 1985.

Rostislav Švácha, *Od moderny k funkcionalismu*, Praha, 1985.

Irena Goldcheider, *Czechoslovak Prints from 1900 to 1970*, London, British Museum, 1986.

Devětsil, Česká výtvarná avantgarda dvacátých let, Praha, Galerie hlavního města Prahy & Brno, Dum umění města Brna, 1986.

Werner J. Schweiger, *Oskar Kokoschka: Der Sturm: Die Berliner Jahre 1910-1916 Eine Dokumentation*, Wien/München, Edition Brandstätter, 1986.

Franz Pfemfert (Herausgegeben von), *Die Aktion 1911-1918*, Eine Auswahl von Thomas Rietzschel, Köln, Du Mont Buchverlag, 1987.

V. Šlapeta, *Czech Functionalism 1918-1938*, London, 1987.

Vojtěch Lahoda (introduction), *Svět Emila Filly*, Praha, 1987.

Krisztina Passuth, *Les avant-gardes de l'Europe Centrale 1907-1927*, Paris, Flammarion, 1988.

Jaroslav Anděl, *The Avant-garde Book 1900-1945*, New York, Franklin Furnance, 1989.

J. Kotalík (edited by), *Tschechische Kunst der 20er und 30er Jahre: Avantgarde und Tradition*, Darmstadt, Mathidenhöhe Museum, 1989.

Bruce Davis (editor), *German Expressionist Prints and Drawings*,The Robert Gore Rifkind Center for German Expressionist Studies, 2 vols., Los Angeles, Los Angeles County Museum of Art, 1989.

Ralph Jentsch, *Espressionismo, Libri illustrati degli espressionisti*, Firenze, Le Lettere, 1989.

Ralph Jentsch, *Illustrierte Bucher des deutschen Expressionismus*, Stuttgart, Edition Cantz, 1989.

Czech Modernism 1900-1945, The Museum of Fine Arts Huston, Boston/Toronto/London, Bullfinch Press, 1990.

Lothar Lang, *Konstructivismus und Buchkunst*, Leipzig, Ed. Leipzig, 1990.

Devětsil: Czech Avant-garde Art: Architecture and Design of the 1920s and 30s, Museum of Modern Art Oxford/Design Museum London, 1990.

Josef Kroutvor, *Poselství ulice: Z dějin plakátů a proměn doby*, Praha, Comet 1991.

Jiří Švětka & Tomáš Vlček (sous la direction de), *1909-1925 Kubismus in Prag*, Düsseldorf, Kunstverein für Rheinlande und Westfalen, 1991.

Český kubismus: Architektura a design 1910-1925, Praha, 1991.

Zdeněk Primus (Herausgegeben von), *Tschechische Avantgarde 1922-1940: Reflexe europäischer Kunst und Fotografie in der Buchgestaltung*, Hamburg, Kunstverein, 1990 (2nd edition, The Hague, 1992).

Miroslav Lamač, *Cubisme Tchéque: 1910-1925*, Paris, Centre Georges Pompidou, Flammarion, 1992.

Magdalena Droste (Bauhau-Archiv Museum für Gesalting), *Bauhaus 1919-1933*, Köln, Benedikt Taschen Verlag, 1992.

Figures du Moderne, L'Expressionisme en Allemagne 1905-1914, Musée d'Art moderne de la ville de Paris, 1992-1993.

Štyrský & Toyen, *Artificialismus 1926-1932*, Východočeská galerie (Pardubice) + Galerie umění Karlovy Vary/Středočeská galerie (Praha), 1992-1993.

Vitězslav Nezval, *Abeceda: Tanečni komposice Milči Mayerové*, Praha, Otto, 1926, Faksimileausgabe, 1993.

The art of the avant-garde in Czechoslovakia 1918-1938, Valencia, IVAM (Centro Julio Gonzalez), 1993.

Karel Teige: Architecteur & poetry, *Rassegne*, quarterly, vol.15, no.53, Bologna, 1993.

Poésure et Peintrie: d'un art, l'autre, Marseille, Centre de la Vielle Charité, 1993.

Justin Hoffmann (Bearbeitet von), *Süddeutsche Freiheit: Kunst der Revolution in München 1919*, München, Städtische Galerie im Lenbachhaus, 1993-1994.

Vojtěch Lahoda & Karel Srp, *Karel Teige surrealist collage 1935-1951, From the collections of the Museum of National Literature in Prague*, Praha, Detail, 1994.

Raimond Meyer, Judith Hossli, Guldo Magnaguagno, Juri Steiner & Hans Bollinger, *Dada Global*, Zürich, Limmat Verlag, 1994.

Karel Teige 1900-1951, Praha, Galerie hlavního města Prahy, 1994.

Karel Teige, Praha, Uměleckoprůmyslové Museum, 1994.

John Vloemans & Cora van de Beek, *Czech avant-garde books 1922-1938, Devetšil-Poetism-Constructivism-Surrealism*, The Hague, Vloemans Antiquarian Books, 1994.

Jaroslav Slavík & Jiří Opelík, *Josef Čapek*, Praha, Torst, 1996.
Susanne Anna (Herausgegeben von), *Das Bauhaus im Osten: Slowakische und Tschechische Avantgarde 1928-1939*, Ostfildern-Ruit, Hatje, 1997.
Photographic Literature, Photographs Czech Avant-Garde Books and Design, Swann Galleries, 1998.
Prague 1900-1938: Capital secret des avant-gardes, Musée des Beaux-Arts de Dijon, 1997.
Eric Dluhosch & Rostislav Švácha, *Karel Teige: L'Enfant terrible of the Czech Modernist Avant-garde*, Cambridge, MIT Press, 1999.
Dreams and Desillusion: Karel Teige and the Czech Avant-Garde, *Grey Gazette*, vol.4, no.2, Grey Art Gallery, New York University, Summer 2001, pp.1-15.
Jaroslav Anděl, *Avant-garde page design 1900-1950*, New York, 2002.
Steven Heller, *Merz to Emigre and Beyond: Avant-garde Magazine Design of the Twentieth Century*, London/New York, 2003.
Sons & Lumières: Une histoire du son dans l'art du XXe siècle, Paris, Centre Georges Pompidou, 2004-05.

東欧圏アヴァンギャルド（チェコを除く）

Lajos Kassák, Paris, Galerie Denise René, 1960.
Lajos Kassák: Retrospective, Paris, Galerie Denise René, 1963.
Will Grohmann, *Wassily Kandinsky*, New York, Harry N. Abrams,n.d..
Sophie Lissitzky-Küppers, *El Lissitzky: Maler Archtekt, Typograf, Fotograf*, Dresden, Verlag der Kunst VEB, 1967.

Carl László, *MA-Kassák*, Basel, 1968.

Sophie Lissitzky-Küppers, *El Lissitzky: Life, Letters, Texts*, London, Thames & Hudson, 1968.

Vladimir Markov, *Russian Futurism: A History*, Berkeley/ Los Angeles, University of California Press, 1968.

Ungarische Avantgarde 1909-1930, München, Galleria del Levante, 1972.

Donald Karshan, *Malevich: the Graphic Work, 1913-1930, A print catalogue raisonné*, Jerusalem, Israel Museum, 1975.

Susan P. Compton, *The World Backwards, Russian futurist books, 1912-16*, London, The British Library, 1978.

Iliazd, Paris, Centre Georges Pompidou, 1978.

Paris-Moscou, 1900-1930, Paris, Centre Georges Pompidou, 1979.

Jean-Claude Marcadé (sous la direction de), *Malevitch 1878-1978: Actes du Colloque international tenu au Centre Pompidou*, Musée national d'art moderne, les 4 et 5 mai 1978, Lausanne, L'Age d'Homme, 1979.

Ungarische konstruktive Kunst 1920-1977, München, Kunstverein München, 1979.

Ch. Dautrey & J.-C. Guerlain, *L'activisme hongrois*, Paris, Editions Goutal-Darly, 1979.

L'Art en Hongrie 1905-1930, Art et Révolution, Musée d'Art et d'Industrie Saint-Etienne, Saint-Etienne, Musée d'Art Moderne de la Ville de Paris, 1980.

The Hungarian Avant-garde. The Eight and the Activists, London, Hayward Gallery, 1980.

Stephanie Barron & Maurice Tuchman (organized and edited by), *The Avant-Garde in Russia, 1910-1930:*

New Perspective, Los Angeles County Museum of Art, 1980.

Angelica Zander Rudenstine (general editor) & S. Frederick (introduced by), *Russian Avant-Garde Art, The George Costakis Collection*, London, Thames & Hudson, 1981.

A Magyar grafika külföldöm, Bécs 1919-1933, Budapest, Kiállítás a Magyar nemzeti Galéria Grafikai Gyüjteménye Alapján, 1982/83.

M. von Bartha und Carl László (edited by), *Die ungarischen Künstler am Sturm. Berlin 1913-1932*, Basel, Editions Panderma, 1983.

Catherine Cooke (guest edited by), Russian Avant-Garde Art and Architecture, *Architectural Design* vol.53 5/6-1983, London/New York, 1983.

Gerald Janecek, *The Look of Russian Literature. Avant-garde visual experiments, 1900-1930*, Princeton, Princeton University Press, 1984.

Claude Leclanche-Boulé, *Typographies et photomontages constructivistes en U.R.S.S.*, Paris, Editions Papyrus, 1984 (*Le Constructivisme russe: Typographies & photomontages*, Paris, Flammarion, 1991).

The MA Circle. Budapest and Vienna 1916-1925, California, Hearst Art Gallery in Saint Mary's College. Moraga, 1985.

Krisztina Passuth, *Moholy-Nagy*, London, 1985.

David Elliot, *New World: Russian Art and Society 1900-1937*, London, Thames & Hudson, 1986.

El Lissitzky 1890-1941, Harvard University Art Museums, 1987.

Gérard Conio, *Le Constructivisme russe*, 2 vols., Lausanne, L'Age d'Homme, 1987.

Lidija Zaletova, Fabio Ciofi degli Atti & Franco Panzini (a cura di), *L'Abito della Revoluzione, Tessuti, abiti, costumi nell'Unione Sovietica degli anni '20*, Pesaro, Palestra Carduci, 1987.

Kassák Lajos 1887-1967, Budapest, Magyar Nemzeti Galéria, 1987.

The Hungarian Avant-garde 1914-1933, Storrs, Connecticut's State Art Museum, 1987.

Kassák 1887-1967, Arion 16, Nemzetkozi Koltoi Almanach (Almanach International de Poésie), Budapest, Corvina, 1988.

Konstantin Rudnitsky, *Russian and Soviet theater. 1905-1932*, translated by Roxane Permar, edited by Lesley Milne, New York, Harry N. Abrams, 1988.

John E. Bowlt, *Russian Art of the Avant-Garde: Theory and Criticism, 1902-1934*, Revised and enlarged edition, New York, Thames & Hudson, 1988.

Kazimir Malevich 1878-1935, Russian Museum, Leningrad, Tretiakov Gallery, Moscow, Stedelijk Museum Amsterdam, 1988-1989.

Jozsef Vadas, *Lajos Kassák: Lasst uns Leben in Unserer Zeit*, Budapest, Corvina, 1989.

Ungarische Avantgarde, Humburg, Galerie Levy, 1989.

Catherine Cooke, Dudakov, Crowther, Malevich: Paintings, Architektons, Writings, Suprematism and the Avant-Garde, *Architectural Design/Art & Design*, vol.5, no.5/6-1989, London/New York, 1989.

Giovanni Carandente (a cura di), *Arte Russa e Sovietica 1870-1930*, Milano, Fabbri Editori, 1989.

Vladimir Tolstoi & Isabelle d'Hauteville, *Art décoratif soviétique 1917-1937*, Paris, Editions du Regard, 1989.

Vladimir Tolstoy, Irina Bibikova & Catherine Cooke, *Street Art of the Revolution: Festivals and Celebrations in Russia 1918-33*, London, Thames & Hudson, 1990.

Architectural Drawings of the Russian Avant-Garde, The Museum of Modern Art, New York, Harry N. Abrams, 1990.

Mikhail Anikst & Elena Cernevic, *Grafica commerciale sovietica degli anni venti*, Firenze, 1990.

Grafica Russa 1917/1930: Manifesti-Stampe-Libri da Collezioni Private Russe, Firenze, Vallecchi Editore, Centro Culturale il Bisonte, 1990.

S. Khan-Magomedov, *Vhutemas: Moscou 1920-1930*, 2 vols., Paris, Editions du Regard, 1990.

Patricia Railing, *El Lissitzky: About 2 + More About 2*, Forest Row, East Sussex, Artists Bookworks, 1990.

Dimitri V. Sarabianov & Natalia L. Adaskina, *Popova*, New York, 1990.

The Great Utopia: The Russian and Soviet Avant-Garde 1915-1932, Schirn Kunsthalle Frankfurt/Stedelijk Museum Amsterdam/Solomon R. Guggenheim Museum, 1992.

Susan P. Compton, *Russian Avant-Garde Books 1917-1934*, Cambridge (MA), The MIT Press, 1993.

John Milner, *A Dictionnary of Russian & Soviet Artists 1420-1970*, Suffolk, Antique Collector's Club, 1993.

Tipografia russa 1890-1930, Tra construttivismo e pensiero grafico moderno, Bologna, Grafis, 1993.

Nina Gourianova, *Livres futuristes russes*, Paris, La Hune Libraire Editeur, 1993.

Derbylius (Libreria Galleria), *Marinetti, Majakovskij & Co., Libri e Riviste d'Avanguardia del Futurismo italiano e russo e del Construttivismo sovietico*, Milano, 1994.

Csaplár Ferenc (A kiállítást rendezte, a katalogust szerkesztette es tervezte), *Kassák cz Europai Avantgard mozgalmakban 1916-1928*, Budapest, Kassák Múzeum és Archivum, 1994.

Maurizio Scudiero (a cura di), *Majakovskij & Co., Libri e Riviste d'Avanguardia del Futurismo russo e del*

Construttivismo sovietico, Milano, Edizioni della Laguna, 1994.

Peter Noever (Herausgegeben von), *Tyrannei des Schönen: Architektur der Stalin-Zeit*, MAK (Österreichisches Museum für Angewandte Kunst), Wien/München/New York, Prestel, 1994.

Irina Antonowa und Jörn Markert (Herausgegeben von), *Berlin-Mockba 1900-1950*, Katalog-ausgabe Berlinische Galerie, Berlin, München, Prestel, 1995.

Susan Pack, *Film Posters of the Russian Avant-Garde*, Cologne, Taschen, 1995.

Mentor, A Mentor Konyvesbolt: 1922-1930, Budapest, Kassák Múzeum, 1996.

Christopher Mount, *Stenberg Brothers: Constructing a Revolution in Sovien Design*, New York, The Museum of Modern Art, 1997.

Kazimir Malevich: Takeningen uit de collectie van de Khardzhiev-Chaga Kunststichting, Amsterdam, Stedelijk Museum, 1997.

Michael Ilk, *Brancusi, Traza und die Rumänische Avantgarde*, Museum Bochum/Kunsthal Rotterdam, 1997.

Magdalena Dabrowski, Leah Dickerman & Peter Galassi, *Aleksandr Rodchenko*, New York, The Museum of Modern Art, 1998.

Gerald Janecek & Toshiharu Omuka, *The Eastern Dada Orbit: Russia, Georgia, Ukraine, Central Europe, and Japan, Crisis and the Art: The History of Dada*, edited by Stephen C. Foster, vol.IV, New York, 1998.

Csaplár Ferenc (edited by), *Lajos Kassák: The Advertisement and Modern Typography (Kassák Lajos: Reklam és Modern Tipografia)*, Budapest, Kassák Múzeum, 1999.

Lajos Kassák y la vanguardia hungara, Valencia, IVAM Centre Julio Gonzalez, 1999.

MA (Wien, 1921), Faksimileausgabe, Budapest, Kassák Múzeum, 1999.

Kassák Múzeum (edited by), *MA Buch (Berlin, 1923)*, Wien, 1999.

Hernadi Gyorgy, *Ecce Homo, Berlin, Malik Verlag, 1921*, Budapest, Kassák Múzeum, 1999.

Book Design of the Russian Avant-garde: editions of Mayakovsky, Boston, Grafik Archive Publishing, 1999.

Marcel Janco: Das Graphische Werk Catalogue Raisonné, Antiquariat Zerfaß & Linke (Berlin)/Kunsthal (Rotterdam), 2001-2002.

Margit Rowell & Deborah Wye, *The Russian Avant-garde Book 1910-1934*, New York, The Museum of Modern Art, 2002.

Timothy O. Benson (edited by), *Central european avant-gardes: Exchange and transformation, 1910-1930*, Cambridge/London, Los Angeles County Museum of Art, 2002.

Timothy O. Benson & Éva Frogács, *Between worlds: A sourcebook of Central european avant-gardes 1910-1930*, Cambridge/London, Los Angeles County Museum of Art, 2002.

Andrei Nakov, *Kazimir Malewicz, Catalogue raisonné*, Paris, 2002.

Michael Ilk (Herausgegeben von), *M.H. Maxy: Der Integrale Künstler 1895-1971*, Berlin, 2003.

Avant-garde hongroise: Paris-Budapest 1910-1940, Galerie Le Minotaure/Galerie Zlotowski, s.l. 2004.

Licht und Farbe in der Sammlung Costakis aus dem Staatlichen Museum für Zeitgenossische Kunst Thessaloniki, Martin-Gropius-Bau, Berlin/ Museum Moderner Kunst Stiftung Ludwig, Wien/ Staatliches Museum für Zeitengenossische Kunst Thessaloniki-Sammlung Costakis, 2004-2005.

イタリア未来派

R. Carrieri, *Il Futurismo*, Edizioni del Milione, Milano, 1951.

The Futuriste Balla Severini 1912-1928, Rose Fried Gallery, New York, 1954.

Futurism: Balla, Boccioni, Carrà, Russolo, Severini, Sidney Janis Gallery, New York, 1954.

Le mouvement dans l'art contemporain. Du futurisme à l'art abstrait, Lausanne, Musée Cantonal des Beaux-Arts, 1955.

Maria Drudi Gambillo e Teresa Fiori (raccolti e ordinati da), *Archivi del Futurismo*, 2 vols., Roma, De Luca Editore, 1958 (IIe Edizione, Roma/Milano, 1986).

Enrico Falqui, *Bibliografia e iconografia del Futurismo*, Firenze, Sansoni, 1959.

Joshua Taylor, *Futurism*, New York, The Museum of Modern Art, 1961.

J. Pierre, *Futurisme et Dadaisme*. Paris, 1966.

R. Jullian, *Le Futurisme et la peinture italienne*, Paris, Sedes, 1966.

Massimo Carrà, *Carlo Carrà, Tutta l'opera pittorica 1900-1966*, 3 vols., Milano, Edizioni dell'Annunciata/Edizioni della Conchiglia, 1967-68.

M. Martin, *Futurist art and theory 1909-1915*, Oxford, Clarendon Press, 1968.

M.Valvesi, *Il futurismo*, Fratelli Fabbri, 1970.

Zeno Birolli (a cura di), *Umberto Boccioni, Gli scritti editi e inediti*, 2 vols.,Milano, Feltrinelli, 1971.

Palma Bucarelli, Jacques Lassaigne & Giorgio de Marchis (commissaires), *Giacomo Balla*, Galleria Nazionale d'Arte Moderna, Roma/Musée d'Art Moderne de la Ville de Paris, De Luca, s.l., 1971-72.

Futurismo 1909-1919, Edinburgh, Northerns Arts & Scottish Arts Council, Hutton Gallery, University of

Newcastle upon Tyne/Royal Scottish Academy, 1972-73.

Le Futurisme 1909-1916, Paris, Musée national d'art moderne, 1973.

Umbro Apollonio (edited & with an introduction by), *Futurist manifestos*, London, Thames & Hudson, 1973.

L. de Maria, *Per conoscere Marinetti e il futurismo*, Oscar Mondadori, 1973.

Futurismus 1909-1917: Wir setzen den Betrachter mitten ins Bild, Städtische Kunsthalle Düsseldorf, 1974.

Giovanni Lista, *Marinetti et le Futurisme*, Lausanne, L'Age d'Homme, 1977.

Massimo Carrà (a cura di), *Carlo Carrà, Tutti gli scritti*, Milano, Feltrinelli, 1978.

Ettore Camesasca (a cura di), *Mario Sironi, Scritti editi e inediti*, Milano, Feltrinelli, 1980.

Anne d'Harnoncourt, *Futurism and the International Avant-Garde*, Philadelphia, Philadelphia Museum of Art, 1980.

Burr Wallen & Donna Stein, *The Cubist Print. Catalogue of the circulatin exhibition*, Santa Barbara, University Art Museum, University of California, 1981.

Pour un temps/Wyndham Lewis, Paris, Centre Georges Pompidou/Pandora Editions, 1982.

Bruno Passamani, *Continuita del Futurismo*, Modena, Galleria Fonte d'Abisso Edizioni, 1983.

Donna Stein (editor), *Cubist Prints/Cubist Books*, New York, Franklin Furnace, 1983.

Giovanni Lista, *Le livre futuriste de la libération du mot au poème tactile*, Modena, Editions Panini, 1984.

Pontus Hulten, *Futurismo & Futurismi*, Milano, Bompiani, 1986.

Futurismo Futurismi, Supplemento ad Alfabeta/La Quinzaine littéraire, numéro 84/Anno 8, Milano/Paris, 1986.

Claudia Salaris, *Bibliografia del Futurismo 1909-1944*, Roma, Biblioteca del Vascello, 1988.
Donna Stein (a cura di), *Libri cubisti*, Siena, Palazzo Pubblico, La Casa Usher, 1988.
Serge Fauchereau, *Les artistes italiens et les revues occidentales, Art Italiens: 1900-1945* (sous la direction de Pontus Hulten & Germano Celante), Paris, Editions Liana Lévi, 1989, pp.113-119.
Luciano Caramel, Enrico Crispolti Veit Loers, *Vanguardia italiana de Entreguerras: Futurismo y Racionalismo*, Museum Fridericianum, Kassel/IVAM Centre Julio Gonzalez, Valencia, Mazzotta, 1990.
Alessandra Borghese & Sergio Illuminato (a cura di), *Intorno al futurismo*, Roma, Leonardo-De Luca Editore, 1991.
Libreria Salimbeni, *Futurismo*, Firenze, 1991.
Claudia Salaris, *Storia del Futurismo*, Roma, Editori Riuniti, 1992.
Claude Leclanche-Boulé & Vladimir Poliakov, *Les livres futuristes russes*, Bibliothèque publique d'Information, Paris, Centre Georges Pompidou, 1995.
L'Arengario Studio Bibliografico, *Futurismo*, Gussago, 1995.
Gérard-Georges Lemaire, *Futurisme*, Paris, Editions du Regard, 1995.
L'Arengario Studio Bibliografico, *Vincio Paladini futurista immaginista*, Gussago, 1997.
Giovanni Lista, *Le Futurisme*, Paris, Editions Pierre Terrail, 2001.
Simona Bertini, *Marinetti e le "Eroiche Serate"*, Novara, Interlinea edizioni, 2002.

ダダ、シュルレアリスム

Willy Verkauf (éd. par), *Dada: Monographie d'un mouvement*, Teufen, Arthur Niggli Ltd., 1957.

Willy Verkauf, Marcel Janco und Hans Bolliger (Herausgegeben von), *Dada: Monographie einer Bewegung*, Teufen, Verlag Arthur Niggli AG, 1958.

Teriade Editeur-Revue Verve, Bern, Klipstein & Kornfeld, 1960.

Wieland Herzfelde, *John Heartfield: Leben und Werk*, Leipzig, 1962.

Michel Sanouillet, *Dada à Paris*, Paris, Jean-Jacques Pauvert, 1965.

Dada: Ausstellung zum 50-jahrigen Jubilaum, Zürich/Paris, Kunsthaus Zürich/Musée National d'Art Moderne, 1966.

Werner Schmalenbach, *Kurt Schwitters*, New York, Harry N. Abrams, 1967.

Robert Motherwell & Bernard Karpel, *The Dada Painters and Poets: An anthology*, The Documents of 20th-Century Art, vol.17, New York, Viking Press, 1967(2nd ed., G.K. Hall & Co., Boston, 1981).

Wieland Herztelde, *Der Malik-Verlag 1916-1947*, Berlin, Deutsche Akademie der Kunste, 1967.

William S. Rubin, *Dada and Surrealist Art*, New York, Harry N. Abrams, 1968.

Herta Wescher, *Collage*, New York, Harry N. Abrams,1968.

Arturo Schwarz, *The Complete Works of Marcel Duchamp*, Second, revised edition, New York, Harry N. Abrams, 1969.

Pierre Cabanne & Pierre Restany, *L'Avant-garde au XXe siècle*, Paris, André Balland, 1969.

Hommage à Teriade, Exposition organisée par le Centre National d'Art Contemporain, Paris, Grand Palais, 1973.

Yves Poupard-Lieussou & Michel Sanouillet, *Documents Dada*, Genève, Weber, 1974.

Trevor Fawcett & Clive Phillpot (editors), *Two centuries of art magazines*, London, The Art Book

Company, 1976.

Arturo Schwarz (editor), *Almanacco Dada, Antologia Letteraria-artistica. Cronologia. Repertorio delle revista*, Milano, Feltrinelli, 1976.

Francis Picabia, Paris, Galeries Nationales du Grand Palais, 1976.

Paris-New York, Paris, Centre Georges Pompidou, 1977.

Klaus Gallwitz (Herausgegeben von), *Dada: Dada in Europa, Werke und Documente*, Berlin, Reimer, 1977.

Dawn Adès, *Dada and Surrealism*, Revised ed., London, Arts Council of Great Britain, 1978.

Der Gegner: Blatter zur Kritik der Zeit, 2 vols., Berlin, Das Arsenal, 1979.

Marcel Marien, *L'activité surréaliste en Belgique 1924-1950*, Bruxelles, Lebeer Hossmann, 1979.

El espiritu Dada 1915/1925, Venezuela, Museo de Arte contemporaneo de Caracas, 1980.

Raoul Hausmann, Retrospektive, Hannover, Kestner-Gesellschaft, 1981.

Antoine Coron (editor), *Les Editions GLM, 1923-1974*, Paris, Bibliothèque Nationale, 1981.

Paris-Paris: créations en France, 1937-1957, Paris, Centre Georges Pompidou, 1981.

Arthur A, Cohen (editor), *The Avant-Garde in Print. A series of visual portfolios documentin twentieth century design and typography*, 5 fasci., New York, AGP Mattews, 1981.

Adam Biro & René Passeron, *Dictionnaire général du Surréalisme et de ses environs*, Fribourg, Office du Livre, 1982.

Michael Erlhoff (Herausgegeben von), *Kurt Schwitters Almanach 1982-1984/85*, Hannover, Postskriptum Verlag, 1982-1984/85.

Jean Warmoes, *Cinquante ans d'avant-garde 1917-1967*, Bruxelles, Archives et Musée de la Littératures,

1983.

Jean-Hubert Martin (intro. par), *Man Ray Photographe*, Paris, Centre Georges Pompidou, 1985.

Renee Riese Hubert, *Surrealism and the Book*, Berkeley/Los Angeles/London, University of California Press, 1988.

Jaroslav Anděl, *The Avant-Garde Book 1900-1945*, New York, Franklin Furnance, 1989.

Arturo Schwarz (a cura di), *I surrealisti*, Milano, Palazzo Reale, Mazzotta, 1989.

Marc Dachy, *Journal du Mouvement Dada 1915-1923*, Genéve, Alber Skira, 1989.

Marc Dachy, *The Dada Movement, 1915-1923*, Geneva/New York, Skira/Rizzoli, 1990.

Nicole Ouvrard, *Art & Pub. Art & Publicite 1890-1990*, Paris, Centre Georges Pompidou, 1990.

Dominique Bozo (commissaire general), *Andre Breton, La beauté convulsive, Exposition 1991*, Paris, Centre Georges Pompidou, 1991.

L'Avant garde en Belgique 1917-1929, Musée d'Art moderne de Bruxelles, 1992.

Robert Hooze (sous la redaction de), *L'Art moderne en Belgique: 1900-1945*, Anvers, Fonds Mercator, 1992.

Hors Limites: L'Art et la Vie, 1952-1994, Paris, Centre Georges Pompidou, 1994.

George Grosz, John Heartfield, and the Malik-Verlag, Boston, Ars libri catalogue 100, 1994.

Dada: L'Arte della Negazione, 2 vols., Roma, Palazzo delle Esposizioni, 1994.

Kurt Schwitters, Paris, Centre Georges Pompidou, 1994.

Raimund Meyer, Judith Hossli, Guido Magnaguagno, Juri Steiner und Hans Bolliger, *Dada global*, Kunsthaus Zurich, Limmat Verlag, 1994.

Man Ray: Paintings, Objects, Photographs, Sale Catalogue, London, Sotheby's, 1995.

Jean-Paul Ameline (Conception et realisation), *Face à l'Histoire 1933-1996: l'artiste moderne devant l'evénement historique*, Paris, Centre Georges Pompidou, Flammarion, 1996.

Anneés 30 en Europe: Le temps menaçant 1929-1939, Musée d'Art moderne de la Ville de Paris, Paris Musées/Flammarion, 1997.

Michael Ilk, *Brancusi, Traza und die Rumänische Avantgarde*, Museum Bochum/Kunsthal Rotterdam, 1997.

Paul Renaud & Claude Oterelo, *Marcel Duchamp·Dada·Surréalisme*, Paris, Hôtel Drouot, 2000.

Michael Ilk (Herausgegeben von), *Marcel Janco: Das Graphische Werk*, Berlin/Kunsthal, Rotterdam, Antiquariat Zerfass & Linke, 2001-2002.

Werner Spies (sous la direction de), *La Révolution Surréaliste*, Paris, Centre Pompidou, 2002.

Francis Picabia, Singulier ideal, Musée d'Art moderne de la Ville de Paris, 2002-2003.

Jean Cocteau, sur le fil du siècle, Centre Pompidou, Galerie 1/Musée des beaux-arts de Montreal, 2004.

Gérard Durozoi, *Histoire du Mouvement surréaliste*, Paris, nouvelle édition, Hazan, 2004.

あとがき

チェコスロヴァキアの美術に興味を持ち始めたのは、いまから十年ほど前のことである。そのきっかけとなったのは、オランダの古書籍商ジョン・A・フレーマンスから送られてきた一冊の古書目録であった。『チェコ・アヴァンギャルドのブック・デザイン　一九二二―一九三八年』と題された目録で、一九二〇年代から三〇年代にかけチェコスロヴァキアで出版された百冊の書籍、雑誌がそこに紹介されていた。本書の冒頭にも記した通り、欧米の前衛芸術運動といえば、西ヨーロッパのそれしか念頭に浮かばない、そうした偏狭な視野しか持ち合わせていなかったこともあって、目録に掲げられた書籍のデザインには、正直なところ、多少の違和感を感じないでもなかった。もちろん、その素晴らしさに見惚れはしたのであるが。

自分の頭のなかに刻まれている、既存の類型のどれとも違う、言い換えると、自分の眼に焼き込まれている、視像のストック・コレクションのどこを探しても、類似例や参照例を引き出しがたいものが、そこに見出されたということである。あえて言葉にするなら、こういうことなのかもしれない。すなわち、既知のものと違ったなにか、これまでに出会ったことのない、もうひとつの別な感受性の、たしかな現前をそこに発見した、と。

思えば、以前にもこれと似たような感覚にとらわれたことがあった。サンクト・ペテルブルクに出かけて、エルミタージュ美術館のロシア絵画コレクションをはじめて眼にしたときのことである。それまで実見したことのなかった、帝政ロシアの画家たちの作品は、新古典派、ロマン派、写実派など、西ヨーロッパの美学に立脚した美術史観からすれば、西方の亜流とはいわないまでも、諸派折衷の産物以外のなにものでもないのかもしれない。が、しかし、すくなくともわたしの眼には、広大なスラヴの大地に根ざした、独自の感受性が厳として息づいており、それが堪らなく新鮮なものに映ったのである。この「発見」には、すくなからぬ意味があった。西ヨーロッパ美学至上主義からの脱却の必要性を考えさせるきっかけとなったからである。以来、西ヨーロッパでない「ヨーロッパ」の存在が気になりだした。

個人的なものとはいえ、こうしたささやかな、しかし驚きを惹起せずにはおかぬ覚醒は、人を旅に誘う動機として充分なものなのかもしれない。チェコの美術をどうしても自分の眼でたしかめてみたくなった。以来、資料収集のためのプラハ詣でが始まった。およそ言葉も満足に解さぬまま始められた書物渉猟の旅ではあったが、ときにプラハの古書店主の助けを借りて、ときに自らの嗅覚を働かせて、必要最小限の資料を大方のところ手に入れることができた。それらを、暇をみては咀嚼反芻し、一気に吐露したものが本書である。

チェコの芸術や文化を理解するに足る長期滞在の経験もなければ、それらについての研究の蓄積があるわけでもない。ために、本書中には理解の行き届かぬ部分、思わぬ誤解や誤謬があろうかと思う。この点については、読者諸賢のご寛容を願うばかりである。

本稿の執筆にあたっては、デン・ハーグのジョン・A・フレーマンス、プラハのジョン・デュピュイ、パリのディディエ・ルコワントル、ミシガン州立大学のインドジフ・トマンの各氏から、貴重な示唆を頂いた。また、国内では美術評論家の中原佑介、文化史家の沼辺信一、和歌山県立近代美術館学芸員の井上芳子、神奈川県立近代美術館学芸員の籾山昌夫の各氏から、貴重な情報と有益な示唆を頂いた。ここにあらためて御礼申し上げる。

最後になったが、煩雑な作業を手際よくこなしてくれた平凡社編集部の竹内涼子さん、チェコ語の校正にご協力頂いた平野清美さん、本に美しい装いを与えてくれた「装釘師」浅井潔さんに、この場を借りて感謝のことばを申し述べたい。

二〇〇五年八月　著者

＊

最後に悲しい知らせを書き足さねばならなくなった。デザイナーの浅井潔さんが急逝されたからである。本書の制作スタッフの一人として外装のデザインに手をつけようか、というところで身体に変調を来した。病院に運ばれ、そのまま帰らぬ人となってしまった。聞くところによると、病床にありながらも、中途になった本書のことを気にかけていたという。この十年、手がけた出版物の大半が、浅井さんとの仕事であった。意見のぶつかることもあったが、デザインをお願いするなら浅井さん、と緒から決めておりブレはなかった。著者とデザイナー、互いに真剣勝負ができたからである。本書の字組が最後の仕事となった。それは読みやすく、美しく、衒いがない。実に見事なものである、といまさらながらに思う。

浅井潔さん、有り難う。

二〇〇六年二月二六日

＊本書は平成一五―一七年度科学研究費補助金による「両大戦間刊行アヴァンギャルド美術諸誌紙の相互連関性に関する超域的研究」（課題番号一五六五二〇〇七）の成果の一部をなす。

平凡社ライブラリー版　あとがき

本拙書は、二〇〇六年の初版刊行から十年後の二〇一六年に、東京大学出版会で公刊された『前衛誌――未来派・ダダ・構成主義［外国編］』の出発点となった一書である。その意味で、著者にとっては格別の思い入れがある。

アヴァンギャルド芸術を研究の俎上に載せようと発起したのは、弘前大学人文学部在職中の一九八〇年代のことである。着任したのが新設のポストであったことから、専門とする美術史関連資料は皆無の状態にあった。そのため、史・資料収集については、文字通り、ゼロからの出発であった。

渉猟の対象となったのは、ひとつがキリスト教図像学に関するもの、そしてもうひとつが二十世紀の前衛芸術運動に関するものであった。前者の蒐書成果は『西洋美術書誌考』の基礎となった。

後者については、研究の方向性がすぐに見えたわけでもなかった。もっぱら古書店の目録を介しての猟書であったが、時を経るうち、少しずつ文献の蓄積も進み、研究課題の具体化について考えねばならなくなった。科学研究費を申請する必要もあったからである。

とりあえずの研究計画は、前衛芸術運動の遺産とされる新聞、雑誌、単行本、宣言書などの出版物について、書誌データを集め、記載し、解題をほどこすというものであった。当初、五百タイトルの史料の処理を目途とし、三百五十タイトルまでたどり着いたものの、そこから先へ進むことができなくなってしまった。

もちろん、現代のように、ウェッブを検索することで、労せずして、書影を含む書誌情報が得られる時代ではなかった。一次史料を掌中に収めるか、海外の資料センターまで出向いて閲覧するか。どちらにしても、個人でできることには限りがあった。多くの稀覯書がデジタル化され、居ながらに細部まで検証できる、そうした今日の情報環境を思うと、実に隔世の感ありと言わざるをえない。

もっとも、量的にみるとわずかなものにすぎなかったが、三百五十タイトルの書誌記載も、アヴァンギャルド研究のプラットフォームとして無駄ではなかった。本拙書の巻末には相当量の註が付されている。それら稀覯史料に関する書誌学的な記述に、一九八〇年代に始めた史料収集の成果と、落掌した史料に関する調査データが活かされることになったからである。

各国の前衛芸術運動の史料について記載するなかで得られたものは他にもある。グローバルな視点でアヴァンギャルド運動を顧みたとき、もっとも出現頻度の高い人物は誰か。ある雑誌に掲載されたテキストが、郵便を介して他所へ届けられ、翻訳されたり、転載されたり、拡散してゆくネットワークとして、どのような経路があったのか。そうした事柄について統計学的・定量的に答えられるようになったからである。

結論の一端を紹介するなら、前衛芸術運動のグローバル・ネットワークのなかで、もっとも高頻度に取り沙汰された人物は、ダダ詩人のツァラ、未来派の領袖マリネッティ、高等遊民のピカビア、「内的必然性」のカンディンスキーということになる。それがとりあえずの結論であった。このリストには、当然と言えば当然であるが、日本人の名前が出てこない。また、セザンヌの名前もなければ、マティスやピカソも登場しない。もちろん、「チェコ・アヴァンギャルド」の担い手たちの名も現れてこない。

本拙書では、ボヘミアの前衛芸術運動が、地政学的な前件のゆえ、各方面からもたらされる諸潮流に晒されていたことを、章ごとに実証してみせた。なるほど、チェコのアヴァンギャルド運動には諸派混淆の傾向が認められる。しかし、そうした折衷主義的なあり方を、歴史的に顧みると、プラスに作用した事例とマイナスに作用した事例の、ふた通りあったことがわかる。チェコの場合は、独自の詩的なモダニズム美学を確立したという意味で、明らかに前者の事例のひとつに数えることができる。

その逢着点である「ポエティスム」の担い手たちは、シュルレアリスムと共産党をめぐる路線選択で対立、離反、分裂し、さらには第二次世界大戦後の社会主義独裁体制下で厳しい弾圧に晒されることになった。運動を率いたカレル・タイゲその人に「チェコ・アヴァンギャルド」の光芒のすべてが集約されているように、わたしには思われたのである。

ともあれ、本拙書が「平凡社ライブラリー」の一書として、再び陽の目を見ることになった。著者としてこれにすぐる喜びはない。

最後になったが、本拙書の再刊を実現して下さった平凡社の関係各位に改めて御礼を申し上げたい。これまでと同様、編集作業など煩雑な作業をお引き受け頂いた編集部の竹内涼子さんに、この場をかりて深謝申し上げたい。

二〇二四年一月

著者

わ行

ら行

や行

ま行

な行

は行

た行

さ行

か行

索引

あ行

[著者]
西野嘉章（にしの・よしあき）
1952年生。東京大学名誉教授、博士（文学）。著書に『十五世紀プロヴァンス絵画研究』（1994、岩波書店）、『装釘考』（2000、玄風舎、2011、平凡社ライブラリー）、『ミクロコスモグラフィア』（2004、平凡社）、『西洋美術書誌考』（2009、東京大学出版会）、『浮遊的前衛』（2012、同上）、『モバイルミュージアム 行動する博物館』（2012、平凡社新書）、『前衛誌』（2016 / 19、東京大学出版会）、『雲の伯爵』（2020、平凡社）、『書姿考』（2020、玄風舎）、『ことばとかたち』（2023、東京大学出版会）などがある。2015年仏国レジョン・ドヌール勲章シュヴァリエ受章。

特別協力………大阪中之島美術館

平凡社ライブラリー 960
チェコ・アヴァンギャルド
ブックデザインにみる文芸運動小史（ぶんげいうんどうしょうし）

発行日…………2024年2月5日　初版第1刷

著者……………西野嘉章
発行者…………下中順平
発行所…………株式会社平凡社
〒101-0051　東京都千代田区神田神保町3-29
電話　(03)3230-6573［営業］
ホームページ　https://www.heibonsha.co.jp/

印刷・製本……中央精版印刷株式会社
DTP…………平凡社制作
装幀……………中垣信夫

ISBN978-4-582-76960-9

【お問い合わせ】
本書の内容に関するお問い合わせは
弊社お問い合わせフォームをご利用ください。
https://www.heibonsha.co.jp/contact/